JN080076

科学

PANDORA'S LAB
SEVEN STORIES OF SCIENCE GONE WRONG

正義が愚行に変わるとき

ポール・A・オフィット 著
関谷冬華 訳
大沢基保 日本語版監修

NATIONAL GEOGRAPHIC

禍いの科学

ディナーや休暇の間もロタウイルスの
表面のたんぱく質について語り続ける私の話を
辛抱強く聞いてくれた妻ボニー、
すべてを価値あるものに変えてくれた
私の子供たちウィルとエミリーに捧げる。

「しかし、（パンドラが）大きな箱のふたを開けると、
あらゆる不幸と禍い（わざわい）が飛び出してきた」

ヘシオドス、『仕事と日』

目次

はじめに

「発明は無からではなく、混沌から生まれる」

——メアリー・シェリー

フィラデルフィアのフランクリン研究所には、ベンジャミン・フランクリン国立記念碑がある。1824年に設立されたこの研究所は、米国で最古の科学教育機関の一つに数えられる。2014年に、ここで「世界を変えた101の発明（101 Inventions That Changed the World）」という企画展が開かれた。サイエンス・ライターの息子と一緒にこの企画展を訪れ、私たちはどんな発明が紹介されているかを予想してみた。予想の多くは当たっていたが、なかには驚くような発明も入っていた。

トップ3を占めたのは、低温殺菌、紙、そして人の手によって起こされた火だ。そして、発明のリストは帆船（はんせん）、エアコン、GPS（全地球測位システム）で締めくくられていた。他にリスト入りしたのは、電話、クローン技術、アルファベット、ペニシリン、糸車、予防接種、トランジスタラジオ、電子メール、アスピリンなどだった。私も息子もまったく予想していなかったのは、火薬（20位）と原子爆弾（30位）の2つだった。これらの発明はどちらも、利益よりはるかに大きな害悪をもたらしたことは間違いない。これをヒントに、私は「世界を悪い方向に変えた101の発明」というリストを作れるのではないかと思いついた。

それからの数年間で、私は医師、科学者、人類学者、社会学者、心理学者、懐疑論者といった人々や友人たちに、その人が考える世界最悪の発明のリストを作ってくれるように頼んで回り、挙げてもらった候補のなかから最終的に自分で50前後の発明を選んだ。まず、私は（爆弾のような）数多くの死をもたらした発見だけを選び出した。次に、（冷蔵庫に使われるフロンのような）環境に害をもたらす発明ばかりを集めた。最後に、（少なくとも私にとっては）驚きであるというだけでなく、現在にも影響が残り続けている発明に落ち着いた。

7つの最終候補

こうして残った7つの最終候補を紹介していこう。

6000年前のシュメール人（訳注　メソポタミア文明を興した民族）が発見したフル・ギル――喜びをもたらす植物――と呼ばれた植物は、ある薬物を誕生させ、現在は年間2万人の米国人がその薬物で命を落としている。若い成人に限れば、交通事故よりもドラッグ（乱用薬物）による死者数の方が多い。

1901年にドイツの科学者が行った実験は、食品産業に革命をもたらした。その100年後、一流医学雑誌『ニューイングランド医学ジャーナル』に「カロリーベースで考えると、（この食品は）他の主要栄養素に比べて心臓病のリスクを高めているように思われる」とする記事が掲載された。ハーバード大学公衆衛生学部は、米国人の食生活からその食品を除けば、毎年25万人の心臓関連死を防止できると推定している。

1909年に、こちらもドイツの科学者がのちにノーベル賞を獲得する化学反応を突き止め、世界で70億人以上の人々に食糧を供給できるようになった。しかし私たちがこのまま手をこまねいていれば、地球の生物は滅びるかもしれない。

1916年、ニューヨーク市の保護活動家が書いた科学論文をきっかけに、連邦議会で一連の厳しい移民法が可決された。それにより、数万人の米国民に強制不妊手術を行うことが可能になり、アドルフ・ヒトラーが600万人のユダヤ人を殺した民族大虐殺に科学的根拠を与えることになった。ドナルド・トランプのような政治家たちがメキシコからの移民を「強姦魔」や「殺人鬼」と呼んで排斥しようとしているあたりにも、その論文の影響がいまだに残っていることが見てとれる。

1935年、ポルトガルの神経科医が精神病をわずか5分で治療できる手術を考案し、ノーベル賞を受賞したが、この手術を受けたジョン・F・ケネディ大統領の妹は生涯にわたる後遺症が残り、現在ではこの手術はホラー映画のテーマにもなっている。この手っ取り早いが危険な手術の影響は、子供の最も一般的な精神疾患の一つである自閉症に有望とされている治療法のなかにも見受けられる。

1962年、現在の環境保護運動の生みの親である有名な自然を愛する作家が書いた本が、ある殺虫剤の禁止に結びついた。禁止法は環境活動家には歓迎されたが、公衆衛生当局は状況を不安視した。彼らの不安にはそれなりの根拠があった。そして殺虫剤が禁止された結果、命を落とさなくてすんだはずの数千万人の子供たちが犠牲になった。

1966年、2つのノーベル賞を後ろ盾にした米国の化学者が、宣伝文句の定番に「抗酸化」を仲間入りさせた。残念ながら、彼のアドバイスに従った人々は、がんと心臓病のリスクを高めただけという結果になった。さらに悪いことに、彼が誕生させた産業のせいで、ハワイで突然肝臓移植が必要になったり、米国北東部で女性が男性化するという奇妙な症状が現れたりと、現在にも悪影響を残している。

パンドラの箱

これらの物語はすべて、望まぬ結果を招いた紀元前700年の神話によって結びついている。ギリシャ神話の神、プロメテウスが天界から火を盗んで人間たちに与えたことに怒った最高神ゼウスは、人間を罰することにした。ゼウスは宝石で飾られた素晴らしい箱を、中身を教えぬままパンドラという人間の女性に与えた。パンドラは決して箱を開けないように言われていたにもかかわらず、箱を開けてしまう。すると箱の中から病、貧しさ、不幸、悲しみ、死などあらゆる禍い(わざわ)が姿を変えた霊たちが逃げ出していった。パンドラは箱を閉じたが、もう遅い。箱の中には希望だけが残っていた。

科学は、パンドラの美しい箱になりえる。そして、科学の力でどんなことができるのかを模索する私たちの好奇心が、時として多くの苦しみと死をもたらす悪霊を解き放ってしまうこともある。場合によっては、最終的な破滅の種がまかれることになるかもしれない。これらの物語は、有史以来、現在にまで続いている。そして、パンドラの箱の教訓は忘れられたままだ。

35年間にわたってワクチン研究を続けてきた科学者として、私は科学が万能の力を発揮する喜びと、予期せぬ結果を生む悲しみの両方を目にしてきた。例えば、経口ポリオワクチンは西半球からポリオをなくし、今でも世界中で使われているが、ワクチン自体がポリオの感染を引き起こすことがある。このような副作用はまれだが、現実に起こっている。1998年から1999年にかけての10カ月間、米国の乳幼児に投与されていたロタウイルスワクチンは、まれに腸重積（訳注　腸管が重なった状態で引き起こされる腸閉塞症）を起こすことがあり、一人の子供が死亡したことによって中止された。ヨーロッパと北欧諸国で２００９年に行われたブタインフルエンザの予防接種は、ナルコレプシー（居眠り病）と呼ばれる睡眠障害をまれに発症させることが判明した。発症すれば、影響は生涯にわたって続く。これらはどれも命にかかわる恐ろしい感染症から人々を守ろうとする素晴らしい発明だったが、少数ながらも悲劇が生まれてしまった。

過去から学ぶ

これから７つの発明を紹介するが、それぞれについてどのようにすれば悲惨な結果を回避できた可能性があるかを分析していく。それから、最後の章では、私たちが学んできた教訓を電子タバコや樹脂化学品、自閉症治療、がん検診プログラム、遺伝子組み換え作物などの最先端の発明に当てはめて考え、発明が誕生する段階で科学の進歩と科学が引き起こす悲劇を見分けられるのかどうか、私たちが過去から学ぶのか、あるいは再びパンドラの箱を開くのかを見ていく。そこから導き出される結論は、間違いなく読者を驚かせることだろう。

第1章

神の薬 アヘン

6000年前のシュメール人が発見したフル・ギル
——喜びをもたらす植物——と呼ばれた植物は、
ある薬物を誕生させ、現在は年間2万人の米国人が
その薬物で命を落としている。若い成人に限れば、
交通事故よりもドラッグによる死者数の方が多い。

「痛みに対して君が望むのはただ一つ、それを止めなければならないということだけだろう。肉体の痛みほどひどいものはこの世にない。痛みの前には英雄など存在しない。」

——ジョージ・オーウェル、『1984年』

最初の薬は、最初の文明から生まれた。

およそ6000年前、旧約聖書に登場するアブラハムの時代に、シュメール人がペルシア（現在のイラン）からチグリス川とユーフラテス川の間に移り住んできた。彼らは楔形文字を発明して40万枚以上の粘土板に書きつけ、農業を発明して大麦、小麦、ナツメヤシ、リンゴ、プラム、ブドウを栽培した。さらに、彼らはある植物を発見した。歴史上で、これほど多くの喜びと、多くの苦しみをもたらした植物は他にない。彼らはこの植物をフル・ギル、「喜びをもたらす植物」と呼んだ。18世紀のスウェーデンの植物学者、カール・リンネはこの植物に*Papaver somniferum*という学名をつけた。これはケシのことだが、アヘンが採れるものはアヘンケシ（*opium poppy*）と呼ばれている。

ケシの実からとれるアヘンは非常に効力が強く、古代文明においては神から与えられたものだと考えられていた。シュメール人は、これを太陽神ラーの頭痛を癒すために女神イシスが与えた贈り物だと信じていた。17世紀のイギリスの医師・トーマス・シデナムは、「全能の神が苦しみを和らげるために人間に与えた治療薬のなかでも、アヘンほど万能で効き目のあるものはない」と言った。アヘンを神からの贈り物だとする考え方は、20世紀まで続いた。1900年代の初めに、当時最も高名な医師にしてジョンズ・ホプキンス病院の創設者でもあったウィリアム・オスラーは、アヘンを「神の薬」と呼んだ。

5種類の有効成分

どんな時代にも、ケシは様々な土地に適応し、よく育った。また、虫や菌類に対する生来の抵抗性も備えていた。そのような理由により、あまり資源に恵まれない土地でもケシを育てて、収穫することができた。（現在では、ケシはアフガニスタンの主要な商品作物となっている。）金になるのはさやの部分で、ここに含まれる乳状の液体を乾燥させると黒いゴムのような塊になる。このゴム状物質（アヘン）には5種類の有効成分が含まれる。知られている限りでは人間に最も強い効果を発揮する植物由来の鎮痛薬であるモルヒネ、穏やかな鎮痛効果と咳止めの効果があるコデイン（メチルモルヒネ）、筋弛緩薬のαナルコチンとパパベリン、1990年代後半から使われ始め、現在では年間2万人の米国人を死に至らしめている薬物の主成分、テバインだ。

数々の病気を治療

古代ギリシャの時代から、痛みを和らげたり、数々の病気を治療するために医師たちはアヘンを用いてきた。

近代医学の生みの親であるヒポクラテスは、不眠症の治療にアヘンを使った。ギリシャ最後の偉大な医師ガレノスは、頭痛、めまい、難聴、てんかん、脳卒中、弱視、気管支炎、喘息（ぜんそく）、咳、喀血（かっけつ）（咳（せき）に伴う出血）、疝痛（せんつう）、黄疸（おうだん）、脾臓（ひぞう）肥大、腎結石、排尿障害、発熱、浮腫（ふしゅ）（心臓の機能低下に伴う手足のむくみ）、ハンセン病、月経困難症、うつの治療にアヘンを用いた。ヒポクラテスもガレノスも、アヘンの罠（わな）には気がついていなかった。多数のギリシャ人がなす術もなく薬の中毒になっていくことに最初に気づいたのは、医師としてそれほど有名ではなかったメロスのディアゴラスだった。結果として、彼は歴史上で初めてアヘンの使用に異論を唱え、アヘン中毒になるよりは痛みに耐える方がましだと表明した最初の人物となったが、彼の警告は２５００年間ずっと相手にされなかった。

ローマ人もアヘンケシの虜（とりこ）になっていた。硬貨にはローマの眠りの神ソムヌスによって称えられるケシが彫り込まれた。だが、ローマではアヘンが強力な毒になりうることも知られていた。紀元前１８３年に、古代カルタゴの将軍ハンニバルは自殺するためにアヘンを使った。さらに、ローマ皇帝クラウディウスの妻、アグリッピナは実子のネロを皇帝にするため、14才の継子（ままこ）ブリタニクスをアヘンで毒殺した。

新約聖書にもアヘンについての記述がある。マタイによる福音書27章34節には、イエスが十字架にかけられたときに、イエスに従う人々が痛みを和らげるためにイエスに何かを飲ませようとする場面がある。「彼らはにがみをまぜたぶどう酒を飲ませようとしたが、イエスはそれをなめただけで、飲もうとされなかった。」アヘンは苦いため、ワインやビールに混ぜて飲みやすくすることが多かった。聖書学者たちはこの「にがみ」はアヘンだった可能性が高いと考えている。

ギリシャ人もローマ人も、アヘンで商売することはなかった。アヘンの取引は、アラブ商人たちの領分だった。彼らが中国に持ち込んだアヘンは、国中を虜にした。

中国での大流行

アヘンが中国に入ってきたのは紀元7世紀頃で、主に薬として使われていたが、菓子類に加えられることもあった。最初のうち、アヘンは気晴らしのような娯楽の一種だった。だが、ポルトガル人が中国に喫煙パイプを持ち込むと、様子は一変し、中国でアヘンは大流行した。このため、庶民が入手できるアヘンが不足した。

1660年にイギリス企業がインドから中国（訳注　当時は清の時代）に運んだアヘンの量は135 0ポンド（約0・61トン）だったが、1720年には3万3000ポンド（約15トン）、1773年には16万5000ポンド（約75トン）に達した。300万人の中国人が中毒になり、中国政府はアヘンの吸引を禁止した。しかし、取り締まりに効果はなく、1839年にはイギリスからのアヘンの輸出量は560万ポンド（約2540トン）という驚くべき量に達した。少なくとも中国の人口の25パーセントがアヘン中毒になっていた。中毒者が90パーセント前後を占める地域もあった。中国社会は崩壊の危機に瀕していた。事態を受けて、中国政府はイギリス当局にインドからのアヘンの輸出を停止するように懇願した。しかし頼みは断られ、国中を襲う中毒患者と犯罪の蔓延（まんえん）を抑えることをあきらめた中国当局は、次の手段に出た。

1839年、政府長官（訳注　欽差大臣）の林則徐はイギリスから輸入されたアヘン260万ポンド（約1180トン）を没収し、処分したことをきっかけに、戦争が勃発した。1839年から1860

年まで、中国とイギリスの間で2度のアヘン戦争が起こり、いずれも中国は敗北した。その結果、中国はアヘン輸入のために以前より多くの港を開放し、イギリスに2100万ドル（現在の価値で約650億円）の賠償金を支払い、さらに香港をイギリス統治領とすることになった（このときに結ばれた条約により、1997年まで香港は中国に返還されなかった）。最終的に、中国ではアヘンが合法化された。1900年に中国は860万ポンド（約3900トン）のアヘンを輸入し、1300万人以上のアヘン中毒患者を出した。

中国ではアヘンは吸引が一般的だったが、ヨーロッパ人の発案のおかげで、アメリカ大陸では、アヘンが飲まれるようになっていた。

時すでに遅し

16世紀のスイスで錬金術師、医師、占星術師、哲学者の顔を持っていたパラケルススは、アヘンをブランデーに混ぜ、調合した薬を「讃（たた）える」という意味のラテン語「ラウダーレ（laudare）」にちなんでローダナムと名づけた。「私は、あらゆる優れた薬を凌駕（りょうが）する、ローダナムと呼ぶ秘薬を持っている」と彼は言っていた。アヘン液（訳注 アヘンチンキ）はヨーロッパ全土に広まった。バーやサルーンといった酒場に頻繁に出入りすることができなかったビクトリア時代の女性は、ローダナムに走るようになった。赤ん坊を眠らせるためにローダナムが与えられることもあった。イギリスの医師たちは、咳、下痢、赤痢、痛風の治療にローダナムを用いた。

米国でもアヘン液は重宝された。ルイーザ・メイ・オルコット（訳注 『若草物語』の作者）やジョージ・ワシントン（訳注 米国初代大統領）はローダナムを使っていたし、メアリー・トッド・リンカーン（訳注　リンカーン米大統領の妻）はローダナム中毒だった。1800年代後半には、米国内のアヘン中毒患者はおよそ20万人いたと考えられている。そのうち4分の3は女性だった。中国の吸引アヘンの中毒者とは違い、ヨーロッパや米国でローダナムを飲んでいた女性たちの中毒は穏やかで害のないものであったようだ。アラバマの小さな町を舞台にしたハーパー・リーの『アラバマ物語』では、ローダナム中毒のヘンリー・ラファイエット・デュボース夫人が堕落の象徴として描かれる。しかし、人種差別主義の町の人々を糾弾する弁護士のアティカス・フィンチは、中毒から抜け出そうとするデュボース夫人の勇気ある挑戦と尊厳ある死を称賛する。フィンチは、デュボース夫人を気の毒な人ではなく、共感できる相手として見ていたのだ。

アヘンは、市販薬の主成分としても広く使われた。3パーセントのアヘンを含む「ストットのフルーツコーディアル（訳注　果汁飲料）」や、やはりアヘンや大麻、クロロホルムを含むクロロダイン（訳注　鎮痛鎮静剤）などの薬は、薬局で簡単に買うことができた。「ウィンズロー夫人のなだめかしシロップ」「マザー・ベイリーの落ち着かせシロップ」「フーパーの鎮静剤」などはどれも、「ぐずる子供をおとなしくさせるため」に与えられていた。のちに、米国医師会はアヘンを含む調合薬を「赤ん坊殺し」と呼んだ。

L・フランク・ボームのベストセラー小説『オズの魔法使い』にもアヘンケシが少しだけ登場する。

知らず知らずのうちに（ドロシーの）目は閉じ、彼女は自分がどこにいるかも忘れて、ケシの花の間に倒れ、眠り込んでしまった。

「我々はどうすればいいんだろう？」とブリキの木こりは尋ねた。

「このまま放っておけば、ここで彼女は死んでしまう」とライオンが言った。「花の香りが我々全員を殺そうとしている。私も目を開けているのがやっとだし、犬はもう眠ってしまった」

ヨーロッパとは異なり、米国では最終的にアヘンの使用が禁止された。きっかけは、カリフォルニアのゴールドラッシュを発端とする一連の出来事だった。

1850年から1870年の間に、およそ7万人の中国人が米国にアヘンのパイプを携えてやって来た。彼らの目的は、金を採掘したり、鉄道で働いたりすることだった。中国人の玄関口となったのは、サンフランシスコの港だった。最初のうち、アヘン吸引をしているのは中国からの移民に限られていた。だが、1870年代に入ると、芸人や賭博師、娼婦、犯罪者たちがアヘン窟(くつ)にたむろするようになり、ロスアンゼルス、ニューヨーク、シカゴ、マイアミをはじめとする米国のほぼすべての主要都市に広まった。アヘン中毒があまりに広範囲に広がり、悪影響も大きかったため、1875年にサンフランシスコ市当局によりアヘン窟条例が制定され、公共の場でのアヘンの吸引が禁止された。他の都市もその動きに追随した。さらに、米国政府も動いた。1909年、連邦議会はアヘン排斥法を成立させ、アヘンの輸入を禁止した。だが、時すでに遅しで、多数の米国人がすでにアヘン中毒に陥っていた。さらに、中毒者を表すジャンキー(がらくた置き場(ジャンクヤード)で金目のものをあさっていることがよくあったためにこう呼ばれた)という新たな言葉に反映されているように、アヘン中毒者はもはや共感できる相手とはみなされなくなっていた。「鶏糞または牛糞」を意味する広東語の読みからホップヘッドと呼ばれることもあった。

1914年、米国議会は医師にすべての麻薬(ナルコティック)の登録と処方記録の管理を義務づけるハリソン法を可決した。（アヘンは痛みを和らげる以外にも睡眠薬として用いられ、「感覚を失わせる」という意味のギリシャ語ナルコン（narkoun）に由来したナルコティックという名前で呼ばれた。当然ながら、あらゆる麻薬は中枢神経系の働きを抑えるため、眠気や朦朧状態、場合によっては昏睡を引き起こした。）１９１９年に米国最高裁判所は法案の適用を拡大し、医師は中毒状態の管理のために麻薬を処方してはならないことをはっきり示した。医師たちがこの法律に違反した責任を追及されるようになるまでは、さらに１００年近くを待たねばならなかった。

アヘンは州議会によって規制され、米国の一般市民から非難されるようになった。だが、アヘンとその成分による米国人の奴隷化とそれに伴う影響は始まったばかりだった。

モルヒネの登場

アヘンは個人に中毒を、社会に破滅をもたらすことが明らかになっているが、優れた鎮静効果があることも確かだ。これに匹敵する薬物は他にない。科学者たちは、アヘンの中毒性をなくし、鎮静効果だけを残す方法を懸命に模索した。最初にそれを試みたのは、１８００年代初めのドイツの若き薬剤師だった。

１８０３年、20才の薬剤師見習いだったフリードリヒ・ゼルチュルナーは、アヘンに最も多く含まれ、最も作用が強い成分の単離に成功した。ゼルチュルナーは、ギリシャ神話に登場する夢の神モルフェウスにちなんでこの成分にモルフィウムという名前をつけた。のちに、モルフィウムはモルヒネと名前を改めた。ゼルチュルナーは大学教育を受けておらず、学位も、専門家としての身分も、自分の研究室も持たなかった。彼は新たに発見した成分の効果を、唯一試せる人間である自分の体で確かめることにした。内気で一人を好む、この非常に若い薬剤師見習いは、まもなく医学界を大きく変えることになった。

ゼルチュルナーは、モルヒネがアヘンより約6倍も効果が強く、短時間で高揚感が得られ、ついで気分の落ち込みと依存状態になることを発見した。研究を終えた頃には、ゼルチュルナーは依存症になっていた。彼は恐ろしいものを作り出してしまったのではないかという不安にかられ、「私は、大きな不幸を避けられるように、モルフィウムと名づけたこの新物質の恐るべき影響が注目されるようにすることが自分の務めだと考える」と警告した。しかし、世間はゼルチュルナーの警告に耳を貸さなかった。

1827年に、ドイツの製薬企業メルクがモルヒネの大量生産を開始した。まもなく、ヨーロッパの医師は様々な病気にモルヒネを処方するようになった。アルコール中毒にもモルヒネが処方され、意図せずして中毒の対象がアルコールからモルヒネに移っていくこともあった。

その後も、一つの医学的発明が麻薬中毒の様相を変えていく。1853年にスコットランド・エジンバラの医師アレクサンダー・ウッドは注射筒に針をつけて、血管に直接モルヒネを注入できるようにした。ウッドは、モルヒネを飲む代わりに注射すれば、薬物に対する「欲求」が高まらないのではないかと考えた。彼は、モルヒネの中毒性から鎮痛効果だけを切り離す方法を見つけたと確信していた。1880年頃には、米国の医師のほぼ全員が皮下注射針を持つようになり、モルヒネを自分で注射するやり方を患者に教え始めた。ウッドの妻はのちにモルヒネの過剰摂取が原因で死亡したとされる。記録が残るなかでは、注射薬物で死亡した最初の患者だ。

皮下注射器の発明によって、モルヒネは中毒者の間で人気が出た。1900年には、米国で30万人以上がモルヒネ中毒になっていた。モルヒネの販売を禁止する法案が通過すると、中毒患者の構成はあっという間に変化した。中毒者は、『アラバマ物語』に登場するような、ローダナムをたしなむかよわくやさしい女性ではなくなり、ネルソン・オルグレンのベストセラー小説『黄金の腕』に出てくる賭博師のジャンキー、フランキー・マシーンのような貧しい都会暮らしの男たちに変わっていった。（1955年の映画では、フランク・シナトラがマシーンを演じている。）

すべては振り出しに戻った。アヘン――それに主成分であるモルヒネ――の効果はしっかりと残しながら、これらに常につきまとう中毒や依存症を起こさない、鎮痛薬を発明することはできなかったのだろうか？　この時点では、科学者は自然の産物のみを使っていた。しかし、最新の化学を駆使すれば、必ずや中毒性のない鎮痛剤を合成することができるはずだ。1800年代の終わりに、一人の科学者がついにそのような奇跡の痛み止めを発見したと思われた。

1874年、ロンドンの薬剤師、C・R・オルダー・ライトはモルヒネを反応型の無水酢酸（さくさん）と混ぜてストーブの上で数時間過熱し、ジアセチルモルヒネを合成した。（この反応はアセチル化と呼ばれる。）ついに中毒性のない鎮痛薬を作り出すことに成功したと思ったライトは、灰白色の粉を飼い犬に与えたが、犬は恐ろしいほど興奮して飛び回り、ひどく具合が悪くなって、今にも死にそうな状態になった。ライトは粉を処分し、自分の発見をロンドン化学会誌で発表した。ほどなくしてライトは栄誉ある王立協会の会員になったが、彼の論文に注意を払うものはいなかった。

それから21年が過ぎた。

1800年代も終わりに近づいた頃、ドイツのラインラントのぱっとしない製薬会社で働いていた若き化学教授ハインリッヒ・ドレゼルがオルダー・ライトの論文を発見した。ライトと同じく、ドレゼルもモルヒネの中毒性をなくす研究に取り組んでいた。彼はライトの論文に感銘を受けた。ドレゼルは、モルヒネをアセチル化すると、脳によりすばやく作用するようになることを知った。つまり、ごくわずかな量で痛みを和らげられるわけだ。少量で効果が得られるなら、中毒になる可能性も低くなるのではないかとドレゼルは考えた。もし彼の予想が正しければ、安全で有効な鎮痛薬がついに実現することになる。

1895年、ドレゼルは博士課程を修了した学生で助手のフェリックス・ホフマンにモルヒネをアセチル化するように指示した。この仕事はホフマンにとっては手慣れた作業だった。彼は少し前に、リウマチの炎症を抑える薬として使われるサリチル酸ナトリウムのアセチル化に取り組んだばかりだった。サリチル酸ナトリウムの問題は、胃を傷めるために胃炎や出血を起こし、場合によっては潰瘍ができることだったが、ホフマンはサリチル酸ナトリウムをアセチル化してアセチルサリチル酸を合成し、胃炎の問題をほぼなくすことに成功した。1899年、ドレゼルとホフマンが働いていた会社――創業者のフリードリヒ・バイエルにちなんでバイエルという社名がつけられていた――は、新薬バイエル・アスピリンを発売した。

次に、ドレゼルとホフマンは、アスピリンの成功をモルヒネに生かせるかどうかの研究に取りかかった。彼らはジアセチルモルヒネをラットやウサギに与えたが、動物たちは与えられた薬を気に入ったようだった。次に、彼らはその灰色の粉を会社で働く4人の男たちに飲ませ、彼らも薬を気に入ったが、実験を繰り返すことには難色を示した。そこで、次に彼らはその薬を数人の地元の病人に与えた。

1898年9月、ハインリッヒ・ドレゼルは第70回ドイツ博物学・医学会で研究内容を発表した。ドレゼルは、ジアセチルモルヒネで風邪やのどの痛みや頭痛、さらに当時の二大死因であった肺炎や結核をはじめとする重度の呼吸器感染症を治療することができて、モルヒネの5倍の効果があり、習慣性は一切ないとした。（この時点では、ドレゼルはわずかな数の人間におよそ4週間の投与を試しただけだった。）ドレゼルはモルヒネ中毒を治せる完璧な薬を発見したと確信していた。学会の参加者は総立ちになって彼に拍手を送った。

ドレゼルがバイエルの上層部に新薬の発売を認めさせるのはたやすかった。だが、まずは名前を考える必要があった。社内では、奇跡を意味するヴンダーリッヒ（wunderlich）という名前が候補に挙がった。しかし、ドレゼルは英雄を意味するヘロイッシュ（heroisch）という名前を推した。1898年、バイエル社はヘロインという名前で新薬を発売した。アスピリンは医師たちが胃炎の可能性を心配したために処方箋（しょほうせん）がなければ手に入らなかったが、ヘロインは安全性が高いと信じられていたため、薬局で普通に買うことができた。

1900年に、バイエル社と提携する米国のイーライリリー社が国内で処方箋なしで買えるヘロインの販売を開始し、アスピリンと並ぶ風邪やインフルエンザの薬として宣伝した。イーライリリーは、ヘロインは子供だけでなく、乳幼児や妊娠中の女性にも安全に服用できる薬だとうたった。

ヘロインの売り上げは好調だった。第一次世界大戦中には、軍隊で戦場に送られた兵士たちにヘロインが注射された。さらに、咳止めのあめに配合されたり、グリセリンに混ぜて飲みやすくした液剤（エリキシル剤）としてヘロインが市販されるようになった。イギリスや米国では数百万回分の用量に相当するヘロインが売れた。1900年代の初めには、慈善団体のセント・ジェームズ・ソサエティーがモルヒネ中毒患者に無料でヘロインを届ける活動を始めた。

ヘロインは標準的な治療薬になった。1906年の『米国医師会雑誌』で、ヘロインは「気管支炎、肺炎、（結核による）衰弱、喘息、百日咳、咽頭炎（いんとう）、ある種の花粉症に対する第一選択の治療薬として推奨される」と述べられている。

ヘロインとの戦い

ヘロインが宣伝通りの薬でないことがわかるまでに時間はかからなかった。1902年までに、少なくとも十数件の中毒例と、数件の乳幼児の死亡例が報告された。1905年には、証拠が山のように積み上がっていた。ヘロインは胎盤を通過するため、ヘロイン中毒になって生まれてきた乳児は重度の離脱症状に苦しめられた。ヘロインの影響は母乳にも現れた。1906年の薬事および化学物質審議会は「常習性が容易に形成され、非常に憂慮すべき結果につながる」と述べている。1910年には、医師たちがヘロインの危険性をはっきりと認識し、使用量は減少した。一方、バイエルは1913年までヘロインを安全な薬として宣伝することをやめなかった。1918年には、ニューヨーク市だけでも20万人以上がヘロイン中毒にかかっていた。

1924年、連邦議会はヘロイン防止法を可決し、ヘロインの製造と販売が法律で禁じられた。その結果、ヘロインは地下の世界で取引されるようになった。1920年代から1930年代の初めにかけて、ヘロインを主に扱っていたのはマイヤー・ランスキー、ダッチ・シュルツ、レッグス・ダイアモンドなどのギャングたちだった。（この3人は全員がユダヤ人だったため、ヘロインはユダヤ語で「中毒」を意味するシュメシェール（schmecher）にちなんで「スマック（smack）」と呼ばれた。）1930年代半ばになると、イタリアマフィア、「フレンチ・コネクション」（訳注　フランスとつながりのある麻薬密売組織）を築いたチャールズ・「ラッキー」・ルチアーノが麻薬取引の主導権を握った。ケシはフランス領インドシナやトルコで栽培され、レバノンに送られてモルヒネに精製され、それからフランスの港町マルセイユに船で運ばれ、そこで高品質のヘロインが製造されて米国に密輸されていた。

最初のうち、ヘロインの乱用は都市部の貧しい最下層に限られていた。それが、1940年代にはハーレムのジャズ界でヘロイン中毒が増え、1950年代にはジャック・ケルアックやウィリアム・バロウズの著作の影響を受けたビート・ジェネレーションにも広がった。1960年代半ばには50万人以上の米国人がヘロイン中毒になっていた。イギリス、フランス、ドイツなどの諸国と同様に、米国のほぼすべての主要都市もヘロインから逃れることができなかった。

事態を受けて、米国政府は動いた。トルコにケシの栽培を中止するように圧力をかけ、フランスからのヘロイン密輸を撲滅した。（この成功は、1971年に映画化された。『フレンチ・コネクション』と題されたこの映画には、ジーン・ハックマンとロイ・シャイダーが出演した。）

1970年代になると、ケシの生産地はラオスやタイ、ビルマ（現在のミャンマー）の山岳地帯、通称黄金の三角地帯と呼ばれる地域に移った。ケシの生産地の移動の影響を最も大きく受けたのはベトナムに駐留していた米兵で、全体の約15パーセントがヘロイン中毒だったといわれる。

1971年夏、ニクソン大統領は「薬物との全面戦争」を宣言した。「米国は世界のどの国よりも多くのヘロイン中毒患者を抱えている」と大統領は述べた。「米国の薬物の脅威を打ち砕くことができなければ、いずれ私たちが滅ぼされることは確実だ」。ニクソンは、薬物戦争の顔としてエルヴィス・プレスリーを選んだ。皮肉にも、1977年にプレスリーが死去したとき、彼の体からは精神安定剤、睡眠薬、モルヒネ、コデイン、向精神薬などが検出された。薬物の過剰摂取が原因で亡くなった有名人はプレスリーだけではない。1970年にはジャニス・ジョプリンが、1982年にはジョン・ベルーシが、1977年にはクリス・ファーレイが、2014年にはフィリップ・シーモア・ホフマンが、いずれもヘロインの過剰摂取で命を落としている。

1990年代半ばには、ヘロイン――その頃には価格が安くなり、純度も上がっていた――は、アルミ箔の上で溶かし、気化させたものを吸い込むやり方が一般的になった（このような行為は「ドラゴンを追いかける」といわれた）。ここにきて、薬物を使用する女性も増え始めた。1995年には、60万人以上の米国人がヘロイン中毒にかかっていた。黄金の三角地帯に加えて、コロンビアの麻薬密売組織メデジン・カルテルも大量の薬物を生産していた。50カ国に75カ所以上の支局を構える麻薬取締局は、年間130億ドル以上をかけてヘロインが国内に入り込まないようにするための活動に取り組んだ。

2003年に、米国のヘロイン中毒者数は60万人から10万人ほどに減った。減少した理由は、麻薬に対する関心が薄れたからではない。またもや、中毒の対象が別のところに移っただけの話だ。

次の奇跡の薬

かつて科学者たちは、モルヒネでアヘン中毒を治療できるのではないかと考えていた。次には、ヘロインでモルヒネ中毒を治療できるのではないかと期待した。そろそろ別の方法を試してみる時期が来ていた。彼らは、薬を合成することにより、痛み止めから中毒性を取り除くという挑戦を再び始めた。だが今度も挑戦はうまくいかず、結果は大失敗に終わることになった。

次の奇跡の薬を探し出すべく、科学者たちはアヘンに含まれる別の成分に目をつけた。ケシが栽培されていた古代エジプトの都市テーベにちなんで名づけられたテバインだ。最初にテバインの合成に成功したのは、ドイツのフランクフルト大学の2人の化学者で、1916年のことだった。彼らはこの化合物をオキシコドンと名づけた。

１９５０年代の初めに、オキシコドンは米国で発売された。最初のうち、オキシコドンは他の様々な薬と配合されていた。例えば、オキシコドンとアスピリンを混ぜたパーコダン、オキシコドンと非ステロイド抗炎症薬のイブプロフェンを組み合わせたコンブノックス、オキシコドンとアセトアミノフェン（タイレノール）を配合したパーコセットなどが売られていた。しかし、最も効果が高く、ひいては中毒性が強くて乱用されたのは、他の薬を一切混ぜずにオキシコドンのみを含む製品、オキシコンチンだった。オキシコンチンの製造元パーデュー・ファーマ社は、この薬を関節炎の第一選択薬として販売した。オキシコンチンでパーデュー・ファーマは大成功を収めた。最終的に、オキシコンチンは同社の売上の80パーセント以上を占めるようになった。

のちに、パーデューはオキシコンチンにアクリル系高分子を配合した錠剤にして、徐放性（長時間にわたって少しずつ成分が放出される性質）を持たせるようにした。そうすれば、薬を1日に何度も服用する必要がなくなる。すぐに中毒者たちは、錠剤をかみ砕けば、１６０ミリグラムのオキシコドンに相当する効果を一気に満喫できることに気づいた。この量は市場に出回っているあらゆる製品をはるかに超えており、今や、中毒者たちは致死量のオキシコドンを摂取できるようになった。（重量比でいえば、オキシコドンの効果はモルヒネより強い。）オキシコンチンが市場に出回るようになったのは１９９６年で、当時の薬のラベルには「オキシコンチン錠は吸収が遅く、薬剤の依存傾向を抑えられると考えられる」と書かれている。米食品医薬品局（ＦＤＡ）は、すぐにこのラベルを許可したことを悔やむことになった。徐放性を持たせるために作られたオキシコンチン錠だが、実際のところ、そのような性質はないも同然だった。

疼痛管理

医師たちは当初からオキシコドンに慎重な姿勢を見せていた。１８００年代にはモルヒネに、１９００年代にはヘロインに、有史以来のアヘンにも彼らは振り回されてきた。同じ過ちを繰り返すわけにはいかない。そのため、医師たちは新たに登場したアヘン由来の奇跡の薬の処方に慎重だった。しかし、１９８０年代半ばに状況は大きく変化した。

１９４８年４月20日、ロンドンのイーストロンドン地域にあるセント・ルカ病院で看護師として働き始めたシシリー・ソンダースは、死期が近い患者のケアにあたるようになった。ソンダースは、終末期患者は痛みに苦しみながら最期の数週間を送るのではなく、できる限り痛みを取り除いて尊厳ある死を迎えられるようにするべきだという信念を持っていた。ソンダースは痛みを治療するよりも、和らげる方が良いと考えた。そこで、１９６７年に彼女はホスピス運動を始め、死期が迫った患者たちに中毒性がある痛み止めを大量に与えた。ソンダースの運動は海を越えて広まった。１９８４年、米連邦議会は疼痛緩和救済法を成立させ、終末期の患者にヘロインを与えることが合法化された。１９８６年には、ウィスコンシン州が初となる州単位でのがん患者に対する疼痛管理プログラムを策定し、他の州も追随した。

多くの末期患者にとって、積極的な疼痛管理はまさに天からの恵みだった。同時に、医師たちにとっても長期的に高用量の麻薬を処方する道が開かれた。最初のうち、使用はがんの末期患者に限定されていた。しかしやがて、評判の高いニューヨーク市の一人の医師が麻薬をもっと自由に使えるようにしようと訴え、破滅への一歩が踏み出された。

メディアの寵児

1986年、ニューヨーク市で疼痛管理の専門家として活躍していた31才のラッセル・ポルトノイは、学術雑誌『ペイン』に1本の論文を発表した。ポルトノイは、米国の医師たちが鎮痛剤を恐れる「アヘン恐怖症」を克服すべき時期が来ていると考えていた。ポルトノイは、高用量の鎮痛剤を服用した38人の例を報告した（そのうち12例ではオキシコンチンが使用されていた）。中毒症状を呈したのは38人中わずか2人で、いずれも過去に中毒歴があった。ポルトノイはこのような結果が出たのは自分の研究だけではないと主張した。それ以前に発表された3本の論文でも、慢性的に鎮痛剤を使用している患者のうち中毒になるのは1パーセント未満だとする研究結果が示されていた。ポルトノイは、「オピオイド（アヘン類縁物質）維持療法は、悪性でないが難治性の疼痛があり、薬物の乱用歴がない患者に対して、安全で有益かつ人道的な代替療法になりうる」と論じている。ラッセル・ポルトノイは、シシリー・ソンダースが末期がん患者に見せた思いやりの対象をすべての患者に拡大するべきだと信じていた。痛みは第五のバイタルサインであるべきだとポルトノイは主張した（一般的なバイタルサインは体温、血圧、心拍数、呼吸数の4つ）。痛みに苦しむ人を放っておいてはいけない。（ここで薬の呼び方についての注意を述べておく。ラッセル・ポルトノイは「オピオイド」という言葉をオキシコドンのようにアヘン由来成分から合成された化合物を指して使っていた。モルヒネやコデインのようにアヘンから直接抽出されるものはオピエートと呼ばれた。）

　カリスマ性があり、頭脳明晰で口のうまいラッセル・ポルトノイは疼痛管理の権威としてメディアの寵児（ちょうじ）となり、新聞や雑誌に頻繁に登場した。学問の世界でも、彼は華々しい成功を収めた。ポルトノイは医学雑誌や科学誌に掲載された140報以上の論文に著者または共著者として名を連ね、本15章分に相当する原稿を執筆した。ラッセル・ポルトノイの言葉に、医師たちは耳を傾けた。ポルトノイは医師たちがアヘンの成分を使った薬を使用しても構わないとし、今の時代に、中毒や命の危険はほとんどないと断じた。アヘンやモルヒネ、ヘロインはもはや過去の話に過ぎない。ついに中毒性のない痛み止めとしてオキシコドンのような薬が登場したのだ。リチャード・ニクソンの薬物戦争は、ラッセル・ポルトノイの「薬物戦争に対する戦争」に変わっていった。

最高額の売上

1995年の終わり、ラッセル・ポルトノイが米国の医師たちに痛み止めを恐れず使うように勧めていた頃と時期を同じくして、パーデュー・ファーマ社の徐放性製剤オキシコンチンがFDAに承認された。パーデューの営業部門は、腰痛、関節炎、外傷、線維筋痛症、歯科処置、骨折、スポーツ障害、術後の痛みの治療に使えるとしてこの薬を売り込んだ。つまりは、何にでも効くということだ。さらに、彼らはこの薬の中毒になる患者は1パーセントに満たないというポルトノイの言葉を呪文のように繰り返した。

1996年に書かれたオキシコンチンの処方箋は30万枚を超え、パーデュー・ファーマは4400万ドルの純利益を出した。絶好のタイミングで時代に合った薬を作り出すことに成功したと感じたパーデュー社は、営業部員を倍に増やし、7日から30日分の薬の無料クーポンを配布した（3万4000枚のクーポンが引き換えられた）。年間の広告予算は2億ドルまで増額され、4000万ドルの特別ボーナスが支払われた。2001年のパーデュー社のオキシコンチンの売上高は14億5000万ドルにのぼった。バイアグラを含め、名のある医薬品の売上としては最高額になる。

処方箋を乱発

ブラックマーケットでも、オキシコンチンの取引は盛況を呈していた。医療目的以外でオキシコンチンを使っていた人々の70パーセント以上は友人や身内から薬を手に入れており、5パーセントはインターネットで売人から買っていた。薬局から薬が盗まれる事件も珍しくなかった。バージニア州プラスキで発生した強盗事件の90パーセントはオキシコンチンの乱用が原因だったし、ケンタッキー州ハザードの受刑者の半数はオキシコンチンがらみの犯罪によって収監されていた。乏しい社会保障給付金の足しにするため、貧しい高齢者が低所得者向けの公的医療保険を使って80ミリグラム100錠入りのオキシコンチンを手に入れ、街頭で1ミリグラムあたり1ドルの値段で売りさばいて8000ドルの稼ぎを手に入れることもあった。未成年の若者は親元からオキシコンチンを盗み出した。（オキシコンチンには「子供の麻薬」という俗称もあった。）処方箋の偽造も行われた。薬を手に入れるために体を売る女たちもいた。薬剤師たちは仕事の片手間に薬を横流しした。ペンシルベニア州のある薬剤師は、逮捕されるまで3年間にわたってオキシコンチンをはじめとする処方箋が必要な鎮痛剤を数十万ドル分も不法に販売し、90万ドルのもうけを手にした（しかし、彼は手にした金を株の売買ですってしまった）。

医師たちはオキシコンチン特需に乗って、金やセックスのための処方箋をせっせと出した。インディアナポリスのランドルフ・W・リーベルツ医師は、州の公的低所得者医療扶助制度を利用して100万ドル以上に相当する処方箋を書いた。そのうち、総額13万ドル分の薬を処方された1人の女性患者は、路上でオキシコンチンを売る麻薬組織の一員だった。メーカーの推奨用量は12時間に1錠だが、この女性患者が処方箋通りに服用したとすると、12時間ごとに31錠の薬を飲んでいたことになる。このような例はリーベルッツ医師だけではない。薬を大量に処方する医師が全米中に現れた。ケンタッキー州東部のある医師は、1日に150人の患者に鎮痛薬の処方箋を書いた。患者1人あたりの診察時間は3分に満たなかった。フロリダだけでも、このような医療機関は数百カ所にのぼった。

医師たちは逮捕され、過失致死罪や殺人罪で起訴された。なかには実刑判決を受けた者もいた。だが、何といっても国内メディアの注目を集めたのは、4人の患者を薬の過剰摂取で死に至らしめ、重大な過失致死の罪に問われたフロリダの55才のジェームズ・グレイブス医師の事件だった。グレイブス医師が処方箋を乱発することは、中毒患者の間で有名だった。「薬を手に入れたければ彼のところに行けば間違いないといううわさが広まっていた」とラス・エドガー州検事補は言う。法廷でエドガーは、グレイブスが鎮痛剤の処方箋を書く仕事は「金脈」だと豪語していたと主張した。彼が患者を診察することはめったになく、カルテをつける必要もなかったからだ。さらに、エドガーは処方箋の出し方を改めてほしいという薬剤師や保護者からの頼みにもグレイブスは耳を貸さなかったと主張した。実際に、グレイブスの駐車場では、さながらスポーツイベントのような光景が繰り広げられていることが珍しくなかった。患者たちは駐車場で飲み食いや車の手入れをし、オキシコンチンの処方箋を手にした患者が出てくるとハイタッチで出迎えた。「診察室の外でパーティーが繰り広げられていたのに、様子がおかしいことに気がつかないのは不自然だ」とエドガーは述べた。

裁判の際に、エドガーは「被告人のもとには、次から次へと母親が訪ねてきて、我が子に薬を与えるのをやめてほしい、さもなければ子供が死んでしまう、と懇願していた。だが、被告人は処方をやめず、過剰摂取を続けさせた」と主張した。グレイブスは、処方した通りに患者が薬を使っていれば、死者が出ることはなかったと反論した。さらに、彼は検察官に信仰が足りないとかみつき、裁判官に「変化が訪れて、彼がキリストを知るようになることを私は神に祈ります」と語りかけた。ジェームズ・グレイブスには、過失致死罪で63年の懲役刑が言い渡された。彼は、無責任な鎮痛剤の処方に関連する過失致死または殺人の罪で有罪判決を受けた最初の医師になった。

オキシコンチン依存症

オキシコンチンの処方箋乱発の悪夢は、米国全土におよんだ。アパラチア地域（訳注　米東部の隔絶された鉱山地域）やオハイオバレーも例外ではなかった。

オキシコンチンの乱用がメーン州の農村部で最初に表面化したのは1990年代後半で、ウエストバージニア州、ケンタッキー州、オハイオ州南部を含む東海岸に広がった。（オキシコンチンは別名「いなか者のヘロイン」とも呼ばれていた。）1995年から2001年にかけてオキシコンチン依存症で治療を受けた患者数は、メーン州で460パーセント、ケンタッキー州東部で500パーセント増えた。ウエストバージニア州では、新たに6カ所の薬物治療施設が開院し、3000人以上の中毒者の治療にあたった。バージニア州南西部で最初の薬物治療センターは2000年に開設され、3年間で治療した患者は1400人を超えた。2003年には同地域のオキシコドンの乱用による死者数が830パーセント増加した。1999年には、ペンシルベニア州西部のアレゲニー郡でオキシコドンによる死者数が、自動車事故による死亡者数を上回った。

アパラチア地域で救急診療にあたる医師たちは、不安感、鼻水、発汗、あくび、不眠症、食欲減退、鳥肌（禁断症状を「コールドターキー」と呼ぶのはこの症状に由来している）、腰痛、腹痛、ふるえ、足の不随意運動といった薬物の離脱症状を見分けられるエキスパートになっていった。

取り返しのつかない事態に

ラッセル・ポルトノイがオキシコドンの長期使用は比較的害が少なく、中毒性はないとする論文を発表してから17年後の２００３年、ジェーン・バランタインが正反対の結果を示した論文を『ニューイングランド医学ジャーナル』で発表した。バランタインは、オキシコンチンのような薬剤を長期間にわたって服用すると、耐性（同じ効果を得るために必要な薬の量がどんどん増えていくこと）の獲得、知覚過敏（鎮痛剤を使用している間に感じる痛みが、元の痛みよりも悪化すること）、ホルモンの変化（特に重要な調節ホルモンであるコルチゾールの産生減少）、免疫機能の変化、生殖能力や性的欲求の低下が起こることを示した。バランタインは「以前は用量を無制限に増量することに少なくとも危険はないと考えられていたが、高用量のオピオイド療法が長期化すると、安全とは言い切れず、効果も得られない可能性がある」と結論づけている。

バランタインの論文はＦＤＡにとって目新しい情報ではなかった。ＦＤＡはすでにオキシコンチンのラベルの変更に乗り出していた。新たなラベルでは徐放性により乱用の恐れは少ないとする内容はもはやうたわれておらず、オキシコンチンは乱用、中毒、過剰摂取および死亡の可能性を高めると書かれていた。この注意事項は目立つように大きな文字で書かれた。ＦＤＡは最も強い警告にあたる「黒枠」警告（訳注　医学的に深刻なリスクを伴うことを示す警告）を出すように指導した。

だが、事態は取り返しのつかないところまできていた。

２００２年にミシガン州の地方の高校で実施されたアンケート調査によれば、生徒の98パーセントがオキシコンチンを知っており、９・５パーセントは薬を試したことがあった。薬を試したと回答した生徒の50パーセントが20回以上この薬を服用していた。４月までに、オキシコンチンによる死者が１３００人に達したことがＦＤＡに報告された。ほとんどの場合、薬は医師によって処方されていた。２００２年末の時点で、パーデュー・ファーマのオキシコンチンの１週間あたりの販売額は３０００万ドル以上、年間では20億ドル以上を売り上げていた。

２００３年、薬物乱用者は道徳性に欠ける連中だと非難を繰り返してきた保守派のラジオコメンテーター、ラッシュ・リンボーは、自身がオキシコンチンの中毒になっていることを認めた。

２００４年には、３００万人がオキシコンチンを服用していた。今や、オキシコンチンは米国で最も広く普及する処方鎮痛薬になっていた。

２００７年には、１万４０００人が処方鎮痛薬の過剰摂取によって死亡し、医療制度と司法制度の費用負担は５５０億ドルを上回った。

２００８年には、処方鎮痛薬が原因で１万５０００人が死亡した。これにより、30の州で鎮痛薬が事故死の最大の原因となった。

２００９年、医療保険会社は処方鎮痛薬に関連する直接医療費７２０億ドルを負担した。

２０１０年に処方鎮痛薬を誤用・悪用した人数は２２００万人にのぼり、ヘロインとコカインを合わせたよりも多くの人々がこれらの薬で命を落とした。この頃までに処方された鎮痛薬の量は、米国在住の全成人が１カ月飲み続けてもなくならないほどの量に達していた。

２０１２年には、12才以上の１２００万人の米国人が快楽を求めて処方鎮痛薬を使用していることが報告された。過剰摂取による死者は１万６０００人だった。鎮痛剤は米国で最も広く処方される部類の薬になっていた。19分に1人のペースで、過剰摂取による死者が出ていた。（オキシコンチンの過剰摂取と、アヘンやモルヒネやヘロインの過剰摂取を見分けることはできない。どれも呼吸の回数と深さを抑える効果がある。服用者の呼吸数は1分間に4回程度になり、血圧と体温が下がり、皮膚が冷たくじっとりした感触になる。脳に十分な酸素が行きわたらないため、患者は痙攣（けいれん）を起こし、最終的に呼吸困難を起こして死に至る。）

２０１４年、米国の薬局では2億４５００万枚のオピオイド系鎮痛薬の処方箋を使って薬が販売された。およそ２５０万人の成人がこの薬の中毒になった。

ほとんどの保険会社は、乱用の防止に乗り出そうとはしなかった。オキシコンチンが登場する前は、慢性的な痛み（慢性疼痛）は精神療法、バイオフィードバック（訳注　生体自己制御療法）、運動、それに理学療法によって治療されていた。鎮痛剤はそのままにしておきたいという思惑が保険会社側にはあった。複数の研究により、このように様々な手段を併用する集学的治療の鎮痛効果は、慢性的な薬物使用を超えるとまではいかなくても、同程度の効果が得られることが示されていたが、薬は他の方法に比べて安価だったからだ。残念ながら、保険会社の多くは薬の使用を奨励した。どう考えても、これは目先のことしか考えない行為だった。鎮痛剤を大量に服用していた労働者は、同様の障害を負っても薬の量が少なかった人々よりも働けない期間が３倍も長かった。

罪を認める

２００７年5月10日、オキシコンチンの「不当表示」により起訴されたパーデュー・ファーマ社と３人の重役が罪を認めた。裁判所は、パーデュー社がリスクを最小限にしか評価せず、根拠のない主張を展開し、一定の条件で服用すると死に至る恐れがどの程度あるかについてのはっきりした警告の記載を怠ったと判決で述べた。ヘロインの有害性が明らかになってもバイエルが販売を続けていたのと同じように、パーデューによるオキシコンチンの危険性についての情報公開の動きは鈍かった。3人の重役には3450万ドルの罰金が科され（支払いはパーデューが負担した）、12年間は医薬品販売企業で働くことが禁じられ、さらに薬物治療センターでの400時間の社会奉仕活動を命じられた。パーデューは他にも6億3400万ドルの罰金を払うことになった。オキシコンチンが原因で子供を亡くした大勢の親たちが判決の下される瞬間を見守った。「私たちの子供は薬物中毒などではありませんでした。みんな普通のティーンエイジャーだったのです」と19才の息子を亡くした一人の女性が語った。「私たちは終身刑を言い渡されたようなものです」。この裁判を担当したジェームズ・P・ジョーンズ裁判長は、重役たちに実刑判決を下したかったが、司法取引の壁に阻まれたと述べた。

剤形を変更

2010年8月、パーデューはオキシコンチンの徐放性製剤を「改変防止」製品に変更した。新たに登場した薬は、粘度が高いどろりとしたゲル状で、簡単にはかみ砕けないようになっていた。その2年後、『ニューイングランド医学ジャーナル』にこの剤形の変更がおよぼした影響の研究結果が掲載された。オキシコンチンの乱用は減少したが、使用者の24パーセントが改変防止の工夫を無効にする方法を見つけており、さらに、66パーセントはヘロインをはじめとする別の薬物に切り替えたに過ぎないことがわかった。剤形変更にかかわらず、オキシコンチンの年間売上は20億ドルを誇っていた。

過去の発言を撤回

2012年、ニューヨーク市のベス・イスラエル・メディカルセンターで疼痛医学と緩和ケアの責任者になっていたラッセル・ポルトノイは、過去の発言を撤回した。「1980年代後半から90年代にかけて私は薬物中毒に関する多数の講演を行ってきたが、その内容は間違っていた。現在、私たちが知っていることをその頃の私たちは知らなかったからだ」。その前の10年間で、10万人以上が鎮痛薬の過剰摂取によって命を落とした。ポルトノイの近くでずっと仕事をしてきた精神科医のスティーヴン・パシクは、痛みとの戦いをこう振り返る。「まるで宗教活動のようだった。ある種の精神性が込められていた」。

結局のところ、オキシコンチンはこれまでに市販された薬物のなかで最も中毒性が高い薬だった。そして、ラッセル・ポルトノイの痛みとの戦いは、現代医学が犯した最大の過ちの一つとなった。

ガイドラインを公開

2016年1月16日の『ニューヨーク・タイムズ』紙に掲載されたジーナ・コラータとサラ・コーエンによる記事では、次のように述べられている。「白人の若年成人層で死亡率が上昇し、彼らは1960年代半ばのベトナム戦争の時代以来、上の世代より若い世代の死亡率が高い最初の世代となった」。オピオイド系鎮痛薬の過剰摂取は、米国における事故死の最大の原因となっていた。

2016年3月15日、米国疾病対策センター(CDC)は処方鎮痛薬の適切な使用に関するガイドラインをようやく公開し、医師がこれらの薬を処方する際には、(1)イブプロフェンなどの市販の鎮痛剤や理学療法で効果がなかった場合のみ、(2)処方量は短期的な痛みには3日分を上限とし、例外的な場合（通常は2週間分または1カ月分が投与されているような患者の場合）でも7日分以下にとどめる、（3）改善効果が顕著な場合に限る、という注意事項を記載した。がんや終末期治療のために鎮痛剤を投与されている患者はガイドライン適用の対象外となった。製薬会社のパーデューやテバファーマシューティカルから資金援助を受けていた米国疼痛管理学会や、法廷で製薬会社側の弁護を何度も担当したワシントン法律財団は、新ガイドラインに反対した。何といっても、鎮痛剤は今や年間90億ドルを売り上げる一大産業になっていた。学会の事務局長を務めるロバート・トゥィルマンは、投薬期間を3日から7日間で推奨していることが気に入らなかった。「この数字は恣意的な決定だ」と彼は言った。しかし、CDC所長のトム・フリーデンはこれで十分だとし、次のように反論する。「慢性的な痛みを抱える患者の大多数にとって、多発し、深刻で命にかかわることが知られているリスクは、一時的なメリットをはるかに上回る。私たちは、オピオイド系の処方薬がヘロインと変わらない中毒性を持つという事実を見落としている。」現在、世界のオピオイド薬の処方箋の80パーセントが、世界人口の5パーセントしか居住していない米国で書かれている。

データがすべて

災厄をもたらした痛みとの戦いから得られる教訓は、**データがすべて**ということだ。フリードリヒ・ゼルチュルナーは、モルヒネを発明したときに自分がパンドラの箱を開けて怪物を解き放ったのではないかと恐れたが、彼の警告は顧みられなかった。ハインリッヒ・ドレゼルがヘロインは安全だと主張したとき、彼はわずか数人の人々にたった数週間薬を試したに過ぎなかった。そして、ラッセル・ポルトノイはオピオイド系鎮痛薬の使用を推奨する活動を全米で展開したが、その主張の根拠になったのは38

人（うちオキシコンチンの使用者は12人）の患者だった。ウェンディーズのハンバーガーの有名なテレビCMでクララ・ペラーはこう尋ねる。「肝心の中身の肉はどこよ?」もしあなたがみんなに薬を与える立場にあるなら、少なくともモグラが作るような小山ではない、見上げるほどの山のような根拠を用意してから行動してほしい。

第2章

マーガリンの大誤算

1901年にドイツの科学者が行った実験は、
食品産業に革命をもたらした。その100年後、医学雑誌に
「心臓病のリスクを高めているように思われる」とする記事が
掲載された。ハーバード大学公衆衛生学部は、
米国人の食生活からその食品を除けば、
毎年25万人の心臓関連死を防止できると推定している。

「揚げ物は避けなさい。血をのぼらせる食べ物です。」

——サッチェル・ペイジ

私はメリーランド州ボルチモアで育った。若かりし日々は帰らないことはわかっているが、いつでもそこにあると信じていたのに過去に消え去ってしまったものもある。

例えば、13才から18才になるまで、私は毎年フットボールチーム、ボルチモア・コルツのシーズンチケットを買っていた。年に一度、35ドルをかき集め、3人の友人（ジミー、ジャック、ロバート）と一緒にシーズンチケットを買いに走ったものだ。シーズンチケットがあれば、7回のホームゲームを観戦できた。日曜日になると、私たちはバスに乗ってメモリアルスタジアムに向かった。ここは「世界最大の屋外精神病院」とあだ名される場所だった。コルツを愛するボルチモアの人々は、力の限りにコルツを応援した。やがて、何の前触れもなく、コルツはインディアナポリスに拠点を移した。チームのグッズを大型トラックに詰め込んで、真夜中に彼らは去っていった。我々の熱い思いは、どうやら一方通行だったようだ。

ボルチモアのもう一つの名物は、チェサピーク湾で捕れるカニだった。夏になると、私たちは地元のシーフード専門店に繰り出し、ボルチモアのマコーミック社が製造したオールドベイシーズニングで味つけしたカニを堪能した。だが、乱獲の結果、カニは姿を消した。現在、ボルチモアで食べられるカニは、テキサスから空輸されている。

さらにもう一つ、ボルチモアには私がいつも楽しみにしていた伝統的な食べ物があった。2011年に「ベスト・オブ・ボルチモア・アワード」を受賞し、『ザ・ビュー』（訳注　米国で放送されているトーク番組）やフードネットワーク（訳注　食を専門に扱うテレビ局）が制作する『レイチェル・レイ』や『ザ・ベスト・シング・アイ・エバー・エイト（今まで食べたなかで一番おいしかったもの）』などの番組でも紹介されたことがあり、ボルチモアの人々がこよなく愛する、バーガークッキーだ。

小さなショートブレッドにたっぷりのファッジ（チョコレート）を塗ったバーガークッキーは、1835年にジョージ・バーガーとヘンリー・バーガーがドイツから持ち込んで以来、ボルチモアで親しまれてきた。現在、バーガークッキーはボルチモアのチェリーヒル地区の小さなベーカリーで作られている。この店の2012年の売上は250万ドルだったが、そのうち98パーセントをバーガークッキーが占めていた。これらのクッキーのほとんどが地元でしか出回っていないことを考えれば、この数字は驚きだ。

残念ながら、ボルチモア・コルツやチェサピーク湾のカニと同じく、ボルチモアのバーガークッキーもまもなく過去の思い出になってしまうかもしれない。ベーカリーのオーナーであるチャールズ・デボーフル・ジュニアがレシピを変更しなければ、バーガークッキーの製造・販売を禁止するという通達が米食品医薬品局（ＦＤＡ）から出されたのだ。バーガークッキーには部分水素添加植物性油脂が使われており、トランス脂肪酸が含まれるというのがその理由だ。デボーフルはトランス脂肪酸を含まない食用油やショートニングでクッキーを焼いてみたが、うまくいかなかったという。「試してみたが、本当にひどい味だった」と彼は言う。「独特の食感がなく、まったくの別物だ」。デボーフルが近いうちに代わりのレシピを考え出せなければ、バーガークッキーと彼の店はなくなってしまうだろう。

動脈硬化

ボルチモアのバーガークッキーの存続が脅かされている理由は、米国人の最大の死因となった現代病、心臓病にある。１９００年代の初めまでは、ほとんどの人は細菌やウィルスの感染症によって命を落としていた。だが、20世紀に抗生物質やワクチンが開発され、安全な飲料水や菌のいない食品が手に入るようになり、人々の寿命は30年ほど延びた。みんなが長生きするようになったことで、結果的に心臓病が増えたわけだ。その理由を理解するには、最初に心臓を弱らせる要因について知らなければならない。

心臓は筋肉でできている。そして体の他の部位の筋肉と同じく、安定した血流による酸素の供給を必要とする。この役目を担うのは、冠状動脈と呼ばれる2本の大動脈だ。これらの大動脈のどちらかが詰まると、血流が阻害され、心筋が壊死し、突然死に至ることもある（つまり、心臓発作だ）。このような血管の閉塞についての研究が進められていくうちに、細胞膜の必須成分として体内で作られる物質、コレステロールが発見された。また、体脂肪の大部分を占める成分、トリグリセリドも発見された。医師たちはこの冠状動脈が詰まる病気をアテローム性動脈硬化（訳注　粥状動脈硬化ともいう）と名づけた。文字通り、「動脈が硬くなる」からだ。

次の問題は、動脈硬化を引き起こしている犯人の正体だ。1913年、ニコライ・アニチコフが最初の希望の光を見出した。ロシアのサンクトペテルブルクにある皇帝軍医学研究所で働いていたアニチコフは、コレステロールを豊富に含む牛乳と卵の黄身を大量にウサギに与えると、動脈硬化を起こすことを発見した。彼は、心臓病は食生活によって治療できるのではないかと考えた。コレステロールの少ない食事をしていれば、寿命を延ばすことができるはずだ。

1950年代半ばには、米国の生理学者アンセル・キーズが問題はコレステロールだけではないと主張し始めた。キーズは7カ国で人々の食生活を調査していたが、日本とギリシャのクレタ島では心臓病が非常に少ないことがわかった。一方、食事に大量の脂肪が含まれるフィンランドでは心臓病の発症率が高かった。キーズは脂肪の摂取を控えるように米国人に呼びかけた。「心臓に良い食事（heart-healthy diet）」という言葉を使い始めたのもキーズだ。しかし、主張の明快さとは裏腹に、キーズは「食生活が人間の動脈硬化に与える影響を示す直接的な証拠はほとんどなく、立証するには時間がかかるかもしれない」ことも認めている。

研究結果がほとんど波紋を呼ばなかったアニチコフとは違って、キーズの影響力は大きかった。キーズは世界保健機関（WHO）の国際心臓病学会の会長、国連食糧農業機関（FAO）の顧問などの要職を歴任し、彼の妻も食事や病気に関するベストセラー本を何冊も出版していた。1961年、アクセル・キーズは『タイム』誌の表紙を飾り、米国民に脂肪やコレステロールの摂取を控えるよう呼びかけた。同年、米国心臓協会は1日あたりの食事から摂取するコレステロールを300ミリグラム以下に抑えるよう提言した。卵1個には約200ミリグラムのコレステロールが含まれるため、卵の消費量は30パーセント落ち込んだ。「米国では、もはや神は恐れられていない」とペンシルベニア州フィラデルフィアのウィスター研究所の科学者、デビッド・クリチェフスキーは言った。「我々が恐れるのは脂肪だ」。

当時の科学データでは脂肪の消費量と健康状態の関連性はそれほどはっきりとは示されていなかったため、米政府はこの点を明らかにする方針を打ち出した。1968年、ジョージ・マクガバン上院議員が栄養問題特別上院委員会、通称マクガバン委員会を立ち上げた。その頃、マクガバン上院議員夫妻は食事療法の第一人者、ネイサン・プリティキンの低脂肪食・運動プログラムに取り組み始めたばかりだった。上院議員は早々に食事療法の実践からは退散したが、プリティキンの教えは忠実に守り続けた。

1977年、マクガバン委員会は過去に類を見ない、ある歴史学者に言わせると「革命的」なレポートを公表した。何が革命的だったかといえば、栄養学を学んだ経験も専門知識もない政治活動家たちの集団によって書かれていたからだ。レポートの作成者は、『プロヴィデンス・ジャーナル』紙の労働問題記者ニック・モッターンだった。モッターンには、科学、栄養学、健康科学などの素養が一切なかった。そこで、彼はどのような食生活が米国民にとって良いのかを判断するために、一人の研究者に助けを求めた。その相手は、ハーバード大学公衆衛生学部の栄養学者、マーク・ヘグステッドだった。ヘグステッドは食物に含まれる脂肪を制限するのは極端な意見であることを認めながらも、その利点を手放しで歓迎した。「米国の食事目標」と題されたモッターンのレポートでは、脂肪の摂取を総カロリーの30パーセント未満に抑えるべきだと述べられていた。

もし米国農務省食品・消費者サービス担当次官補に就任したばかりの消費者運動家キャロル・タッ

カー・フォアマンがいなかったら、マクガバン委員会の指針は日の目を見ることなく葬り去られていたかもしれない。フォアマンは、委員会の勧告を政府の正式な政策に格上げすることを決定した。科学的調査によるはっきりした裏づけはなかったが、その事実をとがめられることもなく、フォアマンは動き出した。「私は子供たちに1日3回の食事を与えなければなりません」と彼女は科学者たちを前に語った。「今すぐに、皆さんがこれと思うデータを教えてください」。残念ながら、「これと思うデータ」は尋ねる相手によって変わるものだ。はっきりした勧告を出すには、科学者たちの知識は十分とは言えなかった。だが、データは曖昧でも、農務省の勧告は明確だった。脂肪摂取の制限は、政府の正式な政策となった。

モッターンのレポートが公開された後で、マクガバン委員会の委員たちは複数の科学者の意見を取り入れるべきだと判断した。そこで、委員会は公聴会を開いた。最初に現れた科学者の1人は、米国立心・肺・血液研究所の主管研究員、ロバート・レビーだった。レビーはコレステロールや脂肪の摂取を減らすと心臓病を本当に予防できるのかどうかは現時点では不明であり、自分の研究所ではそれを突き止めるために3億ドルを投じて研究を進めているところだと証言した。だが、レビーは今さらこのような話をしても遅いこともわかっていた。「お偉い上院議員の先生方は指針を公表してから、我々にアドバイスを求めにきた」と彼は嘆いた。

次に委員会のレポートに異議を唱えたのは、名高いニューヨークのロックフェラー研究所で代謝について研究するピート・アーレンスだった。彼は1969年にある委員会の委員長を務め、ロバート・レビーと同様の結論に達していた。米医師会までが口を出し、マクガバン委員会が提言する食生活は「悪影響を及ぼす可能性がある」と言い切った。しかし、事態はすでに取り返しのつかないところまできていた。ゲーリー・トーベスは『サイエンス』誌に「脂肪のソフトサイエンス」と題した記事を投稿し、「ジョージ・マクガバン（の委員会）――正確に言うなら委員会の一握りのメンバー――がほぼ独力でこの国の栄養政策を変え、仮説に過ぎなかった食物脂肪説を定説に変える作業に着手した」と書いた。こうして米国の人々は、脂肪の摂取を控えると心臓病の発症率を下げることができるかどうかという国を挙げての実験に、被験者として知らず知らずのうちに参加させられることになった。

マーガリンの発明と商業的成功

脂肪を制限するという国策のあおりをまともに食らった製品は、何といってもバターだろう。バターの発祥は、人間が家畜を飼うようになったおよそ1万年前にさかのぼる。バターは牛乳から分離したクリームを固まりになるまで攪拌（かくはん）して作られ、出来上がりは明るい黄色になる。キーズとマクガバンが根拠は薄弱ながらも決定的な勧告を出したために、米国での人気が高まった商品がある。1869年にフランスのナポレオン3世の依頼をきっかけに生まれたある食べ物だ。ナポレオンは、兵隊に食べさせるためにバターよりも安価な代用品を求めていた。ナポレオンの依頼に最初に応えたのは、フランスの化学者イポリット・メージュ＝ムーリエだった。彼は自分の発明品をオレオマーガリンと名づけた。動物性食品のバターとは違って、マーガリンは植物油から作られる。さらに、マーガリンは真っ白で、黄色味がかったバターとは見た目も違う。しかし、安価で味も食感もバターに近いマーガリンは、すぐに世界中で愛される食品になった。

1886年、全米酪農協議会は攻勢に出て、マーガリンの販売者にもれなく税金を課すオレオマーガリン法を成立させるよう政府に働きかけた。税金逃れのために、一部のマーガリンメーカーは製品を黄色く着色して、バターとして販売した。これに怒った酪農業界は、圧力をかけてマーガリンメーカーが製品に着色することを禁止させた。メーカー側は、黄色の着色料を別につけて売ることで応戦した。消費者がマーガリンを黄色くしたければ、ボウルに入れて着色料を加えれば黄色になる。バーモント州、ニューハンプシャー州、ウェストバージニア州では、さらに踏み込んで、マーガリンをピンク色に着色することを義務づける法案が可決された。マーガリン税法は１９５０年、着色料法は１９５５年に廃止された。（酪農が盛んなミネソタ州やウィスコンシン州では、１９６７年まで着色料法が継続された。）こうして、マーガリンは、連邦税の対象から外れ、黄色の食品として売ることができるようになった。広告でバターよりも体に良いと宣伝されるようになるまでに時間はかからなかった。

１９１１年、平均的な米国人は1年間で19ポンド（約８・６キログラム）のバターを食べ、マーガリンの消費量はわずか1ポンド（約４５０グラム）に過ぎなかった。しかし、「心臓に良い」バターの代用品として売られるようになったマーガリンは、１９５７年には米国で1年間に1人あたり８・５ポンド（４キログラム弱）が消費されるようになった。これは同年のバターの消費量とほぼ同じだ。「品質も風味も劣る怪しげな食品だったマーガリンは、健康に良いと大々的に宣伝され、絶大な商業的成功を収めた」と『公衆衛生と危険因子』の著者、ウィリアム・ロススタインは書いている。エレノア・ルーズベルト（訳注　フランクリン・ルーズベルト大統領夫人で社会運動家）もその流れに乗った1人だ。彼女は１９５９年のグッドラックマーガリンのテレビコマーシャルに登場し、「私もトーストに塗っています」と宣伝した。１９７６年のマーガリンの年間消費量は1人あたり12ポンド（約５・５キログラム）まで増え、バターの3倍になった。しかし、バターから「心臓に良い」といわれるマーガリンに消費が移ったにもかかわらず、米国内の心臓病の発生率は上昇を続けていた。しかし、政策を決定する立場にある人々が、実際にはマーガリンが「心臓に良くない」代用品であった理由を知るまでには数十年の時間がかかった。

それからの20年間で、30万人を対象におよそ1億ドルをかけて3回の大規模研究が行われ、脂肪の摂取と心臓病の関係が調べられた。そうして出た答えは、両者は無関係だというものだった。これらの研究により脂肪摂取と心臓病には相関がないことがはっきりしたにもかかわらず、政府の政策は変更されなかった。ハーバード大学の疫学者で、大規模研究のうちの1回の責任者を務めたウォルター・ウィレットは憤慨した。「ひどいものだ」と彼は言った。「連中は『勧告を変えるには、もっと信頼性の高い証拠が必要だ』と言いおった。勧告を出したときには信頼性の高い証拠などなかったのに、皮肉なものだ」。

アンセル・キーズとマクガバン委員会は食物脂肪について間違いを犯していた。彼らはあらゆる脂肪を同列に扱っていたからだ。彼らは脂肪に様々な種類があることを考えていなかった。脂肪を構成する脂肪酸には、飽和脂肪酸、不飽和脂肪酸、シス脂肪酸、さらに——最も重要な——トランス脂肪酸がある。これらの違いに無頓着（むとんちゃく）だったせいで、後の時代の米国人は高い代償を払うことになった。

飽和脂肪酸と不飽和脂肪酸

キーズとマクガバンがどこで誤りを犯したかを理解するには、ほとんど誰もが覚えているであろう、高校化学の基礎を簡単に復習する必要がある。冗談だ、そんなことはみんな試験が終わったとたんに忘れている。忘れていても構わないが、「飽和」「不飽和」「トランス脂肪酸」などの用語を理解するには、化学の知識が少しは必要になる。なに、そんなに難しい話ではない。少しだけお付き合いいただこう。

```
    H   H   H   H   H   H   H   H   H   H   H   H   H   H   H   H   H
    |   |   |   |   |   |   |   |   |   |   |   |   |   |   |   |   |
H - C - C - C - C - C - C - C - C - C - C - C - C - C - C - C - C - C - COOH
    |   |   |   |   |   |   |   |   |   |   |   |   |   |   |   |   |
    H   H   H   H   H   H   H   H   H   H   H   H   H   H   H   H   H
```

飽和脂肪酸

脂肪は炭素（C）、水素（H）、酸素（O）の3種類の原子で構成されている。脂肪の主鎖を形成する炭素原子には、4カ所の結合部位（原子が別の原子とくっつく部分）がある。4カ所すべてで結合が起こると、炭素原子の結合部位は飽和したことになる。上の図に示すのは、飽和脂肪酸の一例だ。飽和脂肪酸が多い食品には、バター、ラード、ココナッツ油（ココヤシ油）、パーム油（アブラヤシ油）、マヨネーズ、魚油などの油脂類、クリーム、チーズ、牛乳、サワークリーム、アイスクリームなどの乳製品、ベーコン、ソーセージ、サラミ、ステーキ、ハム、牛ひき肉、ランチョンミートなどの加工肉などが挙げられる。

ただし、場合によっては、炭素原子が別の原子と二重結合することもある（次ページの図の太字の炭素原子を見てほしい）。これらの炭素原子は結合部位を（例えば水素原子など）他の原子と共有する可能性が残っているため、脂肪酸は不飽和であると言われる。次ページの図に示すのは、不飽和脂肪酸だ。不飽和脂肪酸が豊富な食品には、オリーブ油、サケ、アーモンド、クルミ、ピスタチオ、アボカド、オリーブ、脂が乗った魚、マーガリン、ピーナッツバター、カボチャ、ひまわり、アマ、チアシードなどがある。

1980年代の初めに、これら2種類の脂肪の相対的な量が明らかになると、複数の研究によって飽和脂肪酸が心臓病のリスクを高めることが示された。これらの研究結果をきっかけに、不飽和脂肪酸は善、飽和脂肪酸は悪と

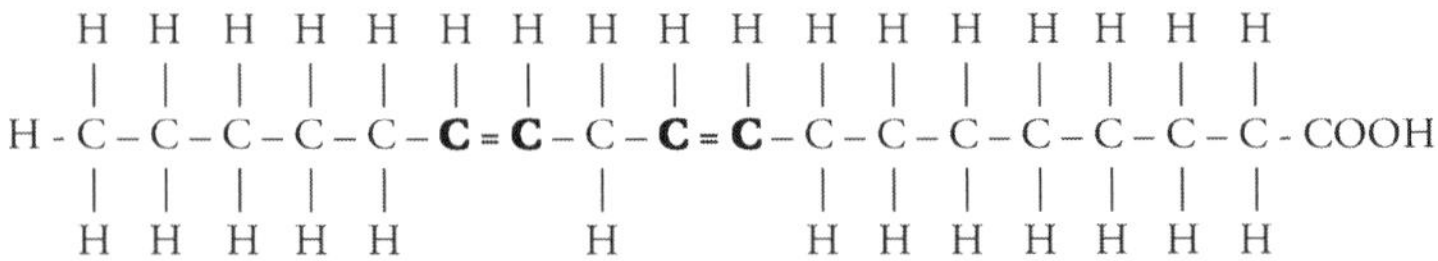

```
H   H   H   H   H   H   H   H   H   H   H   H   H   H   H   H   H
|   |   |   |   |   |   |   |   |   |   |   |   |   |   |   |   |
H-C - C - C - C - C - C = C - C - C = C - C - C - C - C - C - C - C-COOH
  |   |   |   |   |           |           |   |   |   |   |   |   |
  H   H   H   H   H           H           H   H   H   H   H   H   H
```

不飽和脂肪酸

いう図式が出来上がった。このような流れに反応して、2つの団体が米国の食生活から飽和脂肪酸を排除する活動を始めた。彼らの活動が見当違いだったことに米国の人々が気づくのは、ずっと後のことだ。

1984年、公益科学センター（CSPI）が飽和脂肪酸を豊富に含む動物性脂肪やココナッツ油、パーム油などを使って揚げたり焼いたりする食品の製造会社を狙った独自の「飽和脂肪酸攻撃」を開始した。それから1年後、心臓発作で命を落としかけたフィル・ソコロフ（訳注　富豪の実業家）が、企業にファストフードから飽和脂肪酸を排除させることを目的に、1500億ドルの私財を投じて心臓病予防協会（NHSA）を設立した。1988年に、ソコロフは何千通もの手紙を企業に書き送り、飽和脂肪酸の使用をやめるように訴えた。手紙が相手にされなかったことがわかると、ソコロフは『ニューヨーク・タイムズ』『ワシントン・ポスト』『ニューヨーク・ポスト』『USAトゥデイ』『ウォールストリート・ジャーナル』をはじめとする各紙に全面広告を出した。「アメリカを毒しているのは誰だろうか？」と広告は呼びかけていた。「飽和脂肪酸を使う食品加工会社だ！」さらに容赦のない文面は続く。「我々はすべての大手食品加工会社に連絡を取り、これらの危険をはらんだ原材料の使用をやめてくれるよう懇願した。（中略）私たちの切なる願いに返答はなかった。これらの企業が消費者の健康を第一に考えていないことは明らかだ。**私たちは行動しなければならない。**（中略）皆さんにお願いする。ココナッツ油やパーム油が含まれた製品を買わないでほしい。**皆さんの命は危険にさらされているかもしれない**」。

アーチウェイ、ボーデン、フリトレー、ゼネラルフーズ、ハーディーズ、ハインツ、ホステス、キブラー、ケロッグ、ケンタッキーフライドチキン、ランス、マクドナルド、マッキーベイキングカンパニー、ナビスコ、ペパリッジファーム、ピルズバリー、プロクター・アンド・ギャンブル、クエーカーオーツ、ラルストン・ピュリナ、ローマンミール、ロイロジャース、スペシャルティベーカーズ、ストーファーズ、サンシャイン、タコベル、ウェンディーズなどのショートニングや飽和脂肪酸が多い油を使用する大手食品加工会社は、軒並みCPSIの「飽和脂肪酸攻撃」とNHSAの手紙作戦の標的になった。1980年代後半になると、主な料理本や有名な栄養士たちはこぞって飽和脂肪酸が少ない食事を勧めるようになった。このような動きは、FDAやWHO、米国農務省（USDA）、米国立衛生研究所により全面的に支援されていた。心臓病の問題を解決するための道筋ははっきりしたかのように思われた。飽和脂肪酸を不飽和脂肪酸に置き換えれば、問題は解決するはずだ。米国では、バターの代わりにマーガリンを使えと教えられるようになったが、あいにくなことにマーガリンには誰もが想像していなかったはるかに危険な種類の脂肪、トランス脂肪酸が含まれていた。

トランス脂肪酸

トランス脂肪酸が何なのかをわかってもらうため、もう一度不飽和脂肪酸の説明に戻ろう。次ページの図で太字になっている炭素原子（訳注　不飽和結合部位の炭素原子）に注目してほしい。これら2個の炭素原子と結合する水素原子は、どちらも同じ側に並ぶ。これは、「シス配置」と呼ばれる。シスと

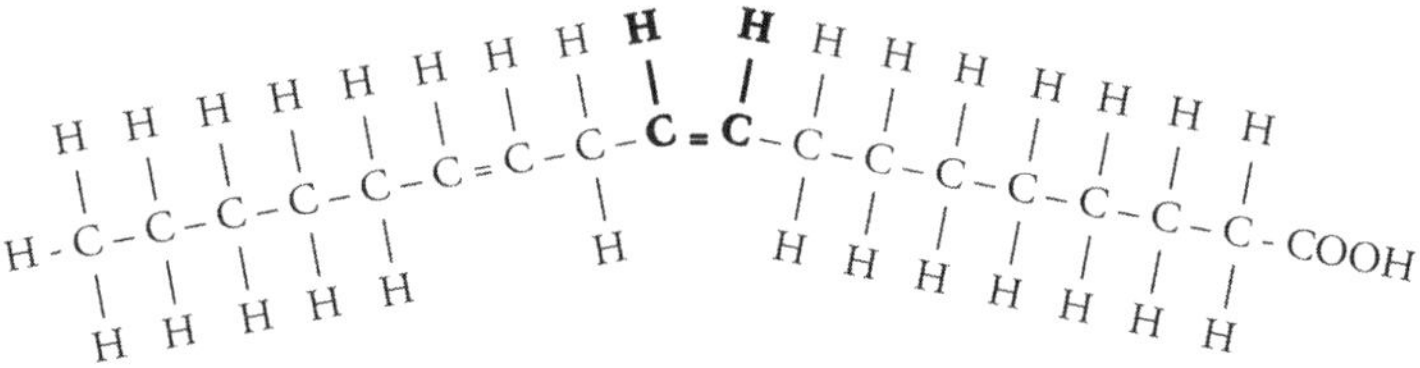

シス不飽和脂肪酸

は、ラテン語で「こちら側の」という意味がある。水素原子が同じ側に並ぶと、互いに反発し合い、脂肪酸の分子が曲がった形になる。分子が曲がっていると、その分子の上に他の分子が積み重なりにくくなる。分子がしっかり積み重ならなければ、結晶化しづらくなる。つまり、固体になりにくい。結果として、シス不飽和脂肪酸はキャノーラ油やヒマワリ油のように、いつも液体の油になる。

さらに、次ページの図のように、不飽和脂肪酸の太字の炭素原子と結合した水素原子が反対側に並ぶこともある。この場合、水素原子はトランス配置になっている。トランスとは、ラテン語で「反対側の」という意味だ。水素原子が互いに反対側にあると、脂肪酸の分子は真っすぐになる。これだと、分子が積み重なりやすい。分子がきっちりと規則正しく並んでいると、結晶化しやすくなり、液体から固体に変わる。一般的な植物性ショートニングが、植物油でできているにもかかわらず台所の棚の上でも常温で固体のままであるのは、このような理由による。

大量のトランス脂肪酸が自然界に存在することはまずない。トランス脂肪酸は、水素原子を人為的に不飽和脂肪酸に添加する、水素添加と呼ばれる処理を行うことによって生成される。こうして出来た油脂は、一般的に「部分水素添加植物性油脂」と呼ばれる。「部分」とは、油脂が完全な飽和脂肪酸ではなく、加工後も不飽和脂肪酸の状態を保っているという意味だ。また、

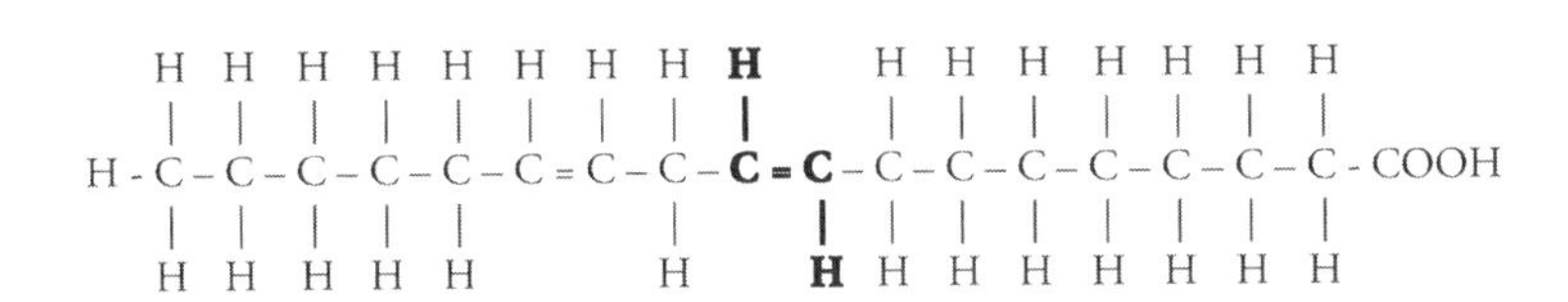

トランス不飽和脂肪酸（トランス脂肪酸）

このような名前がついていれば、トランス脂肪酸が含まれていることも意味する。

米国で不飽和脂肪酸に大量のトランス脂肪酸が含まれていることが最初に知られるようになったのは、１９８０年代だった。しかし、実際のところ、米国で非常に人気のある食材の一つとしてトランス脂肪酸を含む油脂（訳注　トランス脂肪）が誕生したのは１００年以上前の話だ。

１９０１年２月27日、ウィルヘルム・ノーマンが液体油の水素添加に初めて成功し、その製造方法を「脂肪硬化」と名づけた。１９０２年８月14日、ノーマンはドイツで特許１４１，０２９号を取得し、トランス脂肪酸が産声を上げた。１年後、ノーマンがイギリスでも特許を取得した後で、ジョセフ・クロスフィールド＆サンズ社がイギリスのウォリントンに大規模な製造工場を建設した。１９０９年には、クロスフィールドの部分水素添加油脂の年間製造量は６６０万ポンド（約３００万キログラム）に達した。５年後には世界各地の20カ所以上の工場で、植物油に水素添加処理を行い、トランス脂肪酸を含む固形油脂が生産されるようになった。

ジョセフ・クロスフィールド＆サンズが固形油脂の大量生産を開始したのと同じ年、石けんやロウソクを製造する技術として使えるのではないかと考えたプロクター・アンド・ギャンブル（Ｐ＆Ｇ）社が、米国でノーマンが取得した特許を買い取った。ほどなくして、プロクター・アンド・ギャンブルの研究者たちは、ノーマンの方法を応用して液体の綿実油を固体化する方法を突き止めた。自分の会社が他にない食材を作り出したことを知ったウィリアム・プロクターは、食用油の販売一筋で商売を続けてきた男のオフィスに入り、デスクの上に白い固まりを放り出して、「こいつは綿実油だ」と言った。彼らは、結晶化した綿実油（Crystallized cotton seed oil）を略して、この製品をクリスコ（Crisco）と命名した。

クリスコに使われていたトランス脂肪酸を含む部分水素添加油脂は、それまでに発明された他の食用油やショートニングに比べて、（1）酸素に触れたときの安定性が高く（訳注　酸化されにくい）、常温での保存期間がバターなどの動物性脂肪に比べてかなり長い、（2）かなりの高温でなければ燃えないため、油からほとんど煙が出ず、頻繁に取り替える必要がない（これは一日中揚げ鍋のそばで働く人にとって思いがけない幸運だった）、（3）匂いにくせがなく、味をも損なわない、（4）見た目がバターに似ているので代用品として使いやすい、（5）驚くほど安い、などの多くの点で優れていた。１９３０年代からは、動物の飼料となる砕いた大豆の残りかすから作られた油が使われた。クリスコのような半固体状の油脂は、食感に変化をつけたり、構造をしっかりさせたり、なめらかさを出したり、空気を含ませたりする効果があることから、パン屋がケーキをふわふわにしたり、クッキーをサクサクにしたり、クラッカーをカリッとさせたり、パイの層をしっかり作ったり、チキンをカリカリの食感にしたり、クロワッサンをきめ細かく仕上げるために使われるようになった。

プロクター・アンド・ギャンブルは、自分たちが金の鉱脈を手に入れたことを知った。同社は、クリスコを使った様々なレシピを掲載した料理本にクリスコをつけて売り出した。クリスコは「純植物性！消化に良い！」「画期的な新製品、米国のすべてのキッチンに影響を及ぼした科学的発見」といった宣伝文句で販売された。さらに、クリスコはユダヤ教の戒律に触れないため、「ヘブライ人は４０００年クリスコを待っていた」というキャッチフレーズもつけられた。１９４０年代には、米国における脂肪消費の3分の2をバターなどの動物性脂肪が占めていた。１９６０年代の初めには、トランス脂肪酸を含む部分水素添加油脂の使用が増え、比率は逆転した。

ジュディス・ショーの著書『トランス脂肪』によれば、２つの出来事が部分水素添加油脂（トランス脂肪酸）業界を生むきっかけになったという。最初のきっかけは、１９５６年に連邦議会で州間高速道路の建設法案が可決されたことだ。これにより、マクドナルドやバーガーキング、タコベル、チリーズなどのファストフード店が全米中に広がった。また、部分水素添加油脂は常温での保存期間が長いため、保存技術を使わなくてもクッキーやフライドポテト、フライドチキン、フィッシュフライを全米に流通させることができるようになった。トランス脂肪酸に恩恵をもたらしたもう1つの法案が可決されたのは、１９５８年9月6日のことだった。それが食品添加物法の改正だ。危険な添加物から米国民を守るために施行された改正法案では、「健康に害を及ぼす恐れのある何らかの有毒物質または有害物質を含む食品は、基準に適合しない添加物が入っているとみなされる」と述べられた。不運にも、（部分水素添加油脂などの）１９５８年以前から使用されていた食品添加物はＦＤＡによる承認が不要とされた。トランス脂肪酸にもこのような既得権条項が適用された。

１９８０年代には、部分水素添加油脂は、焼いたり揚げたりする調理に使われる食品のなかで、最も重宝される存在になった。２００１年には、水素添加処理が世界で4番目に多く行われている食品加工処理となった。同じ２００１年に、米国疾病対策センター（ＣＤＣ）は米国における心臓病の年間発生件数に関する情報を公開した。１２６０万人の米国人が冠状動脈疾患を患い、５４０万人が心臓病の医療処置を受けた。心臓発作や心臓病に関連する脳卒中で亡くなった人は50万人にのぼった。心臓病に関連して発生する年間費用は、およそ3000億ドルだった。

悪玉だと信じられていた飽和脂肪酸を大量に含むココナッツ油やパーム油などの熱帯植物油とバターのような動物性油脂を使用する企業を糾弾することで、CSPIやNHSAは知らず知らずのうちにもっと危険な食品であるトランス脂肪酸を米国に普及させていた。25パーセントのトランス脂肪酸を含むマーガリンのような食品が突如として「健康に良い代用品」に祭り上げられたのだ。1990年代の初めには、数万点の食品に部分水素添加油脂が使われるようになっていた。安価で、宗教の戒律に触れず、健康に良い代用品といわれたこれらの食品は、飛ぶように売れた。

最初の警鐘

1981年、ウェールズの研究チームが最初の警鐘を鳴らした。部分水素添加油脂に含まれるトランス脂肪酸には心臓病との関連性があるという論文を発表したのだ。9年後、権威ある『ニューイングランド医学ジャーナル』で2人のオランダ人研究者が発表した研究結果も、ウェールズの研究グループの正しさを裏づけていた。ここにきて、初めて不飽和脂肪酸なら何でも体にいいわけではないことが米国でも認識され始めた。1993年、ハーバードの研究によりトランス脂肪酸から摂取するカロリーのわずか2パーセントを他の不飽和脂肪酸に置き換えただけで、心臓病のリスクを33パーセント下げられることがわかった。別の研究では、トランス脂肪酸の摂取量を同程度減らすことで心臓病のリスクが53パーセント低下することが示された。のちにハーバード大学公衆衛生学部が行った試算によれば、米国人の食事からトランス脂肪酸を完全に除けば、なんと1年間に25万人の心臓発作とその関連死を予防できるということだった。

正反対の結果が出たり、はっきりした結論に至らないこともあった総脂肪、総コレステロール、不飽和脂肪酸の研究とは異なり、トランス脂肪酸が極めて有害な食品ではないことを示す論文はまったく発表されなかった。不飽和脂肪酸がすべて同じではないことがわかってくると、トランス脂肪酸の問題が驚くほどはっきりした。

超悪玉コレステロール

コレステロールはどうなったのか？　動脈硬化を起こしていた人々の冠状動脈ではコレステロールが見つかっていたではないか。細胞の必須構成要素であるコレステロールが冠状動脈を詰まらせた脂肪層で見つかったのは確かだが、見つかったコレステロールは悪玉コレステロールと呼ばれることもある低比重リポたんぱく質（LDL）コレステロールだけだった。健康推進団体が飽和脂肪酸を大量に含む製品に警告を発するのは、飽和脂肪酸がLDLコレステロールを増やすからだ。だが、彼らは当時、LDLコレステロール（訳注　血中ではミセル状粒子になっている）には2種類あることを知らなかった。粒子が大きくて密度が低く害のないタイプと、小型で密度が相対的に高く、健康に深刻な害を及ぼすタイプの低比重リポたんぱく質（sdLDL）コレステロールだ。飽和脂肪酸は、あまり悪さをしないタイプのLDLコレステロールを増やすが、非常に悪玉のsdLDLコレステロールが増えることはない。

もう一つ別の種類のコレステロールもあるが、こちらは実際に体に良い。高比重リポたんぱく質（HDL）コレステロールと呼ばれるこのコレステロールは、冠状動脈からLDLを追い出し、肝臓に運んで、体外に排出させる。飽和脂肪酸は、血中のHDLコレステロールの量を増やすことはないが、減らすこともない。

要するに、飽和脂肪酸も、特定の種類のコレステロールも、体に悪いとは限らないのだ。しかし、トランス脂肪酸は事情が異なる。トランス脂肪酸は、最悪の悪玉コレステロールであるLDLコレステロールを大幅に増やし、善玉コレステロールのHDLコレステロールを大幅に減らす。そのような理由から、2006年の『ニューイングランド医学ジャーナル』に掲載された論文では「カロリーベースで考えれば、トランス脂肪酸は他のどの主要栄養素よりも心臓病のリスクを高めると思われる」と断じている。

衝撃的な声明

改正食品添加物法では、1958年以前から使用されている添加物はFDAによる承認を受ける必要はないとされたが、法案のなかにはFDAによる対応を可能にするある条項が設けられていた。「食品の使用を継続するには、最新の科学情報に照らし合わせてその食品を精査する必要がある」。健康推進活動家たちが最初にトランス脂肪の使用を制限するようにFDAに要請したのは1994年のことだった。その5年後の1999年に、FDAはトランス脂肪の消費を制限するための計画をまとめたことをようやく発表した。だがそれから3年が経っても、状況は何も変わらなかった。2002年7月10日、米国医学研究所（IOM）はFDAが動かざるをえないような衝撃的な声明を出した。IOMはトランス脂肪酸には安全だと言い切れる摂取量がないことを報告し、「摂取上限ゼロ」を勧告したのだ。IOMがこの基準値を設定した時点で、クッキーの95パーセント、朝食用冷凍食品の80パーセント、菓子やポテトチップスの75パーセント、ケーキの素の70パーセント、シリアルの50パーセントに、トランス脂肪酸が含まれていた。

知らないうちにトランス脂肪酸を含む不飽和脂肪酸を推進していた消費者団体は、自分たちの活動を悔いた。２００４年にＣＳＰＩの事務局長はこう述べている。「20年前、私を含めた科学者たちはトランス脂肪酸に害はないと考えていた。後から、そうではなかったことがわかってきた」。１年後、ハーバード大学 医学部教授でハーバード大学 公衆衛生学部の栄養学科長を務めるウォルター・ウィレットは、『ニューヨーク・タイムズ』紙にこう語った。「多くの人々が専門家の立場からバターの代わりにマーガリンを食べるように勧めてきたし、１９８０年代に内科医だった私も人々にそうするように告げていた。不幸にも早すぎる死に彼らを追いやってしまったことも少なからずあったはずだ」。

使用禁止へ

コレステロールや総脂肪や飽和脂肪酸が心臓病のリスクを高めると知った健康推進団体は、消費者に情報を広めるＰＲ作戦を開始した。一方、トランス脂肪酸の危険性は明らかだったため、使用禁止に向けて政府も動き始めた。最初に動いたのはヨーロッパだった。

２００４年１月１日、デンマークがすべての食品の総脂肪に占めるトランス脂肪酸の割合を２パーセント以下に制限する法案を導入した。トランス脂肪の消費量は、１９７５年の１人あたり１日４・５グラムから、１９９３年には２・２グラム、１９９５年には１・５グラムと減少し、２００５年にはほぼ０グラムになった。２０１０年には、デンマークにおける心臓病の発症率と関連死は60パーセント低下した。

最初に禁止の要請があってから12年後の2006年1月1日、ようやくFDAは加工食品を製造するメーカーにすべての栄養成分表示にトランス脂肪酸の含有量の表示を義務づける計画を発表した。その年の終わりには、米国人の84パーセントがトランス脂肪酸という名前を知っており、少なくとも半数がトランス脂肪酸の健康リスクについて正しい知識を持っていた。ケンタッキーフライドチキンは、自主的にトランス脂肪酸をなくす取り組みを始め、アップルビーズ、アービーズ、タコベル、スターバックスなどのレストランチェーンもそれにならった。米国最大手の食品メーカーからクラフトやソデクソ、またドリトス、トスティートス、チートスなどスナック菓子を製造しているフリトレーなども、トランス脂肪の使用を取りやめた。2008年には、加工食品に含まれるトランス脂肪酸の量は半減した。2012年、トランス脂肪はおよそ1万点の商品で使用されなくなり、米国では少なくとも13の自治体においてレストランでの使用が禁止された。例えば、ニューヨーク市は、2万軒のレストランと1万400社の食品メーカーにトランス脂肪酸を含む部分水素添加油脂の使用をやめるように要請した。

ただし、不運にも、ここには抜け穴があった。食品に含まれるトランス脂肪酸が0・5グラム未満であれば、メーカーは栄養成分表示にトランス脂肪酸0グラムと表示できるのだ。0・5グラムを若干下回る量のトランス脂肪酸を含む食品はたくさんあるため、全米心臓協会が定めた1日あたり2グラムというトランス脂肪酸の摂取上限を超える可能性は否定できない。例えば、クリームを詰めたスポンジケーキに0・46グラムのトランス脂肪酸が含まれていたとしても、ラベルの表示は0グラムになる。0・25グラムのトランス脂肪酸を含む電子レンジ用ポップコーンも、表示は0グラムだ。トランス脂肪酸は、いまだに一部のブランドのマーガリンやコーヒーフレッシュに含まれている。そして、バーガークッキーには今でもトランス脂肪酸が含まれる。表に出てこないトランス脂肪酸を避けるために重要なのは、栄養成分表示に「部分水素添加油脂」と書かれているかどうかを確認することだ。

ドイツ化学会は、数年に一度、脂肪の研究で優れた業績を残した研究者にウィルヘルム・ノーマン賞を贈っている。歴史上におけるどんな人工化学反応よりも多数の病気と死を招いたであろう、不飽和脂肪酸をトランス脂肪酸に変える加工法を考案したのがノーマンであることを考えれば、実に皮肉だ。

まちまちの研究結果

さて、この話から得られる教訓は何だろう？　このような事態は避けることができたのだろうか？　鎮痛剤の物語と同じく、ここでも**データがすべて**というのが教訓になる。1970年代後半にマクガバン委員会が脂肪の総摂取量をカロリー全体の30パーセント未満に抑えるべきだと強く勧告したときに、その必要性を裏づける十分なデータは存在しなかった。どのような種類の脂肪を摂取すればよいかについての勧告が行われたときも、研究結果はまちまちだった。複数の研究により飽和脂肪酸が心臓病の割合を高める可能性があることが示されていたのとちょうど同じ時期に、ウェールズの研究チームは不飽和脂肪酸が心臓病のリスクを大幅に高めるという正反対の結果を発表した。このように矛盾する結果が出たときに、私たちは立ち止まるべきではなかっただろうか。しかし、実際はそうならなかった。まともな根拠もないキャッチフレーズが独り歩きして、米国の食卓には誇らしげに「心臓に良い」とうたわれながら、実際にはまったく正反対のバターの代用品が並ぶことになったのだ。

第3章

化学肥料から始まった悲劇

1909年に、ドイツの科学者がのちに
ノーベル賞を獲得する化学反応を突き止め、
世界で70億人以上の人々に食糧を供給できるようになった。
しかし、私たちがこのまま手をこまねいていれば、
地球の生物は滅びるかもしれない。

「地上は悪に満ちている。そして、海は満たされている。」

――ヘシオドス、『仕事と日』

私たちはそれほど複雑な存在ではない。

異なる姿や大きさ、身長や体重、背景や性格を持ち、違ったたんぱく質と違った酵素を作る様々な遺伝子を持って私たちは生まれてくるが、突き詰めれば、私たちは4種類の元素で構成されている。水素、酸素、炭素、窒素の4つだ。このうちのどれが欠けても、人間は生きていけない。

これらの4元素のうち、3つまでは簡単に手に入る。

水素は、2個の水素原子と1個の酸素原子（H_2O）でできた水に含まれ、私たちは水を飲んで水素を摂取できる。酸素は、当然ながら私たちが呼吸する空気に含まれる（O_2）。（魚はえらを使って水から酸素を取り出すことができる。）炭素も空気に含まれている。緑葉植物は、日光を浴びて二酸化炭素

（CO_2）を取り込み、炭素を含む複雑な糖類に変える（この過程は光合成と呼ばれる）。私たちは、植物を食べたり、植物を食べる動物を食べたりして、体に炭素を取り入れる。いずれにしても、空気も水もたっぷりあるため、水素、酸素、炭素はふんだんに手に入る。

こうした生命のサイクルで最も弱い部分は、土にしか含まれない窒素だ。トウモロコシや小麦、大麦、ジャガイモ、米などの作物を育てると、土中の窒素は使い果たされるため、窒素を足してやらなければ、作物を育てるために必要な窒素が足りなくなる。窒素を補給するには、３通りの方法がある。まずは、植物や動物の糞（ふん）を発酵させた堆肥（たいひ）を使う方法がある。また、ひよこ豆、アルファルファ、えんどう豆、大豆、クローバーなどのマメ科の植物を輪作する方法もある。マメ科の植物の根には、空気中の窒素を集めて土の中で使える形に変える細菌が生息しているからだ。この過程は「窒素固定」と呼ばれる。あるいは、雷雨を待つのも一つの方法だ。雷の空中放電によって窒素酸化物が生成されることがわかっている。これも一種の窒素固定だ。

世界中のすべての大陸のあらゆる国で肥沃な土地を隅々まで農地にして、堆肥をまき、こまめな輪作を行ったときに、食事を野菜だけでまかなうとして、生産できる食糧はおよそ40億人分といわれている。だが、２０１６年の時点で、世界の人口は70億人を超えている。飢餓（きが）の発生地域は限定されているが、問題は十分な食糧がないことではない。食糧は十分にある。問題は、必要とされるところに食糧が届いていないことだ。

それなら、生産者はどうすればよいか？　大勢の人々に食糧を届けるには、どうしたらいいのだろうか？　その答えは、１９０９年7月2日に起こったある出来事にある。私たちの体内に含まれる窒素の50パーセントは自然からの恵みだが、残りの50パーセントはこの日に一人の男が実現させた発明のおかげだ。その人物はかつて人類を救い、のちに人類の破滅を招く種をまいた。

フリッツ・ハーバー

その男、フリッツ・ハーバーは1868年12月9日にドイツのブレスラウで生まれた。父ジークフリートと母ポーラは元々いとこ同士だったが、家族の反対を押し切って結婚した。悲劇はまもなく起こった。

フリッツが生まれてから3週間後の大みそかの日、産後の合併症によりポーラが息を引き取った。ジークフリートは妻の死から立ち直ることができなかった。失意のどん底にあったジークフリートは仕事に没頭し、息子に関心を向けようとしなかった。そのため、フリッツはおばたちと祖母と家政婦に育てられた。ポーラの死の7年後、ジークフリートは再婚し、5年の間に3人の娘をもうけた。彼は愛情深く、やさしい父親になった。ただし、ジークフリートが愛情を注いだのは娘たちだけだった。いるだけで最初の妻の死を思い出させる息子を、ジークフリートは構おうとしなかった。フリッツは父に認められようと努力を続けながら幼少期を送ったが、どうやってもうまくいかなかった。

そして、親子の間の亀裂を決定的にする事件が起こった。高校を卒業したフリッツはある夜、地元のパブで遅くまで騒いでいた。ハーバー家では7時15分きっかりに朝食を始めるのが決まりだった。言い訳も例外も認められない。ジークフリートはフリッツがまだ寝ていることを知ると、息子の寝室にわざわざ娘たちを連れて行った。「よく見ておきなさい!」と彼は娘たちに告げた。「これが酒びたりの人生の始まりだ!」父親との距離を縮めることができず、失意から立ち直れないまま、40年後にこの話を友人に語ったとき、フリッツは涙を流していたという。

父親から愛情をもらえなかったフリッツは、父なる祖国に愛を求めた。しかし、彼の多大な貢献にもかかわらず、やがて祖国ドイツはこれ以上ないほど残酷な形でフリッツ・ハーバーを拒絶することになる。

19才のときに、フリッツ・ハーバーはハイデルベルク大学に入学した。大学でロベルト・ブンゼンに師事したハーバーは、化学に夢中になり、発明されたばかりのブンゼンバーナーから放出される光について研究した。他の学生たちとは違い、ハーバーは学術の場に身を置いて人生を送ることを望まなかった。彼はもっと実用的なこと、世界を変えるようなこと、産業に革命をもたらすようなことをしたかった。まもなく彼は大学を離れ、ブダペストの蒸留所やアウシュビッツ近郊の肥料工場、ブレスラウ近郊の繊維会社で働いた。

22才のときに、ハーバーはベルリンに戻り、シャルロッテンブルク工科大学のカール・リーベルマンに師事した。リーベルマンは、赤色染料としてよく使われるアリザリンの合成に初めて成功した科学者だった。ハーバーは、化学への強い関心と、自分がずっと持ち続けてきた父からの承認欲求を同時に満たせる可能性を合成染料の世界に見出した。ジークフリート・ハーバーは、天然染料の売買を手がけていた。ハーバーは、父の会社に低迷する天然染料から手を引かせ、明るい未来が約束されている合成染料を扱わせることを考えた。

しかし、フリッツ・ハーバーは商売にはまったく向いていなかった。１８９２年にドイツのハンブルクの港から当時流行していたコレラが入ってきたとき、ハーバーはありったけのさらし粉を買いつけるように父を説得した。さらし粉は、当時知られていた唯一の殺菌剤だった。しかし、コレラの流行はすぐに収束し、ハーバー家にはほとんど価値のない製品が山のように残された。ジークフリートは息子をばか呼ばわりし、怒鳴りつけた。「お前は大学にでも行っていろ！　商売に口を出すな！」

26才のときに、フリッツ・ハーバーは染料のビジネスから手を引き、カールスルーエの大学に進んだ。ライン川沿いのハイデルベルグのすぐ南に位置するカールスルーエで、彼は当時のほとんどの化学者が不可能だと思っていたことを成し遂げた。このときの発見により、フリッツ・ハーバーはノーベル賞を受賞した。しかし、ハーバーがストックホルムの授賞式に出向くと、他のノーベル賞受賞者数人が授賞式をボイコットした。ハーバーが犯した残虐非道な行為を、彼らはどうしても受け入れることができなかったからだ。

食糧危機

1898年秋、イギリス・ブリストルの音楽堂で、ウィリアム・クルックス卿が話を始めるために腰を上げた。英国科学アカデミーである王立協会の会長を務め、化学と物理学の両分野の研究者でもあったクルックスは、新元素（タリウム）を発見し、のちにテレビやコンピューターで使われるようになった陰極線管（訳注　ブラウン管の原型）を発明した人物だ。今回の講演の前年に、イギリス女王は彼にナイトの爵位を与えた。つまり、ウィリアム・クルックスはずっと王道を歩み続けてきた研究者だった。彼が立ち上がると、聴衆は耳をすませた。

その場にいた誰もが、これまでの王立協会の会長全員がそうしてきたように、クルックスもイギリスの科学者たちによる功績を並べ立てて、みんなを退屈させるだろうと思っていた。だが、予想は裏切られ、クルックスはのちに19世紀最高のものの一つと称されるスピーチをこう始めた。「イギリスをはじめとするすべての国家は、極めて危機的な状況にある」。クルックスは続けて、科学と医学の進歩が作り出したジレンマについて説明した。これらの進歩により、人間の寿命は延びた。その結果、今までよりも食糧を必要とする人口も増えた。地球上のあらゆる平野部はすでに農地になっており、１エーカー（約４０００平方メートル）の土地でまかなえる食糧はおよそ10人分しかなく、都市の人口がどんどん増え続けていることを考えれば、食糧が足りなくなるのは時間の問題だ。クルックスの弁によれば、「文明国家」の人々が餓死する時代が間近に迫っている。

クルックスは大量餓死が始まるのは１９３０年代頃だと予測していた。最初は数千人規模から始まり、数十万、数百万人と増えていくだろう。科学者たちはいつそれが始まるかについては議論していたが、本当にそのようなことが起こるかどうかについては誰も異を唱えなかった。人口は、世界の作物生産量を上回るペースで増え続けていた。解決策は、人工的に合成された窒素肥料を生産することだとクルックスは述べた。空気中の窒素を固定し、土で使えるような化合物に変える方法が必要とされていた。マメ科の植物や雷による窒素固定だけでは足りない。「文明化された人類の進歩にとって、窒素固定は不可欠だ」と彼は言った。「人類を救うのは化学者だ。食糧問題は研究所で解決できる。」

ウィリアム・クルックスによって問題は提起された。化学合成により人工肥料を作るための窒素固定は、化学界の至上命令となった。だが、道のりは平坦ではなかった。

人工肥料という難題を解決することの重要性を、ドイツはどこの国よりもよく理解していた。20世紀に入る頃のドイツの人口は５８００万人で、そのほとんどは都市部に集中していた。ドイツの農夫たちは、昔ながらのやり方で、発酵させた植物と動物の糞を几帳面に再利用していた。しかし、それでは追いつかないところまで来ていた。ドイツは天然窒素肥料を輸入せざるを得なかった。もし輸入できなくなれば、国の存亡にかかわる。肥料を求めて、ドイツの船は大西洋を渡った。

南米のアタカマ砂漠では、天然の窒素を含む硝酸塩が豊富にとれた。（1個の窒素原子と3個の酸素原子が結合した硝酸塩は、優れた天然窒素肥料だった。）硝酸塩の所有権を持っていたのは、チリだった。1900年の時点で、チリは世界中で使用される天然肥料の3分の2をまかなっていた。そのうちの3分の1を使用していたのは、ドイツだった。その頃のドイツは35万トンを超える硝酸塩を輸入していたが、需要は大きく、1912年には輸入量が90万トンにまで増えた。チリ産の硝酸塩に頼り続けた結果、ドイツは戦争が起これば特に大きな損害を被りかねない状況に陥った。さらに、第一次世界大戦は目前に迫っていた。ドイツ国民に食糧が行きわたらないようにするため、チリに向かうドイツ船を他国の海軍が攻撃してくるかもしれない。

BASF

カールスルーエ大学でのハーバーの活躍は目覚ましかった。

カールスルーエ大学に所属するようになってから2年後の1896年、物理化学についての本を執筆して研究者としてのキャリアをスタートさせると、本の出版のおかげで助教授に昇進した。ウィリアム・クルックスが有名なスピーチを行った1898年、ハーバーは理論化学と応用化学を組み合わせた2冊目の本を書き、さらに昇進を重ねた。1905年に書いた熱力学に関する3冊目の本のおかげで、ハーバーは弱冠37才にして教授職にまでのぼり詰めた。

ハーバーは、3冊目の著書を妻のクララに捧げた。彼とクララはブレスラウの学生時代に知り合い、4年前に結婚していた。彼らの間にはヘルマンという息子もいた。クララはずば抜けて優秀な女性だった。化学者の一家に生まれた彼女は、ドイツで博士号を取る女性がまだほとんどいなかった時代に、ブレスラウ大学で唯一の女性として化学の博士号を取得した。しかし、結婚は彼女の性に合わなかった。当時は女性の身分がまだまだ低く、聡明な若手研究者だったクララは、気の抜けたような主婦へと変わっていった。さらに夫は名声を追い求めるのに夢中で、妻と息子を顧みなかった。「フリッツは他のことにばかり興味を奪われている」とクララは言っていた。「私がたまに彼のところに息子を連れて行かなかったら、彼は自分が父親だということすら忘れてしまうでしょう」。

一方、ハーバーにとって、カールスルーエ大学は可能性に満ちた場所だった。大学は、ライン川のほとりに建つ大手化学企業のバーデンアニリンソーダ化工（BASF）と良好な関係を築いていた。ハーバーが研究を実用化したいと思えば、BASFとの関係はまことに好都合だった。さらに重要だったのは、こと化学と物理学に関して、ドイツは世界のどこよりも進んでいたことだ。皇帝ヴィルヘルム2世の統治下のドイツでは優れた理論が生み出され、極めて重要な発見がなされ、最先端の設備が用意された。その結果、ドイツの学術界は他国のライバルを凌駕（りょうが）し、多数のノーベル賞受賞者を輩出していた。アドルフ・ヒトラーの台頭とともに、これらはすべて失われた。だが、フリッツ・ハーバーがカールスルーエ大学に入った頃のドイツは、まだ化学界の至上命題の追求にふさわしい場所だった。

アンモニアを合成

ドイツは窒素を求めて船で地球を半周していたが、実はそんなに遠くまで行く必要はなかった。空気の79パーセントは窒素でできている。地球の表面では、1平方ヤード（約0・84平方メートル）あたり7トンの窒素が循環している。問題は、空気中の窒素が単一の原子（N）として存在しない点にある。窒素は2個の原子が三重結合した分子（N_2）として存在する。三重結合は自然界のなかでも特に強い化学結合で、簡単には切れない。空気中に含まれるN_2で100万個の風船を膨らませることはできても、たった1本のトウモロコシさえ育てることはできないのだ。

化学の本に書かれているように、N_2は無色無臭で不燃性、爆発せず、毒性はなく、反応性もない。重要なのは「反応性がない」という点だ。N_2は不活性で、そのままでは何の反応も起こらない。いわば、死んだような状態だ。もし、アミノ酸やたんぱく質、酵素、生命体のDNAやRNAの生成のような生物学的反応があれば、窒素分子を2個の原子に分断できるはずだ。窒素原子は、水素と結合すればアンモニア（NH_3）に、酸素と結合すれば硝酸塩（NO_3）になる。どちらにしても、土にまいて作物に窒素を補給することができる。

通常、N_2が自然に分解されることはないため、不自然な処理、つまりある意味では自然に逆らう処理が必要になる。1909年、フリッツ・ハーバーは初めてN_2を商業的な実用化が可能な方法で分解する方法を発見した。それまでに同じテーマで3000報を超える論文が発表されていたが、答えを出せたものはなかった。世界中の窒素資源はゆっくりと枯渇しつつあった。時間はあまり残されていなかった。

化学式は単純だ。

$$N_2 + 3H_2 \leftrightarrow 2NH_3$$

反応を上から下に見ると、三重結合した2個の窒素原子（訳注　1個の窒素分子）と、2個の水素原子が結合した水素分子3個から、2個のアンモニア分子が生成される。アンモニアは人工肥料として最適なことをハーバーは知っていた。

上から下への化学式を何とかして成立させるため、ハーバーは極度の高温と高圧を用いた。１９０４年、ハーバーは得られたアンモニアに含まれる窒素の量が化学式の最初の窒素の量の０・００５パーセントであることを発見した。これでは実用化にはほど遠い。生成量を増やすため、彼は様々な触媒を試して反応の促進を試みた。例えば、ニッケルやマンガンのような金属は、窒素原子や水素原子が置換されやすい土台となる。しかし、結局はどれもうまくいかなかった。ハーバーは空気中の窒素からアンモニアを生成するのは実用的でないという結論を出した。そうして彼はこの方法をあきらめたが、その前に一流化学誌でそれまでの発見についての論文を発表していた。

ハーバーの論文は、ゲッティンゲン大学初の物理化学教授で、その分野での第一人者でもあったヴァルター・ネルンストの目に留まった。ネルンストは研究人生のほとんどを現在では熱力学の第三法則として知られる熱理論に捧げ、のちにこの法則の発見によってノーベル賞を受賞している。ハーバーの論文を読んだネルンストは動揺した。その内容が自身の理論とは矛盾していたからだ。そこで、ネルンストは助手の一人に実験を再現させ、ハーバーの論文よりも生成量はさらに少ないことを発見した。腹を立てたネルンストは、すぐにハーバーに向けて自分の懸念を表明する手紙を書いた。

ハーバーはネルンストの批判を重く受け止め、実験をもう一度行って、ネルンストが正しかったことを認めた。どちらも同じ実験をして、同じ結論にたどり着いたわけだ。空気中に含まれる窒素からアンモニアを合成するのでは、あまりに効率が悪すぎた。だが、ヴァルター・ネルンストの追及はそこで終わらなかった。ハーバーの最初の論文を侮辱（ぶじょく）ととったネルンストは、彼に恥をかかせることを目論んでいた。１９０７年5月、国際ブンゼン学会でネルンストはフリッツ・ハーバーに声をかけた。「ハーバー教授には、これからは間違いなく正確な値を出せる方法を使っていただくことをお勧めしたいと思うがね」とネルンストは言った。のちに、ネルンストはハーバーの発見を「断固たる間違い」と呼び、研究室での窒素固定は愚か者がすることだと発言した。ネルンストが自分の同僚の目の前で自分を批判するやり方を選んだことにハーバーは傷つき、腹を立てた。彼は面目を取り戻し、ネルンストに仕返しをしようと、空気からアンモニアを作り出す仕事に没頭した。

フリッツ・ハーバーが不可能だと思われていたことを実現できたのは、ブンゼン学会が終わってから起きた一連の出来事のおかげだった。最初に、イギリスの若手化学者、ロベール・ル・ロシニョールがハーバーの研究室にやってきた。ル・ロシニョールは有能で創意工夫あふれる実験家だった。彼は石英と鉄を使い、銅も溶かせる最高1832°F（1000℃）の高温と、潜水艦も壊れるほどの1平方インチあたり3000ポンドという高圧（約200気圧）に耐えられる小型の卓上装置を設計した。第二に、ハーバーは反応を促進する触媒を見つけることに成功した。電球のフィラメントとして使われている希少金属のオスミウムだ。第三に、ハーバーはアンモニアが高温で燃えてしまわないように、短時間で冷却する方法を発見した。最後に、カールスルーエ大学でハーバーの恩師だったカール・エングラーがBASF社に口をきいてくれたおかげで、BASFから研究への資金提供を受けられることになった。研究が成功したあかつきには、BASFが特許権を持ち、ハーバーと業務提携することがその条件だった。

ハーバーとル・ロシニョールは装置をいじりまわし、温度と圧力を様々に変えて実験を繰り返した。ようやく彼らに成功のきざしが見え始めたのは、1909年3月のことだった。ハーバーは我を忘れて喜んだ。「こっちに来てみろよ、液体アンモニアが出てきているぞ!」彼は同僚に向かって叫んだ。その同僚はこう回想する。「今でもそのときの光景が見えるようだ。そこにはおよそ1立方センチメートルのアンモニアがあった。素晴らしいことだった。」小さじ5分の1というわずかな量ではあったが、ここが始まりだった。数カ月のうちに、ハーバーとル・ロシニョールの装置は24時間体制でアンモニアを生成できるようになった。

1909年7月2日、BASFから2人の社員がフリッツ・ハーバーの研究室にやってきた。研究主任のカール・ボッシュと、化学者で触媒の専門家のアルヴィン・ミタッシュだ。あいにくハーバーの助手の一人が装置を密閉するときに力を入れすぎたため、デモ実験中に漏れが発生した。ボッシュは修理が終わるのを待っていた。数時間が経過した。ボッシュは何度か時計に目をやり、ついには部屋を出て行った。ミタッシュは後に残った。装置の修理が終わり、反応が再開した後の機械の調子は完璧で、5時間の実演の間に3オンス（約85グラム）のアンモニアが合成された。生成されるアンモニアの量は以前に比べて飛躍的に増えていた。0・005パーセントだった収率は、このときには8パーセント前後まで上がっていた。ミタッシュは、収率がこれほど高ければ実用化も可能だと考えた。彼は急いでBASFに戻り、ボッシュに吉報を伝えた。

ドイツのカールスルーエの小さな大学でわずか数人で製造した数オンスのアンモニアは、まもなく世界を変えるはずだった。そうなれば、フリッツ・ハーバーは大金持ちになる。しかし、何事にも代償はつきものだ。

カール・ボッシュ

大量生産は簡単にはいかなかった。BASF社がすべき仕事は、卓上装置を大量生産が可能な装置に変えることだった。それを実現させたのは、カール・ボッシュだった。

プロジェクトの責任者に抜擢されたとき、ボッシュはまだ35才だった。ガスや水道管の部品メーカーを営む家の息子としてケルンで生まれたボッシュは、父の工場に自由に出入りすることができた。子供の頃に、ボッシュは両親が使っていたベッドの表面をはがしたことがある。その下の木肌を見たかったというのがその理由だった。次には、母親が使っていたミシンの仕組みを知りたくて、バラバラに分解した。成長すると、ボッシュはせっせと父の工場に通い、はんだ付けや配管、機械加工、木工、冶金(やきん)について学んだ。このときに身につけたあらゆる技術が後年役に立つことになった。

ハーバーのデモ実験から10カ月後、カール・ボッシュはカールスルーエにほど近いルートヴィヒスハーフェン村で小型の試作品を作り上げた。ハーバーの高さ2フィート(約60センチメートル)の卓上装置は26フィート(約8メートル)の超大型装置に姿を変え、工場は1910年5月18日に操業を開始した。2カ月も経たないうちに、工場で生産されるアンモニアの量は2000ポンド(約900キログラム)を突破した。1911年1月の初めには、1日あたりの生産量が8000ポンド(約3600キログラム)を超えた。ボッシュはライン川をさらに少し下ったオッパウに工場を移した。

1913年9月に開業したオッパウ工場は、今までに類を見ない規模となった。1億ドルの費用をかけたオッパウ工場では1万人以上の作業員が働き、専用の鉄道線路を備えた輸送システムもあった。長さが数マイルに及ぶ配管を張り巡らせ、中央には機関車ほども大きさがあり、かつてない高温高圧にも耐えられる圧縮機が据えつけられた。5階建ての研究所では、250人の化学者と1000人ほどの助手が働いていた。ハーバーとル・ロシニョールの実験は、いまや見事に産業として成立するところまできた。BASFの科学者たちは2万回の実験を行い、4000種類の触媒を試した。その年の終わりには、24時間体制で稼働を続けるオッパウ工場は年間6万トンのアンモニアを生産していた。ドイツに限っていえば、チリ産の硝酸塩はまったく使われなくなった。

カール・ボッシュは、自らの発明ではない技術の商業化を成功させてノーベル賞を受賞した最初の人物になった。しかし、この技術は悲劇も招いた。1921年、オッパウ工場で爆発が起こり、500人を超える死者が出た。

カイザー・ヴィルヘルム研究所

フリッツ・ハーバーの目覚ましい発見は、ヨーロッパ各地の大学や学会、王室から賞を贈られ、祝賀会が催され、ナイトの爵位が授けられた。ソ連はソビエト連邦科学アカデミーの会員に、米国芸術科学アカデミーは外国人名誉会員にハーバーを選出した。

騒ぎが収まると、ハーバーはカールスルーエを離れる時期が来たと考えるようになった。次の行き先は、ドイツの国際都市で学問の都でもあったベルリンだ。彼に提示された条件は、非常に魅力的だった。カイザー・ヴィルヘルム物理化学・電気化学研究所の所長の椅子が用意され、給料はとびきり高く、研究予算は年間30万マルク、ハーバーと家族のための住宅も用意され、ベルリン大学の寄付講座教授の地位も与えられることになっていた。ベルリン郊外のダーレムに立地するカイザー・ヴィルヘルム研究所は、政府による資金のみで運営される基礎科学研究所という、ドイツにそれまでなかった研究所の先駆けだった。カイザー・ヴィルヘルム科学振興協会は、最盛期にはドイツ全土の38ヵ所に研究所を構え、1000人以上の研究者を雇って11人のノーベル賞受賞者を出した。きら星のごとく輝く各地の研究所のなかでも、ひときわ目立っていたのが、ダーレムにあったフリッツ・ハーバーの研究所だった。

中国

他の国々もボッシュの技術を真似るようになった。1963年には、約300カ所のアンモニア工場が稼働し、40カ所以上で工場建設が進められていた。今や、およそ1億3000トンの窒素が空気中から取り出され、肥料として地面にまかれるようになった。世界の人口は30億人を突破し、まだまだ数十億人単位で増えることが予想されたが、フリッツ・ハーバーとカール・ボッシュのおかげで食糧不足の心配はなくなった。かつて、これほど大勢の人々がたくさんの食物にありつけた時代はなかった。

空気中の窒素からアンモニアを大量生産できるハーバー・ボッシュ法の重要性を誰よりもよくわかっていたのは、緑の革命を指導して1970年にノーベル平和賞を受賞したノーマン・ボーローグだったかもしれない。ボーローグは、小麦と米の新しい品種を生み出した。しかし、本当の英雄が別にいることをボーローグは知っていた。彼は受賞スピーチでこう述べた。「収量の多い矮小(わいしょう)小麦と米の新品種が緑の革命に火をつけた触媒だとしたら、革命が突き進むためのエネルギーを供給した燃料は化学肥料だ」。誕生から100年が経っても、ハーバー・ボッシュ法の基本は変わらず、アンモニアは地球上で最も多く人工的に合成された化学物質となった。

ハーバー・ボッシュ法の威力がどこよりも如実に示されたのは、中国だった。

1972年、リチャード・ニクソン米国大統領は「竹のカーテン」を越えて、中国(訳注　中華人民共和国)を訪問した。M・W・ケロッグ社の重役、ジェームズ・フィネランも大統領に同行した。当時の中国では、世界中のどこの国よりも人間や動物の糞尿が広く再利用されていた。農地の隅々にまで、あるだけの天然窒素がまかれている状態だった。そのやり方でとれるだけの食物が中国の限界だったが、それでは足りなかった。農民たちは家畜や山菜、雑草のスープ、木の樹皮などを食べ始めていた。一部の地域では、人肉食も報告された。１９６１年には、３０００万人の中国人が餓死したと推定されている。人々は米とわずかばかりの野菜で命をつないだ。肉が手に入ることはめったになく、食料は配給制だった。さらに悪いことに、中国の人口は毎年１０００万人ずつ増え続けていた。

Ｍ・Ｗ・ケロッグ社は、当時の世界で最高の生産効率を誇るアンモニア製造工場を建設した実績があった。フィネランがニクソン大統領に同行して中国に行った理由は、現地の製造業者に工場を建てさせることを想定し、その手伝いをしたいと考えたからだ。13カ所に工場が建設され、わずか数年で中国の肥料生産量は倍増した。農作物の収穫は大幅に増え、人間が十分に食べられるようになっただけでなく、家畜の飼料もとれるようになった。肉はたっぷり手に入るようになった。１９８９年には、中国は世界最大の化学肥料の生産・消費国となっていた。中国には世界人口の5分の１を占める数の国民がいたが、栄養失調はもはや問題にならなかった。むしろ問題は肥満だった。１９８２年には、中国の全人口のうち肥満が10パーセントを占めた（標準体重を35パーセント以上上回ると肥満とされる）。１９９0年代の初めには、この数字は15パーセントまで上昇した。今日では北京に住む人々の30パーセント以上が太り過ぎだと言われ、子供の肥満は国家的な問題となっている。

メキシコ湾

ノーベル賞を受賞してから5年後の１９２４年、フリッツ・ハーバーはフィラデルフィアのフランクリン研究所で講演を行い、科学の力を絶賛した。「銀行家に法律家、実業家に商売人は、最高の地位についたとしても、しょせんは事務屋で、最高位に座するのは自然科学だ。科学の進歩が人類の繁栄を測る尺度となる。科学を発展させることは、次の世代の繁栄を育てる種をまくに等しい」。しかし、科学者だけでは何もできない。そして、解き放たれた科学には負の側面もつきまとう。

米国最大のアンモニア生産工場は、ルイジアナ州ドナルドソンヴィルにある。工場では毎日、100万ドル分の天然ガスを消費し、地元の川の水3万トンを沸騰させて水蒸気に変え、5000トンのアンモニアを製造している（年間生産量は200万トン）。生産された5000トンのアンモニアは日々、鉄道貨車やミシシッピ川に浮かぶ貨物船に積み込まれて運ばれ、トウモロコシや小麦の畑にまかれる。だが、肥料としてまかれたアンモニアやアンモニウム塩に含まれるすべての窒素が作物に取り込まれるわけではない。例えば、トウモロコシ畑の土中に含まれる窒素のうち、トウモロコシになるのはたった3分の1だ。残りは水路に流れたり、地中深くしみ込んで地下水に入り込む。

ルイジアナのアンモニア工場のすぐそばのメキシコ湾は、監視の目がなければどんなことが起こるかを示す好例だ。メキシコ湾には、毎年およそ150万トンの窒素が流れ込む。窒素が過剰になったため、藻が異常発生して水面が覆われ、魚や軟体動物など湾に生息する他の生物のもとに酸素や日光が届かなくなった。藻の異常発生は、北半球の川や湖や海の生態系を破壊している。死んでいるのは魚だけではない。魚を食べる鳥たちも死んでいる。

メキシコ湾の死の海域は現在、ニュージャージー州と同じくらいの面積（訳注　日本の面積のおよそ15分の1）まで広がっている。さらに、世界中の150カ所以上で、メキシコ湾ほどの規模ではないものの、同じような死の海域が見つかっている。ドイツの北に位置するバルト海は、世界で最も海洋生態系が汚染されている海域の一つで、1990年代にバルト海ではタラ漁ができなくなった。ヨーロッパを流れるテムズ川、ライン川、ムーズ川、エルベ川には、安全だと考えられている量の１００倍以上の人工窒素が含まれている。オーストラリア沖のグレートバリアリーフ、地中海や黒海、中国の二大河川である黄河と長江などでも、同様の問題が起こっている。また、有害藻類が生成する有毒物質が、チェサピーク湾、ロングアイランド湾、サンフランシスコ湾で見つかっている。公平を期していうならば、過剰な窒素のすべてが地面にまかれた窒素肥料だけから来ているわけではない。窒素は家畜の糞で作った肥料からも出る。しかし、これらの家畜はたいてい化学肥料で育てられた作物を与えられている。

人工窒素による汚染は、水だけに限らない。大気中に入り、酸性雨として再び地面に降り注いで、湖や河川や森林、さらにはそこで暮らす動物たちにも被害を与えている。問題は悪化の一途をたどっている。

化学肥料から爆薬生産へ

フリッツ・ハーバーが開けてしまったパンドラの箱から飛び出してきたわざわいは、人工窒素による環境汚染だけにとどまらない。窒素をすぐに使える状態にするには、もう一つ別の処理が必要になる。それこそ、ドイツが第一次世界大戦中に化学肥料の生産を停止し、製造工場をオッパウから警備のしやすいロイナに移した理由でもある。

１９１１年にカールスルーエからベルリンに移った頃、フリッツ・ハーバーは一人のドイツ生まれの科学者と友人になった。アルベルト・アインシュタインだ。アインシュタインは家庭教師としてハーバーの息子に数学を教え、ハーバーは妻との離婚に苦労していたアインシュタインの力になった。「ハーバーがいなかったら、別居は実現しなかっただろう」とアインシュタインは回想している。

ハーバーとアインシュタインは友人同士だったが、性格はまったくの正反対だった。アインシュタインは進歩的な考えの持ち主で、よく軽口をたたき、恐れ知らずで自由奔放、そして母国の軍国主義を嫌悪していた。一方、堅物のハーバーは、プロイセン皇帝の信奉者で、ドイツの科学者たるもの、要請があればいつでも父なる祖国に仕えるべきだと信じていた。1914年8月4日、ドイツがフランスの機先を制して、中立国だったベルギーに侵攻すると、ハーバーはすぐに巻き起こった国際的な非難から祖国を守ることを表明する声明書に署名した。声明書には93人のドイツの科学者が署名し、そのなかにはノーベル賞受賞者が3人、のちにノーベル賞を受賞することになる科学者が3人含まれていた。その頃、アインシュタインは平和主義者らによる祖国の行動を非難する反対声明書に加わっていた。アインシュタインはドイツを去った。ハーバーは従軍を志願した。

ドイツ軍はすぐにフランスに侵攻し、戦争を終わらせるつもりでいた。長くとも数カ月で決着がつくというのが彼らの目論見だった。だが、ドイツの思惑通りに事は運ばなかった。ドイツ兵はパリ近郊のマルヌ川から先に一歩も進めなかった。この頃になって、ドイツ軍も今回の戦争は予想と違う展開になりそうだということに気がついた。前線では熾烈な塹壕(ざんごう)戦が繰り広げられた。さらに、世界で最も破壊力のある爆薬、硝酸(しょうさん)アンモニウムが大量に必要とされるようになった。(1995年にオクラホマシティの連邦政府ビルを爆破したティモシー・マクベイは、肥料会社から購入した硝酸アンモニウムを使用していた。この事件では、大勢の子供を含む168人が犠牲になり、680人が負傷した。さらに半径1マイル(約1・6キロメートル)の範囲に建っていた300棟以上の建物に被害が出た。硝酸アンモニウムを積んだたった1台のトラックが、これだけの大爆発を引き起こしたのだ。)

戦線は膠着(こうちゃく)状態に陥り、ドイツ軍はもっと大量の爆薬を切実に必要とするようになった。ハーバーはここに好機を見出した。彼は、一段階の反応工程を用いればアンモニアから硝酸アンモニウムを大量に作れること、その製造工場としてはオッパウ工場が最適であることを説明し、カール・ボッシュを説得した。最初のうち、ボッシュは反対したが、最終的には彼が折れる形になった。1915年5月には、オッパウ工場で1日に150トン以上の硝酸アンモニウムが生産されていた。BASFはもはや単なる化学企業ではなく、軍の機関と化した。かつてのオッパウ工場は人々に食べ物を供給するために24時間体制で稼働していたが、今では人々を殺すためにフル稼働していた。「空気からパンを生む（brot aus luft）」はずだった場所は「空気から血を生む（blut aus luft）」場所へと変わった。ボッシュはこのような変容を「ちょっとした汚れ仕事」と呼んだ。

化学者の戦争

1915年5月27日、フランスがオッパウ工場を空爆した。事態を受けて、ドイツの奥深く、ライプツィヒ近郊のロイナと呼ばれる小さな町に別の硝酸アンモニウム製造施設が建設された。1917年4月27日、ロイナ工場は操業を開始した。13本の大型煙突を中心とする工場は、3万人以上の作業員を抱え、長さ2マイル（約3・2キロメートル）、幅1マイル（1・6キロメートル）もあった。さながら小都市だ。ロイナで最初の硝酸アンモニウムが完成すると、作業員が缶に「フランス人に死を」と走り書きした。まもなく、ロイナでは年間24万トン以上の硝酸アンモニウムが生産されるようになった。生産された爆薬は、そのままドイツの戦場に送られた。ロイナは世界最大の化学コンビナートだった。

フリッツ・ハーバーはこの世の春を謳歌（おうか）していた。第一次世界大戦は今や「化学者の戦争」になり、カイザー・ヴィルヘルム研究所の所長だったハーバーは、化学界のトップに君臨していた。彼は、最高司令部の最高顧問である枢密顧問官に任命された。それはヴィルヘルム皇帝のドイツにおいて科学の重要性がはっきりと認められた証でもあった。さらにハーバーはドイツ軍の大尉に任命された。民間人としては前例のないことだった。それらしく見えるように、ハーバーは頭を丸刈りにして軍服をあつらえ、軍人のように振る舞った。アルベルト・アインシュタインは変わり果てた友人に失望し、カイザー・ヴィルヘルム研究所を訪問した後でこんな感想を漏らした。「残念ながら、どこを見てもハーバーの写真だらけだった。そのことを考えるたびに、心が痛む。あれほどの素晴らしい男が虚栄心に溺れたことを認めなければならないのは残念だ」。また、のちにノーベル賞の受賞対象となった核分裂の研究に加わっていた物理学者のリーゼ・マイトナーは「彼は最高の友人であろうとすると同時に神になろうとした」と回想する。

ノーベル化学賞

1918年11月9日、ドイツは降伏した。戦争には負けたものの、ドイツ軍事大臣のハインリッヒ・ショイヒはハーバーの貢献に謝意を表明した。「長きにわたる戦争の間に、貴君は広範な知識と精力を注ぎ込んで、計り知れないほど祖国のために尽くしてくれた」と彼は書いている。「貴君はドイツの化学力を総動員してくれた。その力をもってしても、このたびの戦争でドイツが勝利を得ることはかなわなかった。しかしながら最初の数カ月以降、火薬や爆薬、それ以外の窒素化合物の不足を理由に敵の優位に屈することがなかったのは、何よりも貴君の手柄だ。貴君の見事な成功は、これからも末永く歴史として語り継がれ、忘れられることはないだろう。」（ロイナ工場は、第二次世界大戦が始まるとベルリンよりも厳重に警備され、のちにヒトラーの軍隊のために稼働するようになった。1944年5月12

日、米国第8空軍が２００機以上でロイナを爆撃した。終戦までに、６０００機の連合軍の爆撃機がロイナ工場に計1万８０００トン以上の爆弾を投下した。戦争が終結すると、第三帝国（ナチス・ドイツ）の建築家、アルベルト・シュペーアは、連合軍がロイナ工場を壊滅させることだけに目標を絞っていたら、第二次世界大戦はあと8週間早く終結したのではないかと発言した。）

１９１９年にフリッツ・ハーバーがノーベル化学賞を受賞したとき、同時に受賞したドイツ人が他にもいた。量子力学の研究をしていたマックス・プランクと、ドップラー効果の研究で受賞したヨハネス・シュタルクも、同年にノーベル賞を受賞している。ハーバーは、同胞の受賞を我がことのように誇りに感じていた。第一次世界大戦が影を落としたにもかかわらず、ドイツの科学者たちがこのような栄誉を受けたことを、彼は誇りに思った。「スウェーデン王立アカデミーが3人のドイツ人を――そしてドイツ人のみを――受賞者として選んだことは、偉業だと思う」と彼は述べた。「今回の受賞により国際的な理解が改められるよう、心から願っている」。しかし、ハーバーの願いはかなわなかった。ノーベル賞受賞者に選ばれた2人のフランス人研究者は、抗議の表明として受賞を辞退した。一人は、ハーバーが「道義的に栄誉にふさわしくない」と発言した。5年前にノーベル賞を受賞していた一人の米国人研究者も、授賞式への出席を拒んだ。このようなボイコットが起こったのは、ノーベル賞開始以来、初めてのことだった。授賞式の間も、ハーバーは何人もの科学者に握手を拒まれた。彼らがハーバーを拒絶したのは、ハーバーが受賞スピーチの際に彼らの面前でドイツの旗を振って見せるかのごとき振舞いをしたからではない。さらに、彼が垂れ流した大量の窒素化合物が河川を酸素不足に陥らせたことも、ドイツが積極的に第一次世界大戦に参戦したことを支持する声明書にハーバーが署名したことも、彼が生み出した硝酸アンモニウムから製造された爆弾をドイツ軍が使っていたことも、理由ではない。

原因は、戦争中にフリッツ・ハーバーが犯したまったく別の行為にあった。それこそが、ハーバーが世界に解き放ったもう一つのわざわいだった。

化学兵器

戦争を早期に集結させたいというドイツの目論見が外れ、戦争が消耗戦に突入するであろうことがはっきりすると、フリッツ・ハーバーは自分が何かをすべきときがきたと思った。彼は硝酸アンモニウムの製造により、愛する祖国にほとんど際限なく軍需物資を供給できるようにしたが、戦争に勝利するために、さらに別の形で――かつて誰もしたことないやり方で――自分の化学の知識を生かそうとしていた。ハーバーは、ドイツが勝つために必要なのは、兵士たちが勇敢に戦うことや、軍の指導者が辣腕(らつわん)を振るうことではなく、化学者たちがもっと頭を回転させることだと信じていた。

フリッツ・ハーバーが率いるカイザー・ヴィルヘルム研究所は、ドイツの軍事に欠かせない存在となり、有刺鉄線が張り巡らされ、軍の警護がついた。１５００人の作業員と１５０人の研究者の給料も含めた研究所の予算は、平時の50倍以上に膨れ上がっていた。１９１６年、ハーバーは軍事省化学兵器部の責任者に任命された。彼は、銃や大砲を使わずに敵を殺す方法を探すことを考えた。地面を伝わって忍び寄り、塹壕に入り込み、その場で連合軍の兵士を殺せるような兵器を、彼は見つけようとしていた。ハーバーらのチームは、数カ月間にわたって（主にネコを対象とした）動物実験で有毒ガスの効果を研究し、ガスの濃度と曝露(ばくろ)時間の関係を突き止めた。ハーバーは、濃度の低い有毒ガスを長時間吸わせ続けた場合と、高濃度のガスを短時間吸わせた場合の殺傷能力はほぼ変わらないことを発見した。のちに、このような濃度と曝露時間の関係はハーバーの法則と呼ばれるようになった。１９１８年の時点で、ドイツでは2000人以上の科学者が化学兵器の研究に携わっていた。

戦争で有毒なガスを使用したのは、ハーバーが最初ではない。フランスやイギリスは、1914年にすでに催涙(さいるい)ガスを使っていた。しかし、催涙ガスの目的は、敵を一時的に戦えない状態にすることが目的だったが、ハーバーの狙いは敵を殺すことにあった。ハーバーが選んだのは、塩素ガスだった。空気より重いため塹壕に広がらせることができること、毒物をしみこませた枕で窒息死させるかのように短時間で死に至らせられることが選ばれた理由だった。

実験を進める段階で、ハーバーは化学兵器が国際法に抵触することを知っていた。数年前の1907年、ドイツは他の24カ国と共同で「毒および毒を施した兵器の使用」を禁止したハーグ陸戦条約に署名した。有毒ガスは明らかな条約違反だが、ハーバーは気にしなかった。目的は勝つことだ。ルールを破ることになっても、やるしかない。のちに、ハーバーはこのときの行為によって、戦争犯罪人というレッテルを貼られることになった。

消毒作戦

1915年4月22日の木曜日、血みどろの激しい戦闘が繰り広げられていたフランスの古い交易都市イーペルに近い戦場で事件は起こった。ドイツ軍と向かい合っていたのは、フランス、イギリス、アルジェリア、カナダの連合軍だった。午後5時、フリッツ・ハーバーは恐ろしい塩素ガス150トンが入った6000個のボンベのバルブを開けた。ハーバーの傍らには、のちに全員がノーベル賞を受賞することになるオットー・ハーン、グスタフ・ヘルツ、ジェイムス・フランクという若い3人の科学者がいた。のちにガイガー計数管を発明したハンス・ガイガーも、その場に居合わせた。風は彼らにとって都合の良い方向に吹いていた。ボンベが開けられると、すぐに4マイル（約6・4キロメートル）ほどの範囲にクジラほどの高さの黄緑色の気体が立ち込め、南に向かって流れると、何も知らないフランスとアルジェリアの大隊に向かって忍び寄った。数分も経たないうちに、空から鳥が落ち、植物はしおれ、数千人の兵隊が息を詰まらせ、吐き気をもよおし、動けなくなり、顔面蒼白になった。すぐに影響を受けなかった兵隊も銃を落とし、荷物を放り出して逃げ出した。あるイギリス兵はこのときのことを次のように振り返る。「突然、イーペル運河からの道を馬に乗った集団が駆けてきた。乗り手はひどく興奮して馬を追い立てていた。そんな連中が次から次へとやってきて、道路は舞い上がった土ぼこりにすっかり包まれた」。その日にまかれた塩素ガスで5000人が犠牲になり、さらに1万5000人が被害を受けた。

フリッツ・ハーバーは、戦争の恐怖をあおる方法を見つけた。その事実は、連合軍の司令官に伝わっていた。「このときの卑劣で忌まわしい害毒のせいで我々の間に広がった恐怖と戦慄を実感としてわかってもらうことは不可能だ」とあるカナダの将校は語った。この事件を「華々しい」と表現したハーバーは、自らが作り出した兵器のおかげでドイツ軍が技術面のみならず、心理面でも優位に立ったことを知っていた。「あらゆる新兵器は戦争に勝利する力となる」と彼は振り返る。「すべての戦争は、兵隊の肉体ではなく、精神との戦いなのだ。新たな兵器は、経験したことがない未知のものであるがゆえに、兵隊はそれを恐れ、士気がくじかれる。大砲が大きく士気に影響することはないが、ガスの匂いには誰もが動揺する」。すべてのドイツ人が手放しでこの件を称賛したわけではなかった。あるドイツの司令官は次のように書いている。「文明が発展するほどに、人間は卑劣になる」。このときの攻撃は、のちのナチスドイツの人を人とも思わない姿勢に重ねて「消毒作戦」という名で呼ばれた。

イーペルの戦いの後で、ウッドロウ・ウィルソン米国大統領と赤十字国際委員会は化学兵器の使用に抗議したが、何の役にも立たなかった。当時24才だったドイツの著名な画家ジョージ・グロスは、自分なりのやり方で抗議の意を示した。グロスは十字架にかかったキリストの絵を描き、キリストにガスマスクをつけさせ、軍用靴を履かせた。彼はこの絵で、戦争の残虐さと、果てがないように思える人間の堕落を表現しようとした。のちにグロスは裁判にかけられ、冒とく罪で有罪判決を受けた。

フリッツ・ハーバーに反省の色はなく、自分の研究は平和なときには人類のためでも、戦争中は祖国のために行うと公言した。彼の唯一の後悔は、連合軍の最前線の真ん中に開いた突破口を十分に生かせなかったことだった。ドイツの将校たちがもっと果敢に行動していれば、その日のうちに戦争を終わらせることができていたはずだとハーバーは信じていた。２００人のドイツ兵もガスによる中毒症状を起こし、12人が死亡したという事実にハーバーは見向きもしなかった。

クララ・ハーバー

イーペルでの塩素ガスによる攻撃から1週間後、フリッツとクララはディナーパーティーを開いた。パーティーがお開きになると、彼らは激しい喧嘩を始めた。化学兵器は科学ではなく、「科学の悪用」だとクララは言った。内気で物静かな性格に加え、やや舌足らずにしかしゃべれないクララにとって、このようなことを口にするのは容易ではなかった。彼女が夫の判断に口出しをすることはめったになかった。だが、フリッツは一線を越えてしまった。クララはもう耐えられなかった。フリッツが眠った後で、彼女は寝室に入り、夫の拳銃を手にして庭に出ると、空に向かって一発撃った。拳銃が問題なく使えることを確かめると、彼女は銃口を自分の胸に向けて、2発目を撃った。当時14才の息子、ヘルマンが急いで母のもとに駆けつけた。クララはひどく出血していたが、まだ息があった。ヘルマンは大声で父を呼んだが、彼の叫びは届かなかった。フリッツは睡眠薬を飲んでぐっすり眠っており、目を覚まさなかった。次の日、1915年5月2日のその夜に、クララ・ハーバーは自ら発砲した拳銃の傷によって死亡した。次の日、フリッツ・ハーバーは息子を残し、予定通りに東部前線に向かって旅立った。クララの自殺から2年後に、ハーバーは再婚した。母の自殺から30年後、米国のロングアイランドで弁理士として働いていた44才のヘルマン・ハーバーは、母と同じく自らの命を絶った。

「戦争をチェスに変える」

フリッツ・ハーバーは、妻がなぜ化学兵器に反対したのか、理解できなかった。それだけでなく、他のノーベル賞受賞者たち数人がそろって自分の受賞スピーチをボイコットした理由もわからなかった。ハーバーにとって、死んだ兵士は死んだ兵士だった。死に方は重要ではないはずだ。肝心なのは、彼らが死んだという事実だけだ。毒ガスは技術が高度に発展した社会の都合に役立つならば、ドイツがそれを利用することのどこに問題があるというのか？「騎士（ナイト）は銃を持つ人間を否定するが、銃を撃つ兵隊が化学兵器を否定するのも同じことではないのか」とハーバーは言った。彼が目指したのは、戦争を科学者たちの勝負に変えることだった。より強力な毒ガスを作り、より効率的に毒ガスをまき、ガスマスクなど最高の性能を備えた防護具を作ったものが勝者となる。「毒ガスを兵器とする攻防は、戦争をチェスに変える」と彼は淡々と語った。第二次世界大戦で原爆の投下が正当化されたときと同じ理屈で、ハーバーは化学兵器が奪った人命より多くの人命を救ったと主張した。実際のところ、フリッツ・ハーバーは自分の行為をこの上なく誇りに思っていた。科学が、銃弾や大砲の打ち合いをはるかに超える壊滅的な打撃を与えられることに彼は満足していた。ハーバーにとって化学兵器とは、「隊長の指示に従う剣を持った兵隊を、動けない人間の山に変える」道具だった。

ガス攻撃

イーペルを皮切りに、ガス攻撃は計５回行われた。１９１５年４月22日と８月６日の間に、連合軍を攻撃するために５回に分けてドイツ軍がまいた塩素ガスは１２００トンにのぼった。かつて化学肥料を製造していたＢＡＳＦのオッパウ工場は、爆薬と毒ガスの専用工場になっていた。１９１５年の１年間で、ＢＡＳＦは１万６０００トンの塩素ガスを生産した。

戦争で初めて塩素ガスを使用したのはフリッツ・ハーバーだが、１９１５年10月15日、彼は初めてホスゲンガスを使用した人間にもなった。塩素ガスと同様に、ホスゲンガスを吸い込んだ人間は窒息死するが、致死量は塩素ガスよりも大幅に少なかった。１９１５年10月15日から27日の間に、シャンパーニュの戦線でドイツ軍は５００トンのホスゲンガスをまき、連合軍の５７００人が被害を受けて５００人が死亡した。

ハーバーの毒ガスはこれで終わらなかった。１９１７年、彼は戦争で使われた化学兵器のなかでも最も危険なマスタードガスを使った最初の人間になった。最終的には風に吹かれてどこかに消える塩素ガスやホスゲンガスとは違い、マスタードガスは周辺にとどまり、地面や衣服、建物や道具類にも染みついた。すべてを洗い落とすことは現実的に不可能だった。マスタードガスは重度の結膜炎を引き起こすため、兵隊たちはほとんど目がみえなくなった。皮膚や口、のど、気管にも激しい炎症を起こすために、飲み込みや呼吸がしにくくなり、重いやけどを負ったときのような大きな水ぶくれができた。気管支や肺の激烈な炎症が、最も多い死因だった。マスタードガスを吸った兵士たちの3パーセントが死亡した。マスタードガスは、ガスのなかでも最も殺傷能力が強い。長時間にわたってその場にとどまるため、ボンベを開けた後もずっと敵に被害を与え続けることができるうえ、死亡率も高い。どんな化学兵器よりも恐れられたこのマスタードガスを、フリッツ・ハーバーは「素晴らしい成功」と呼んだ。

当然ながら、マスタードガスは周辺を巻き込んだ被害が出やすい化学兵器でもある。1917年7月20日に、ドイツ軍はフランスのアルマンティエールの西の外れで行われた戦闘でマスタードガスを使用し、地元の農家や町の人々数千人が避難した。建物や家具にも毒物が大量に付着していたため、避難所から戻ってきた人々は残っていた毒にやられて675人が重軽傷を負い、86人が死亡した。

1914年から1919年の間に、ドイツは8万7000トンの塩素ガスと2万4000トンのホスゲンガス、7700トンのマスタードガスを製造した。イギリスとフランスも化学兵器を使用したが、最初に使い始めたのはドイツであり、目覚ましい戦果を挙げた。また、砲弾に毒ガスを入れて、敵に向かって打ち込む作戦を始めたのもドイツだった。1918年には、ドイツの砲弾のおよそ3分の1に毒ガスが仕込まれていた。戦争が終結するまでに、フリッツ・ハーバーの化学兵器によって100万人以上が被害にあい、2万6000人が死亡した。

戦争犯罪者

1919年6月28日のベルサイユ条約の調印をもって、第一次世界大戦は終戦を迎えた。その夏に、フリッツ・ハーバーは自分が戦争犯罪者のリストに入っており、連合軍が引き渡しを要求しているという話を耳にした。そこで、彼はひげをのばし、偽造パスポートを手に入れ、スイスに逃亡して市民権を取得し、サンモリッツに落ち着いた。１９１９年11月、ハーバーはノーベル賞受賞の知らせを受けた。連合軍による引き渡し要求が撤回されたところで、彼は愛するドイツに帰国した。

１９０７年のハーグ条約で毒ガスははっきりと禁止されていたが、ベルサイユ条約ではその点がさらに明確に記載された。連合国は、ドイツが今後決して化学兵器を使用しないことを確約させようとしていた。ドイツは「窒息性ガス、有毒ガス、およびその他のガスならびにこれに類するあらゆる液体」の使用を禁じられた。加えて、「これらの製造および輸入を固く禁じる」という文言も入っていた。条約の内容は、フリッツ・ハーバーの考えに合わなかった。彼は、この条約は倫理的にも法的にも正当性がないと信じていた。だから、ハーグ条約に従わなかったのと同じように、ベルサイユ条約にも従う気はなかった。ハーバーが使っていたカイザー・ヴィルヘルム研究所の所長室には、イーペルの塩素ガス攻撃の写真が枠に入れて飾られていたし、化学兵器の動物実験も続けられていた。国際兵器査察官が研究所に来たこともあったが、ハーバーは殺虫剤の研究だと言い張った。また、ハーバーは条約に定められているような化学兵器の輸入はしたことがなかったが、輸出はしていた。ハーバーはスペインのマスタードガス工場建設を支援した。さらに、ロシア当局がボルガで毒ガスプログラムを立ち上げるときも手伝った。１９２４年、ハーバーはドイツ国防省の協力を得て、中央ドイツに塩素ガスとマスタードガスの製造工場を建設し、査察官には「石油精製工場」だと偽った。

アドルフ・ヒトラー

１９３３年１月30日、アドルフ・ヒトラーが政権を握った。それから３カ月後、ヒトラーは職業官吏再建法を施行した。これにより、ユダヤ人は公務員として働くことができなくなった。

最初のうち、フリッツ・ハーバーはこの新しい法律が自分に関係があるとは思わなかった。何といっても、彼はプロテスタント系のキリスト教徒であり、24才のときにイェーナの聖ミヒャエル教会で洗礼を受けていた。しかし、ハーバーの両親はともにユダヤ系だった。そのため、ナチス国家である第三帝国の目にはフリッツ・ハーバーはユダヤ人とうつった。ただし、抜け穴も用意されていた。ヒトラーの前任者であったパウル・フォン・ヒンデンブルクは、第一次世界大戦で国家に忠誠を尽くしたものは、たとえユダヤ人であったとしても、引き続き政府が雇用できると断言していた。

ヒトラーが台頭してきた当時、ドイツでは50万人のユダヤ人が暮らしていた。これは当時のドイツの人口の1パーセントにも満たない数字だ。そのうち、ユダヤ教から改宗した者はおよそ1万人いた。仕事や学業を有利に進めやすくなるというのが改宗の主な理由だった。多くの人々と同じように、ハーバーも改宗によって自分を「より完全なドイツ人」に近づけようとした。改宗はしたものの、彼はユダヤ人としての出自を隠そうとはしなかった。2度の結婚の相手はどちらもユダヤ人だったし、友人のほとんどもユダヤ人だった。ナチスから出自を申告する書類への記入を求められたとき、ハーバーは「非アーリア人」と書いた。

1933年4月21日、フリッツ・ハーバーのもとに1本の電話がかかってきた。電話の主はナチス内閣の芸術・教育・文化大臣のベルンハルト・ルストだった。ルストははっきりと要求を告げた。ハーバーは、研究所で働くユダヤ人の首切りに着手しなければならなくなった。最初のうち、ハーバーは命令に従おうとした。彼は2人のユダヤ人の研究員を首にしたが、その前にドイツ国外で彼らのために働き口を見つけていた。他にもユダヤ人の研究者たちはいたが、ハーバーは彼らを解雇したくなかった。特に若いユダヤ人の科学者たちは誰よりも自分の庇護を必要としているとハーバーは感じていた。

ハーバーとは違い、ドイツの多くのユダヤ人科学者たちはキリスト教に改宗しようとはしなかった。さらに、ユダヤ人を辞めさせろというヒトラーの主張には誰もがうんざりしていた。ハーバーと同じく第一次世界大戦中に国のために尽くし、やはりのちにノーベル賞を受賞したジェイムス・フランクは、ユダヤ人が憎まれ、ひどい扱いを受ける土地で生活していくことを拒否した。そして、フランクはゲッティンゲン大学の教授職を辞した。だがその前に、彼はフリッツ・ハーバーに手紙をよこした。「私は学生の前に立って、この件が自分にとってたいしたことではないかのようにふるまうことはできない」とフランクは書いていた。「そして、かつて戦争でドイツのために戦ったユダヤ人にドイツ政府が放ってよこした骨にかじりつくことも、私にはできない。皆が地位を手放したくない気持ちはわかるし、尊重するが、私のような人間もいる。だから、君を敬愛するこのジェイムス・フランクを、どうか責めないでほしい」。(フランクはのちに米国に移住し、ロバート・オッペンハイマーと一緒に原爆の開発に携わった。)

フランクは、カイザー・ヴィルヘルム研究所でも格の違うハーバーはドイツにとどまるだろうと思っていた。しかし、フランクの予想は外れた。フリッツ・ハーバーは騒動にうんざりしていた。彼は、自分がユダヤ人であっても、新たな体制下でこれまで通りに必要な人物として扱われるという保証を求めていた。

辞表

ユダヤ人が公務員として働くことを禁じる法律をアドルフ・ヒトラーが導入した3週間後に、フリッツツ・ハーバーは辞表を出し、そのままカイザー・ヴィルヘルム研究所の所長の職を辞することになった。ハーバー自身を含め、誰もが信じられないような展開だった。ハーバーは、ベルンハルト・ルストが自分の辞表を受け取るはずがないと思っていたし、高い評価を受けている有名人の自分を国から追い出すような真似をするわけがないと考えていた。「1933年10月1日付で退職を許可していただくことをここに希望いたします」とハーバーは書いた。「私の祖父母ならびに父母はユダヤ人ですが、1933年4月7日の国家公務員法の命ずるところによれば、私には職場にとどまる権利があります。しかしながら、このような制度を利用する意思は私にはありません」。

ハーバーの辞職を知ったアインシュタインは、すぐにハーバーに手紙を書き送った。「君の葛藤はよくわかる。人生をかけて取り組んできた理論を捨て去らなければならなくなったような状況に君はいる。そんなものをこれっぽっちも信用してこなかった私とはわけが違う」。アインシュタインが理論と呼んだのは、おそらく、忠誠心と盲目的な献身と行動をドイツの最高司令部が高く評価してくれるはずだ、彼らは礼を尽くしてくれるはずだ、今後のフリッツ・ハーバーの貢献を重く見て、どのような宗教を持つ民族に生まれたかはそれほど重視しないはずだというハーバーの思い込みを意味していたのだろう。だが、それらはすべて間違いだった。ナチスにとって、ハーバーは一人のユダヤ人でしかなかった。ナチス政権は、知識や学問を軽く見ていた。学者や研究者、知識人は、ドイツの誇りというより、むしろ危険な存在だった。ルストが辞表を受け取ったと知って、ハーバーは愕然とした。「人生でこれほど苦い思いをしたことはなかった」と彼は書いている。

ハーバーのために、何人もの科学者たちが動いた。

最初に、ハーバーの友人たちがルストに再考を求めた。だが、ルストに譲歩の余地はなかった。「ユダヤ人、ハーバーの件については、すでに片がついている」とルストは返答した。

次に、ノーベル物理学賞を受賞し、ハーバーと同じく科学界で多大な尊敬を集めるマックス・プランクがアドルフ・ヒトラーと会談した。プランクは、ハーバーの離職はドイツの科学界にとって損失となると主張した。ユダヤ人がドイツの人口に占める割合はわずか１パーセントだが、ドイツのノーベル賞受賞者の３分の１はユダヤ人なのだ。ユダヤ人の排除は「自傷行為」に等しいとプランクは述べ立てた。ヒトラーはプランクの進言を受け入れようとしなかった。会談が進むにつれて、ヒトラーの口調はますます早く、声はますます大きくなり、こぶしを何度も膝にたたきつけ、叫び、激高した。75才だったプランクは、後ろを振り返ることもなく、部屋を出た。疲れ果てた彼の回復には、数日を要した。

最後に、ドイツの化学工業界の第一人者となっていたカール・ボッシュもヒトラーに面会し、ユダヤ人科学者を迫害することはドイツの産業にとってもマイナスだと述べた。しかし、プランクの場合と同様に、ヒトラーは心ここにあらずという状態だった。話がドイツの１００年後におよぶと、ヒトラーは叫び出した。「貴様は何もわかっておらん！　物理や化学にとってユダヤ人がそんなに大事なら、我々は物理も化学も抜きで１００年間やっていくまでだ！」ボッシュはヒトラーの政策への批判を公然と口にするようになり、のちに要職から追われて、うつ病とアルコール中毒により１９４０年に死去した。

帰るべき故郷

１９３３年８月３日、フリッツ・ハーバーはドイツを後にした。職を求めて、彼はスペイン、オランダ、フランス、イギリス、スイスのホテルを泊まり歩いた。しかし、ハーバーの研究仲間の多くは、臆面もなく化学兵器をどんどん開発した彼の悪名高い過去を忘れることができなかった。イギリスの科学者で、核物理学の生みの親、アーネスト・ラザフォードはハーバーに会うことすら断った。数カ月後に、ハーバーはケンブリッジ大学から誘いを受けた。たいした身分ではなかったが、ハーバーは、これで故国の汚点という立場から抜け出すことができると考えていた。「私の人生で最も重要な目標は、ドイツ国民として死なないことだ」と彼は言った。

スイスにいる間に、ハーバーはハイム・ヴァイツマン（訳注　のちのイスラエル初代大統領）なる人物と出会った。ヴァイツマンはロシア生まれのユダヤ人科学者で、パレスチナにユダヤ人の国を作るために先頭に立って活動していた。ヴァイツマンはハーバーとの最初の出会いについてこう振り返る。「彼は失意のうちにあり、善悪を見失った状態でさまよっていた」とヴァイツマンは語った。「私は彼を慰めようとしたが、実際は彼の目をのぞき込むのがやっとだった。私は自分の無力さに、この世界の残酷さに、そして彼が人生で犯し続けてきた過ちに心を痛めた」。しかし、ヴァイツマンにはハーバーがようやく自分がユダヤ人であることを受け入れたことがわかった。そこで、彼はテルアビブ郊外のレホヴォトにあるダニエル・シーフ研究所（現在のヴァイツマン研究所）に来ないかとハーバーを誘った。「あなたは敬意を払われ、平穏に仕事ができるはずです」とヴァイツマンは言った。「そこが、あなたの帰るべき故郷になるでしょう。」

ヴァイツマンの申し出に、ハーバーは恐縮して小さくなった。「ヴァイツマン博士、私はドイツで最も大きな権力を持つ者の一人でした」と彼は言った。「私には軍の最高司令官よりも、産業界の重鎮よりも大きな力がありました。私はいくつもの産業を生み出し、私の研究は経済的にも軍事的にもドイツの成長に欠かせないものになりました。私はどんなことでもできました。しかし、当時の私の地位は華やかに見えたでしょうが、あなたの申し出に比べれば取るに足りないものです。あなたはありあまるなかから用意しているわけではなく、あらゆるものが足りない土地で、何もないところから作り出しています。あなたは見捨てられた人々の尊厳を取り戻そうとしています。そして、あなたは成功を収めつつあるように私には思えます。人生の最後で、私は自分がひどく欠陥だらけの人間だったことに気がつきました。私がいなくなり、忘れ去られても、あなたの功績は消えることなく、我々の長きにわたる歴史のなかで輝き続けるでしょう」。ハーバーの人生は一巡りして最初に戻った。ユダヤ人である自分を否定した後で、今や彼は完全にその事実を受け入れた。T・S・エリオットの言葉で言い換えるなら、彼は始まりの場所にたどり着き、初めてその場所を知ったのだ。

ハーバーの変化に誰よりも驚いたのは、20年来の友人のアルベルト・アインシュタインだっただろう。ヴァイツマンとの出会いの後で、ハーバーはアインシュタインに手紙を書いた。「今までの人生のなかで、私は今ほどユダヤ人だったことはない！」アインシュタインも返事を書いた。「君からあのように詳しく長い手紙をもらって、とてもうれしく思う。殊に、金髪の野獣（訳注　冷酷なことで知られたナチスの高官ラインハルト・ハイドリヒのあだ名）への愛が少しばかり冷めたようで何よりだ。我が親愛なるハーバーがユダヤ人、ましてやパレスチナ人の味方となって私に連絡してこようなどと、一体だれが想像しただろう！　私は君にドイツに戻ってほしくない。犯罪者集団の前にひれ伏し、奴らにいくぶんかの共感を覚えるようなインテリ連中のために働くのはばかげている」。アインシュタインは、希望の言葉で手紙を締めくくっている。「願わくば、近いうちにもう少し穏やかな空の下で君に会いたい」。だが、アルベルト・アインシュタインとフリッツ・ハーバーが再会を果たすことはできなかった。

ツェルマットまでの旅の途中で、ハーバーは胸の痛みを感じてスイスの小都市ブリークで列車を降りた。妹のエリーゼがすぐに彼のもとに駆けつけた。重い心臓病に冒されたハーバーは、当時心臓病の治療に使われていたニトログリセリンを投与され、瀉血（しゃけつ）の処置を受けた。1934年1月29日、アドルフ・ヒトラーが権力を手にした日からほぼ一年後に、フリッツ・ハーバーは死んだ。遺体は、スイスのバーゼルに埋葬された。ハーバーは、「戦争中も平和の時代にも、力の限りを尽くして母国に仕えた」という銘文を墓碑に刻んでほしいと言い残していた。フリッツの息子ヘルマンは、祖国の残虐行為を恥じており、この願いに応じる気にはなれなかった。ただし、もう一つの願いは叶えられた。ハーバーは生涯で2度結婚したが、彼は最初の妻であるクララの隣に自分を埋葬してほしいと望んでいた。そこで、ドイツのダーレムに埋葬されていたクララのなきがらが掘り出されてスイスのバーゼルまで運ばれ、今では二人はそろって名前と日付だけが刻まれた墓標の下に眠っている。友人の死を知ったアルベルト・アインシュタインはヘルマンに手紙を書いた。ハーバーが「ドイツのユダヤ人の悲劇、報われない愛の悲劇」に苦しんでいたことを嘆き悲しむアインシュタインの手紙こそ、ハーバーの墓に最もふさわしい碑文だったのかもしれない。

チクロン

最後に、皮肉な話が一つある。

1917年2月15日、フリッツ・ハーバーと数人のドイツの実業家や経営者たちが会合を開き、主に農業で用いられる害虫駆除に最も適した方法について話し合っていた。この会合で害虫駆除技術委員会が設立されることが決まり、ハーバーが委員長に就任した。害虫を駆除するための最良の方法は、シアン化水素（HCN）の使用であるという点で全員の意見が一致した。問題は、その散布方法だった。

当時、恐ろしいチフス菌を運ぶヒトジラミが前線で戦うドイツ兵を悩ませていた。さらに、製粉所では虫による食害が大きな問題となっていた。フリッツ・ハーバーの指揮の下、ドイツではＨＣＮの散布方法の研究が進められた。最初に、鉄製ボンベに詰めたＨＣＮをそのまま放出する方法が試された。次に考え出されたのは、シアン化ナトリウムまたはシアン化カルシウムを硫酸（りゅうさん）の入ったタンク（槽）に加えてＨＣＮガスを発生させる、タンク法だった。最後に、ＨＣＮのペレットを高温の空気にさらしてガスを発生させる方法が開発された。（最終的に完成した製品は、チクロンと名づけられた。）ＨＣＮは多くの国で殺虫剤として使用されていたが、ドイツほど効率的かつ汎用的にＨＣＮを使用していた国は他になかった。ドイツでは、穀物倉、兵営、列車、軍艦、さらには建物を丸ごと無人にして密閉し、チクロンを送り込んで効率的に燻蒸（くんじょう）した。

ＨＣＮガスの問題点は、無色無臭であることだった。そのために、ＨＣＮを気づかないうちに吸い込んで死亡する事件が相次いだ。このような事故を防止するため、ハーバーらのチームは無害だが鼻をつくような臭いがする塩化シアンを加えてガスに臭いをつけることにした。臭いのつけられたチクロンは、チクロンＡという名前がつけられた。１９２０年にチクロンＡの開発者たちは別の研究所に移ったが、ハーバーとの共同研究はそのまま続けられた。そこで開発されたのが缶に封入したチクロンＢだ。これはのちに主にアウシュビッツやトレブリンカの強制収容所で１００万人以上のユダヤ人を殺害するためにナチスに使用された。（ナチスはガスに気づかれないように塩化シアンを入れないガスを使用した。）フリッツ・ハーバーの身内も何人か強制収容所で死亡している。そのなかには、異母兄妹フリーダの娘（ヒルデ・グルックスマン）と夫や２人の子供たちも含まれていた。フリーダはジークフリート・ハーバーの２番目の妻の娘だった。

ハーバーは、最終的に数百万人の同胞を殺すことになる化学薬品、チクロン製造の指揮を執っていたが、そんな使われ方をするようになるとは想像だにしなかった。アドルフ・ヒトラーが力を持ち始めた頃、フリッツ・ハーバーはそれと知らずに、ナチスが恐怖政治を行うために必要としていた弾薬と薬品を彼らの手に渡してしまったことに気がついた。「私は小さな子供たちの手に火を渡してしまった」とハーバーは嘆いた。

ミュンヘンのドイツ博物館には、見学者が近づかないよう低い柵で仕切った内側に、フリッツ・ハーバーとロベール・ル・ロシニョールが空気から窒素を固定するために製作した卓上装置が置かれている。時折、見学者が装置の前で足を止め、少し眺めてから、そのまま通り過ぎる。この装置から世界的な化学肥料の生産が始まり、多くの人命が救われたが、過剰な窒素で環境が汚染され続けているために最終的な破滅へのカウントダウンが始まったかもしれないことに、思いをはせる者はいない。

すべてのものには代償がある

フリッツ・ハーバーは、かつて可能とされた人口より30億人も多くの人々が地球上で生きることを可能にした。彼の功績は、実に目覚ましかった。しかし、ハーバーの発明には、河川や湖や海をじわじわと死に追いやるという代価が伴った。この話から得られる教訓は、**すべてのものには代償があり、ただ一つの問題はその代償の大きさだけだ**ということだ。多くの人々は、ワクチンや抗生物質、衛生管理プログラムのような命を救う、医療や科学の飛躍的な進歩が、ときとして予想もしなかった悲劇を生むことがあると知って驚く。それについては、最後の章で話そう。

第4章

人権を蹂躙した優生学

1916年、ニューヨーク市の自然保護活動家が書いた科学論文を
きっかけに、連邦議会で一連の厳しい移民法が可決された。
それにより、数万人の米国民に強制不妊手術を行うことが
可能になり、ヒトラーが600万人のユダヤ人を殺した
民族大虐殺に科学的根拠を与えることになった。

「すべて良い木は良い実を結び、悪い木は悪い実を結ぶ。」

――マタイによる福音書7章17節

2015年6月16日、不動産王でテレビ番組『アプレンティス』でも人気を博したドナルド・トランプが、共和党の大統領候補指名争いに出馬することを表明した。彼は、選挙戦を有利に進めるため、メキシコからの移民を攻撃した。米国をもう一度偉大な国にする方法――つまりは、この10年間に米国が抱え込んだ社会的、政治的、および財政的問題から抜け出す方法ということになるが――を知りたければ、国境の南に目を向けるだけでいい。そこには魔物がいる。「メキシコが国民を送り込んでくるとき、優秀な人間は送り込んでこない」とトランプは言う。「送り込まれてくるのは、多くの問題を抱えた人々であり、彼らは問題をそのまま一緒に持ち込んでくる。ドラッグを持ち込む。犯罪を持ち込む。彼らは強姦魔だ」。

事実はまったく異なる。（１）第一世代のメキシコ移民による犯罪は米国生まれの米国人による犯罪よりも少なく、（２）移民の割合が増えるにつれて犯罪率は低下しており、（３）刑務所で不法移民が占める割合は一般人口に不法移民が占める割合よりも低い。理由は明らかだ。不法滞在する移民は強制送還を恐れ、なるべくトラブルを起こさないようにしている。「一般的な移民――特に不法滞在の移民――は、たいてい、働くことを目的として米国にやって来る選ばれた人々だ」と話すのは、米国移民政策プログラムの推進官マーク・ローゼンブルームだ。「そして入国すると、彼らのほとんどは目立たないように気をつけながら働き、生活する。彼らは自分たちが不法入国者であることを意識している」。

トランプは、米国の一般大衆を刺激する方法を見つけた。彼がメキシコ移民の問題を選挙運動の重要な争点にすると、共和党員からの支持率は16パーセントから57パーセントへと大幅に上昇し、他の対立候補全員を上回る伸びを見せた。共和党の指名争いをする他の候補者たちも、警備の強化と国境を隔てる壁の建設を訴えるトランプの意見に同調し始めた。テキサス州選出の上院議員テッド・クルーズは、自身もヒスパニック系（ただしメキシコではなくキューバの血を引いている）だが、移民政策のなかで「メキシコとの国境が警備されていないために、不法移民、犯罪者、テロリストを呼び寄せ、米国の地を踏ませる結果となっている」と述べている。

共和党の予備選挙が進むにつれ、攻撃の矛先はメキシコ移民以外にも広がっていった。２０１５年12月にカリフォルニア州サンバーナーディーノで発生したテロを受け、トランプをはじめとする保守派の政治家たちは「米国へのイスラム教徒の完全な入国禁止」を求める声を上げた。問題は「殺人鬼」や「強姦魔」ことメキシコからの不法移民だけではなくなり、イスラム教を信仰する合法的な移民もテロリストの可能性が疑われるようになった。およそ10億人のイスラム教徒に適用される禁止法は、家族に会いに来る訪米者や研究者、専門治療を必要とする子供の両親も対象に入っていた。「(トランプの)コメントが彼にとって痛手になるだろうと考えている人は、米国民の熱のこもり方をわかっていない」とラジオ番組司会者のローラ・イングラムはツイートした。当初、共和党支持者は59パーセントが禁止法に賛成していたが、一般市民でこの法案に前向きな考えを持っていたのは36パーセントにすぎなかった。しかし、わずか数カ月後の2016年3月には、51パーセントの米国民がイスラム教徒の入国禁止法の支持を表明した。

政治家たちは、米国の歴史で一貫して問題となってきたテーマを利用した。それが、移民に対する不安だ。1930年代と40年代に東欧からの移民(主にユダヤ人)を拒否したことや、現在でもカナダをはじめとする諸外国と比較してシリア難民の受け入れ率が著しく低いことを見てもわかるように、米国は門戸の開放に慎重な姿勢を見せることが多かった。

しかし、ほとんどの米国人は、このような最悪の偏見への訴えかけが成功した理由の根源が、一世紀前に発表された一冊の科学専門書にあったことを知らない。本の著者は、ニューヨーク市の環境保護活動家、マディソン・グラントだ。

グレゴール・メンデル

発端はエンドウ豆だった。

1866年、モラヴィアのブルノにあった聖アウグスティヌス修道会の修道院に属する気難し屋で不愛想な一人の修道士が、ブリュン(訳注　ブルノのドイツ語名)博物学会論文集で1編の科学論文を発表した。論文はまったく注目されなかった。修道士の名前はグレゴール・メンデル。論文のテーマはエンドウ豆だった。メンデルは、草丈の高いエンドウ豆と草丈の低いエンドウ豆をかけ合わせたときにどうなるかを考えていた。次の世代のエンドウ豆の草丈は高くなるのか、低くなるのか、あるいは中間になるのか？　しわのある豆とない豆、緑の葉と黄色の葉ではどうだろう？　結果は彼を驚かせた。中間の豆はまったく存在しなかった。交配してできたエンドウ豆は、草丈は高いか低いかのどちらか、しわはあるかないかのどちらか、葉は緑か黄色のどちらかだった。特徴（形質）が混ざり合うことはない。どうやら、優位になる形質、つまり優性（または顕性）の形質はある程度まで決まっているようだ。草丈が高いという形質は低いという形質よりも優性であり、しわがあるという形質はないという形質より、緑という形質は黄色という形質より優性だった。メンデルはわずかな数の植物や短い期間の研究から結論を出すことをしなかった。彼は10年以上にわたって研究を続け、何千回も交配を繰り返した。論文の最後に、メンデルはエンドウ豆が両親からそれぞれ一つの「因子」を受け継いでいる可能性を指摘した。現在、私たちはこれらの「因子」を遺伝子と呼んでいる。

一般的には形質の遺伝を発見したのはメンデルだと思われているが、実はそうではない。メンデルの論文が発表された当時、乳量が増えるように牛を、卵をたくさん産むようにニワトリを、競馬で強い馬を生まれさせるために馬を交配させることは広く行われていた。しかし、乳量や産む卵の数が増える理由はわかっていなかった。グレゴール・メンデルの論文により、動物に特定の身体的特徴が現れるかどうかを予測することが可能になったわけだ。つまり、動物の品種改良を計算生物学の領域に持ち込んだのがメンデルだといえる。

メンデルが論文を発表してから数年後、チャールズ・ダーウィンの遠縁で従兄弟違いにあたるイギリスの科学者フランシス・ゴルトンが、この話をエンドウ豆から人間へ、さらに単なる身体的特徴からもっと重い意味を持つ部分へと飛躍させた。動物を交配させることで改良できるなら、同じやり方でより優れた人間を生み出すことができるのではないかというのがゴルトンの考えだった。知能、誠実さ、勇敢さ、正直さといった性格も、やはり親から子へ受け継がれるのではないか？　それだけでなく、より優れた人間を選んでいくことで、世界をより良くできるのではないのだろうか？　酔っ払いや暴力、貧困はなくなり、社会のお荷物たる下層階級もいない。そんな世界を作れるのではないか？

1869年、フランシス・ゴルトンはより良い未来を実現するための計画の概要を説明した『遺伝と天才』（日本では1916年に早稲田大学出版部が発行）を発表した。ゴルトンは、イギリス政府がふさわしいと思われる若い男女に証明書を発行し、子供が生まれるたびに助成金を支給すべきだと主張した。これは決して高い買い物にはならない。ゴルトンは、もしイギリス国民が「馬や牛の交配の改良に使われている費用のわずか20分の1でも人類の改良に使えば、人間の力でたくさんのきら星のごとき天才たちを生み出せるのではないか」という信念を持っていた。彼は自らの計画を「優れた種」を意味するギリシャ語にちなんで「優生学（eugenics）」と呼んだ。

しかし、そこには負の側面もあった。「もちろん、私に病気や薄弱、不幸を無視する意図はない」とゴルトンは書いている。「しかし、改良により不完全な者を出さないようにすることで、そのような人々に与えられている支援を別の方に振り向けられるはずだ」。ゴルトンは、精神障害者や犯罪者、貧困者らは「下層階級となる子孫を残す機会を制限するために」修道院に収容されるべきだと主張した。人種改良の発想は、雑草排除の考えに変わっていった。

チャールズ・ダベンポート

1900年代の初めに、優生学は海を渡り、ニューヨーク・ハンティントンにほど近い小さな湾に上陸した。ここロングアイランドの海岸に、米国の優生学運動は根を下ろした。ゴルトンの理念を支持したのは、米国で研究者としてエリート街道を歩んでいたチャールズ・ダベンポートだった。イギリスの血を引き、植民地でニューイングランド会衆派教会の牧師の息子として生まれたダベンポートは、ハーバードで動物学の博士号を取得したのち、シカゴ大学で教職についた。1904年、彼はコールド・スプリング・ハーバーの進化実験研究所の所長になった。

チャールズ・ダベンポートはフランシス・ゴルトンを崇拝していた。「(社会に)殺人者の命を奪う権利があるのなら、どうしようもなく危険な原形質の忌まわしい悪魔を消し去ることにも問題はないはずだ」とダベンポートは語った。ダベンポートは、何らかの欠陥がある米国民のために年間約1億ドルが使われていると主張した。今こそ、この問題に何らかの手を打つときではないか。そこで、彼は価値のある人々とそうでない人々の入念なチェックを行い、結果を記録する優生記録所をコールド・スプリング・ハーバー研究所に設立した。数年後、ダベンポートはミズーリ州リボニアの片田舎のごく小さな学校からハリー・ラフリンを引き抜き、優生記録所の責任者に抜擢した。ダベンポートは(彼らの理念の正しさを裏づける科学的な「証拠」を提供する)研究者、ラフリンは劣った血統の市民を排除するための法案を通過させる力を持った政治家に働きかけるロビー活動家の役割を担当することになった。

優生記録所

1910年10月、優生記録所は活動を開始した。優生記録所にははっきりした使命があった。米国人のなかから劣った家系を見分けて、彼らの結婚や子作りを防ぐのだ。第一段階は、精神障害または知的障害と思われる者を男女共用の専用施設に閉じ込めること。さらに、自由にうろついているその類の人々には不妊手術を施すことだった。

対象者を絞り込む作業は、簡単にはいかなかった。ダベンポートは、チームの調査員たちに、彼が呼ぶところの「42カ所の知的障害者用施設、115カ所の盲学校および聾(ろう)学校および視覚・聴覚障害者施設、350カ所の精神病院、1200カ所の難民収容施設、1300カ所の刑務所、1500カ所の病院、および2500カ所の救貧院の記録に隠されている」望ましくない特徴の家系図の作成を指示した。ダベンポートの計画では、不適格者のみならず、家族に不適格者がおり、不適格者となっていた恐れのある者も対象となっていた。彼が求めていたのは、米国の遺伝子プールからそのような血統を完全に絶つことだった。そのためには、あらゆる可能性を調査しなければならない。この貴重なデータを保管するため、彼は耐火性の金庫室を作った。

最初にダベンポートとラフリンが手をつけたのは、「劣化原形質」のトップ10リストを公開することだった。リストには、(1)知的障害者、(2)貧困者、(3)アルコール中毒者、(4)犯罪者、(5)てんかん患者、(6)精神障害者、(7)生まれつきの虚弱者、(8)性病患者、(9)奇形の者、(10)盲(もう)・聾(ろう)・唖(あ)の者、の10項目が並んだ。(目の悪い人と盲者、聞こえが悪い人と聾者の区別については言及されなかった。)ダベンポートとラフリンは、現在政府による保護を受けている約100万人、保護を受けていない300万人とそれらの家族700万人がプログラムの対象になると試算した。これらの1100万人は――優生記録所にいわせるなら――米国人口の10分の1の最下層に該当する。彼らが子孫を残すことを阻止するときが来たのだ。

刑務所の記録から犯罪者を、視覚・聴覚検査から盲者と聾者を、病院や診療所のカルテから性病患者を突き止めるところまでは簡単だった。しかし、知的障害者を正確に探し出すにはどうすればよいだろう？　幸いにも、ヨーロッパの研究者がその作業を進めやすくする方法を発見していた。

知能指数

１９００年代の初めに、フランスの心理学者アルフレッド・ビネが知能検査を考え出した。数年後、スタンフォード大学の研究者らがこの検査を改良し、スタンフォード・ビネ検査と名前を改めた。さらに、優生学者たちは信頼性の高い判定に使える数字をすぐに手に入れた。70というのがその値だ。知能指数（ＩＱ）のスコアが70未満のものは生殖に不適格であると判定される。このような時代が訪れたことを歓迎した彼らは、「ばか」や「まぬけ」を意味するギリシャ語ｍｏｒｏｓにちなんで「ｍｏｒｏｎ（精神遅滞者）」という言葉を新しく作った。しかし、このような動きを歓迎しない人々もいた。多数の新聞にコラムを連載していたウォルター・リップマンは、雑誌『ニューリパブリック』でＩＱテストを「ニセ医者が次々に出てくるような分野でいんちき療法がつけこむ新たなチャンス」だと表現している。しかし、ほとんどの米国人は最下層を排除できる可能性に胸を躍らせた。ＩＱテストは結果がはっきりと出る上に客観性があり、十分な判断材料になりそうだった。リップマンの批判は黙殺された。

優生学者たちは、メンデルの法則を完全にゆがめて解釈していた。確かに目の色のような身体的特徴は特定の遺伝子が左右することもあるが、犯罪行為やアルコール中毒、てんかん、聴覚障害、性病に感染しやすいかどうかなどには当てはまらない。これらはどれも厳密なメンデルの法則では説明できないからだ。それにもかかわらず、優秀な血統を選抜すればより良い社会を実現できるという誤解は、きらびやかな科学の衣をまとった最悪の偏見を米国に広めることになった。

潤沢な資金

現代の視点から当時を振り返れば、優生学やそれが目指そうとしたことがいかにばかばかしかったかがわかる。世間や科学の主流派からの後押しがなければ、資金も足りず、単なる偏執的な理論という扱いで終わっていたかもしれない。しかし、実際には正反対の方向に事態は進んだ。

優生記録所には、当初から諮問（しもん）機関が設置され、学術界の重鎮が名を連ねた。例えば、ロックフェラー研究所の外科医でノーベル賞を受賞しているアレキシス・カレル、ジョンズ・ホプキンス大学医学部の世界的に著名な病理学者で、のちに米医師会会長も務めたウィリアム・ウェルチ、プリンストン大学の精神科医スチュアート・ペイトン、イェール大学の政治経済学教授アービング・フィッシャー、シカゴ大学の政治経済学者ジェームズ・フィールド、ハーバード大学からは生理学者のW・B・キャノン、移民専門家のロバート・デコーシー・ウォード、神経病理学者のE・E・サウザードの三教授などだ。

資金が不足する心配もまったくなかった。優生記録所にはカーネギー財団（鉄鋼）、ロックフェラー研究所（石油）、E・H・ハリマン夫人（鉄道）、ジョージ・イーストマン（写真）をはじめとする、各界から数千万ドルにのぼる潤沢な資金が集まった。米国務省、米軍、米国農務省・労働省もダベンポートとラフリンに支援の手をさしのべた。

加えて、優生学は世界的に有名で影響力を持ち、高い評価を受けている人々にも受け入れられた。インディアナ大学の学長やスタンフォード大学の初代学長を歴任したデビッド・スター・ジョーダンは、著書『国家の血統』で研究者として初めて優生学を世に広めた。

電話を発明し、難聴の先駆的な研究を行っていたアレクサンダー・グラハム・ベルは、優生学者たちが聾を記録するために使用する書類を用意した。

小説『タイム・マシン』や『宇宙戦争』で知られるイギリスの小説家H・G・ウェルズは、次のような文章を書いた。「私たちは、数は少なくとも、優秀な子供たちを望む。（中略）私たちを苦しめてきた、生まれも育ちも悪い下等市民が大勢いては、私たちが目指す社会生活も世界平和も、実現は不可能だ」。

米国産児制限連盟の創立者であるマーガレット・サンガーは、女性の選択の権利と優生学を結びつける活動を粘り強く続けた。看護婦だったサンガーは、貧しい人々の望まぬ出産を防ぐことができない現状に辟易していた。彼女は、産児制限により、「適合者の子供を増やし、不適合者の子供を減らす」ことができると主張した。「雑草を根絶やしにする」ときは今だとサンガーは言った。

金持ちに趣向を凝らした食事を提供する療養所を運営していたジョン・ハーヴェイ・ケロッグは、ミシガン州バトルクリークに人種改良財団を設立した。コーンフレークを発明してから8年後に、ケロッグはこう述べている。「私たちは馬、牛、豚の優れた新品種を生み出した。人種を改良して、人間のサラブレッドたる新人類を生み出すことのどこに問題があるというのか」。当時の通説を支持していたケロッグは、異常者になるべく運命づけられた者は「情欲の結果として生まれた」と発言していた。

アイルランドの劇作家で、ロンドン・スクール・オブ・エコノミクスの設立者でもあるジョージ・バーナード・ショーも、優生学の支持者だった。ショーは、60本以上の脚本を手がけ、代表作『ピグマリオン』はのちにミュージカル『マイ・フェア・レディ』の原作になった。ノーベル文学賞とアカデミー賞の両方を受賞したのは、後にも先にもショーしかいない。その社会主義的傾向にもかかわらず、ショーは下層階級の排除を全面的に支持していた。「今や我々が直面している事実、すなわちあらゆる過去の文明に降りかかった運命から我々の文明を救うことができるのは優生主義だけだという事実から、目を背ける合理的な理由はない」。『ピグマリオン』の主人公イライザ・ドゥーリトルのような貧しい花売り娘はもうたくさんということだろうか。

セオドア・ルーズベルト（訳注　第26代米国大統領）も優生論に加担した一人だ。1913年1月3日、ルーズベルトはチャールズ・ダベンポートに手紙を送っている。「いずれ我々は、適正な種類の優良市民の最大の義務は自らの血統を世界に残すことであり、不適正な種類の市民が永続することを認める筋合いはないことを認識するだろう」。

のちにローマ教皇ピウス11世が優生学を強く非難したが、米国の聖職者たちは優生記録所の調査結果を盾に、聖書の言葉を引用して反論した。彼らが反論に用いたマタイ7章16節にはこう書かれている。「茨（いばら）からぶどうが、あざみからいちじくが採れるだろうか」。作家で米科学振興協会の幹部だったアルバート・ウィガム博士も、優生学は神の御心にかなうと信じており、「もしイエス・キリストが今の時代に生きておられたら、優生学会の初代会長になっておられたことだろう」と言った。

結婚禁止法

ダベンポートとラフリンの熱心な活動は、国を動かした。

1928年には、全米各地の約400カ所の大学が優生学のクラスを開講し、高校の生物学の教科書の70パーセントにこの疑似科学が掲載された。優生学界は「適格家族」コンテストを開催し、ステート・フェア、キワニス倶楽部大会（訳注　実業家や専門家からなる世界的な民間奉仕団体）、PTA集会、博物館・美術館、映画館に足を運んだ。「社会のお荷物になるべく生まれる人々がいる」と題して、何種類もの点滅光を使った展示が行われたこともある。48秒ごとに光る点滅光は「欠陥のある人間」の誕生を表し、50秒ごとに光る点滅光は誰かが刑務所に送られたことと「正常な人間が刑務所に行くのはごくまれであること」を表し、7分ごとに1回しか光らない点滅光は「優秀な人間」の誕生を示している。この展示では、「悪い遺伝形質を持つ人々のために15秒ごとに100ドルの税金が使われている」ことが説明されていた。

裕福な慈善家や有力者、高い評価を受けている学者たちの後押しを受けて、米国の優生運動は法律も変えた。4つの州でアルコール中毒者の結婚が禁止され、17の州ではてんかん患者の結婚が禁止され、41の州で知的障害者または精神障害者とみなされた人々の結婚が禁止された。1930年代半ばには、米国は世界で最も結婚禁止法が整備された国となっていた。（結婚禁止法が違憲だと初めて認められたのは1967年のことになる。）

『黒いコウノトリ』

米国で主に発展した優生学は、やがて世界的な現象になった。

1912年、最初の国際優生学会議がロンドンで開催され、アレクサンダー・グラハム・ベルが名誉会長を務めた。会議には、米国、ベルギー、イギリス、フランス、イタリア、日本、スペイン、ノルウェー、ドイツの研究者たちが参加した。9年後に、第2回の国際優生学会議がニューヨーク市で開かれた。米国の有名な優生学者、ヘンリー・フェアフィールド・オズボーンが基調講演を行った。「病気の予防と拡大においては科学が政府に道を示してきた」と彼は述べた。「同様に、社会にとって無用な人々の拡大と増加を防ぐことにおいても政府に道を示す必要がある」。会議で発表された53報の研究発表のうち、42報が米国の研究者によるものだった。国際性をアピールしていたもかかわらず、優生学は米国の学問だった。

1917年、ハリウッド映画『黒いコウノトリ』が公開され、大衆文化にも優生学が登場した。「優生学のラブストーリー」と宣伝されたこの映画では、「欠陥」児が葬り去られるまでの過程を描いている。この映画が伝えようとしているメッセージ、宣伝しようとしていた内容は、はっきりしている。欠陥のある者を抹殺し、国を救おうということだ。映画は熱狂的なファンを相手に10年以上にわたって上映された。

『黒いコウノトリ』のヒットと法律を作る権限を持った議員たちの支援のおかげで、米国が次の段階に進む準備は整った。次にやるべきことは、強制不妊手術の合法化だ。これらの手術は医学界や科学界だけでなく、最終的には連邦最高裁判所の承認も得た。優生学者たちは、国家が人口の10パーセントに不妊手術を施し、遺伝子プールから不純な血筋が除かれるまでその劣等10パーセントの不妊手術を継続する必要があると主張した。当面の目標は、1400万人の米国人を対象に不妊手術を行うことだ。第一段階として、米国の32州に居住する6万5370人の貧困者、梅毒患者、知的障害者、精神障害者、アルコール中毒者、奇形の者、犯罪者、てんかん患者の不妊手術が行われた。カリフォルニア州だけでも不妊手術の対象者は2万人を超えた。抗議の声は、ほとんど上がらなかった。米国の歴史のなかでも最悪の暗黒時代だった。

不妊手術が行われた人々の多くは、何が行われたのか理解しておらず、今後の生涯で子供をもうけられないことを知って驚いた。別の手術だという説明を受けて、手術に臨んだ人々もいた。（南部で需要が多かったことから、強制不妊手術は「ミシシッピ虫垂切除術」と呼ばれることも多かった。）読めない同意書にサインさせられた者もいた。1927年、自らの意思に反して強制不妊手術を受けさせられそうになっていた一人の女性をめぐる裁判の審理が連邦最高裁判所により認められ、自由主義者たちを喜ばせた。権利を奪われてきた社会の一員が、ようやく法廷で日の目を見たのだ。強制不妊手術を受けさせられることになっていたのは、キャリー・バックという名前の女性だった。不妊手術を担当する予定だった医師は、ジョン・ベルといった。米国裁判史上で最も有名な裁判の一つとなったこの裁判は、バック対ベル裁判と呼ばれた。

強制不妊手術

1906年7月3日、フランク・バックとエマ・バックの娘としてキャリーは生まれた。やがてフランクは家族を捨て、エマは生活のために体を売るようになった。1920年4月1日、エマは梅毒にかかった売春婦であることを優生学委員会に認めさせられた。その結果、彼女はバージニア州リンチバーグにあるてんかん患者・知的障害者施設に送られ、死ぬまでそこで過ごした。母が施設に収容されたとき、3才だったキャリーは里子に出された。小学校に通っている間ずっと、キャリーは熱心で優秀な子供だったが、小学校の6年生になると彼女の里親はそれ以上彼女を学校にはやらず、家の雑用をさせた。しばらくすると、キャリーは別の家でも家事手伝いをさせられるようになった。

キャリー・バックは16才のときに、里親の甥のクラレンス・ガーランドにレイプされた。数カ月後、キャリーの妊娠が判明した。「彼は結婚しようと私に約束してくれたが、その通りにはならなかった」とキャリーは話した。1924年1月23日、周囲の目を恐れたキャリーの里親によって彼女はリンチバーグの施設に入れられた。2カ月後、キャリーは女の子を産み、ビビアンと名づけた。リンチバーグでキャリーはスタンフォード・ビネ検査を受け、バージニア州の断種法の適用対象になると判定された。（主な用途を考えれば、スタンフォード・ビネ知能検査はスタンフォード・ビネ知的障害判定検査と呼んだ方がよさそうなほどだ。）キャリーは17才だったが、知能は9才程度で、精神遅滞者と判定された。

キャリーの検査結果を受け取ったバージニア州の施設所長のジョン・ベル医師は、彼女は不妊手術を受けるべきだと判断した。バージニア州ではすでに約80人が強制不妊手術を受けていたが、優生学者たちはこの件を裁判にかけることで州法のさらなる強化を図りたいと考えていた。１９２４年11月18日、アマースト郡巡回裁判所で審理が行われた。最初に証言台に立ったのは、コールド・スプリング・ハーバーの優生記録所からわざわざやってきたハリー・ラフリンだった。ラフリンは、キャリーが「ふしだらかつ嘘つきで、軽度の精神遅滞者」だと述べたが、彼はそれまで一度もキャリーに会ったことがなかった。審理が開かれていた頃、キャリーはいつものように新聞を読み、クロスワードパズルを解いていた。ラフリンは、キャリーの血筋は「南部の怠け者で無教養なろくでなしの反社会的白人階層」に属すると述べ、バック家は「メンデルの法則」の生ける証拠だと主張した。別の強硬派の優生論者は、キャリーに強制不妊手術を施すことは「州の知能水準向上」につながると述べた。生後6カ月にすぎないビビアン・バックを診たソーシャルワーカーも証言台に立った。「あの子はまったく普通だとは言い切れないところがあります」と彼女は証言した。「どういうところが普通でないかと聞かれると、うまく説明できないのですが」。証言を受けて、地方裁判所はキャリーの強制不妊手術を命じた。

１９２５年11月12日、バック対ベル裁判の控訴審においてバージニア州最高裁判所は、地方裁判所の判断を支持する判決を下した。

不吉な将来

１９２６年９月、連邦最高裁判所はバック対ベル裁判の再審理を行うことを決定した。当時、最高裁判所の長官は、元米大統領のウィリアム・ハワード・タフトが務めていたが、判決の主文を書いたのはタフトではなく、頭脳明晰で非常に尊敬を集めていた法律の専門家、オリバー・ウェンデル・ホームズ・ジュニアだった。憲法と個人の自由の擁護者であることを誇りとしていたホームズは、１０００件近くの貴重な判決文を書き残した。（これらの判決文には、現在でも使われる表現も含まれていた。言論の自由と制限の禁止について合衆国憲法修正第一条に定められている個人の権利について、ホームズは「言論の自由を最も厳格に擁護したとしても、劇場で火事だ！　と大声で嘘を叫び、パニックを起こす自由が保障されることはない」と書いている。）南北戦争に従軍した経験もあるオリバー・ウェンデル・ホームズ・ジュニアは、バック対ベル裁判のときには86才になっていた。

審理が進められている間も、キャリー・バックの弁護士は、もし強制不妊手術の実施が認められた場合の不吉な将来を予想していた。「科学の名前を借りて、医師が支配する世界が出来上がるのではないか」と彼は警告した。「あらゆる人種が、そのような規則と最悪の独裁体制に飲み込まれるのではないか」。裁判所は弁護士の言葉に動じなかった。１９２７年５月２日、８対１でキャリー・バックの強制不妊手術を支持する判決が下された。判事のなかで最も人間の自由を尊重していたルイス・ブランダイスでさえも、多数派についた。熱心な優生主義者であったホームズは、主文で次のように述べている。

「キャリー・バックは、知的障害のある白人女性である。彼女は同じ施設にいた知的障害を持つ母の娘であり、やはり知的障害のある私生児の母親でもある。退化した子孫が犯罪で死刑になったり、愚行のために飢えて死ぬのを待つくらいなら、明らかな不適格者が同種の人間を残すことを社会が防ぐことこそ、世界全体のためになる」。この後に、オリバー・ウェンデル・ホームズ・ジュニアは、バック対ベル裁判を米国史上最も恥ずべき最高裁判決に位置づける一文を書いた。「ばかは3代も続けば十分だ」。彼はこのように書くことで、急先鋒の優生学者たちでさえ実現は難しいと考えていた法律を効果的に盤石にした。のちにある批評家がホームズの主文を「8人の最高裁判所判事がこれまで署名した文書のなかで、単語あたりの不当さの割合が最高」のものと評している。（米国の連邦最高裁判所は、現在に至るまでバック対ベル裁判の判決を正式に覆していない。）

キャリー・バックに法的な対抗手段はもはや残されておらず、1927年10月19日、虫垂切除術だと言い聞かせられて彼女は強制不妊手術を受けた。米国最高裁判所が下したバック対ベル裁判の判決は、20年後に、ナチの戦争犯罪を裁いたニュルンベルク裁判でナチス親衛隊将校のオットー・ホフマンを弁護するための証拠資料として使われた。

移民制限法

1916年以前、米国の優生学者たちが狙いを定めていたのは個人とその家族だった。すべては血統と系譜の問題だった。だが、1917年、最初の移民制限法が議会を通過すると、標的が変わり始めた。法案が可決された時点で、不穏な雰囲気の高まりはかつてなく、未来永劫このときに匹敵する状況は来ないだろうと思われるほどだった。

このような思考の転換を引き起こした張本人は、ニューヨーク市の弁護士で自然保護論者のマディソン・グラントだった。1916年、グラントは『偉大な人種の消滅』と題する本を書いた。科学専門書の体裁をとったこの本で、グラントは、米国人が「人種の自滅」を犯そうとしていると述べ立てた。好ましくない形質は特定の一族の間のみで共有されるのではなく、特定の人種の間で共有されるとグラントは本の中で主張した。米国人が遺伝子プールを純化することを心から願うなら、好ましくない人種が国に入って来ないようにしなければならない。グラントは、以前の米国を再び取り戻す必要がある、それを実現する唯一の道は、雑草を排除し、グラントの人種を繁栄させるしかないのだと説いた。

10年後、マディソン・グラントの本はドイツ語に訳された。グラントが提唱する人種の純粋性という概念に誰よりも感銘を受けたのは、ランツベルクの刑務所で刑に服していた一人の若い兵士だった。

マディソン・グラント

マディソン・グラントは、1865年11月19日にニューヨーク市のマレーヒルの高級住宅街で生まれた。彼の母親はニューネーデルラントの最初の入植者の末裔だった。彼らはマンハッタン島で土地の払い下げを受けて、ニューアムステルダムという都市を築いた（現在、ここはニューヨーク市と名前を改めている）。グラントの父親はニューイングランドに最初に移住した清教徒の家系で、コネチカット州のイギリス植民地総督やニュージャージー州最大の都市ニューアークの創始者を輩出していた家の出だった。南北戦争中に、グラントの父は勇敢に戦った軍人に与えられる米国で最高の勲章である議会名誉勲章を授与された。

少年時代のグラントは、ずっと家庭教師による教育を受けていた。16才で古典教育を完了すると、彼はドイツのドレスデンに送られた。帰国した彼は、イェール大学への入学を志願した。３日間にわたって数学、ドイツ語、ギリシャ語、ラテン語の厳しい試験が行われたが、グラントはやすやすと合格した。さらに、グラントはコロンビア大学ロースクールに進み、弁護士として開業し、ニューヨーク市の上流階級の仲間入りを果たして、国内で大きな権力を持つ人々と知り合った。人当たりがよく、チャーミングで、察しが早く、物腰はやわらかく、人に好かれたが、弁護士の仕事にはほとんど興味のないグラントは、初めて熱い思いを抱いた自然保護活動に関心を向けるようになった。

『偉大な人種の消滅』を執筆する前のマディソン・グラントは、米国で唯一無二の影響力を持った自然保護活動家だった。彼はブロンクス動物園を作り、クイーンズ、プロスペクトパーク、セントラルパークなどの動物園とニューヨーク水族館を設計した野生生物保護学会を設立した。グラントは独力でアメリカバイソンを絶滅の危機から救い、アラスカのデナリ、フロリダのエバーグレーズ、ワシントンのオリンピック、モンタナのグレイシャーなどの国立公園の設立において重要な役割を果たした。また、クジラやハクトウワシ、プロングホーンの保護活動にも力を注いだ。グラントが米国の手つかずの自然を保護するための活動を開始した頃、国立公園といえばワイオミングのイエローストーン国立公園くらいしかなかった。グラントの尽力は大きく実を結び、彼が亡くなる頃には、800万エーカー（約3万2000平方キロメートル）を超える土地にいくつもの国立公園が整備され、数万頭に及ぶ大型の狩猟対象動物が保護されていた。

グラントの最大の偉業といえば、おそらくはレッドウッド（セコイヤ）に関する功績だろう。彼は北カリフォルニアを旅行したときに、この地球上で最も背が高い生物として知られる木に出会った。1917年に彼が初めてその地を訪れたとき、グラントが目にした木々は樹齢2000年を超えていた。イエス・キリストの時代よりも前から、これらの木は立っていたことになる。だが、レッドウッドの多くは木材にするために切り倒されていた。その事実に心を痛めたグラントは、レッドウッド保護連盟を立ち上げた。この団体は米国の自然保護活動の歴史のなかでも有数の見事な成功をおさめ、後の時代の同様の活動のお手本となった。1968年に設立されたレッドウッド国立公園は、グラントの取り組みの集大成だ。

北方人種

マディソン・グラントは、成人すると、ニューヨークの街に出るようになった。そこでは、彼と似たような、植民地時代の米国の面影を残す人々が闊歩していた。彼らは、正義感があり、社会の規則というものを理解し、それらの規則に従う意思を持っている人々、つまり品位ある人格者だとグラントは感じていた。1880年代後半に入ると、グラントの目には街がまったく変わってしまったようにうつった。移民の流入は倍増し、毎年50万人以上の移民が新たに米国にやって来た。何よりも問題だったのは、移民はブリテン諸島やスカンジナビア半島やドイツなどの北欧、西ヨーロッパ諸国だけではなくなり、南欧や東欧からもやって来るようになったことだ。ジョナサン・スピロの著書『支配人種を守る』には、グラントが愛する街を歩き回るときにどのように感じていたかが書かれている。「時が経つほどに、大量に押し寄せる浅黒い顔の移民が、街を飲み込もうとしているとグラントは強く感じるようになった。彼らは救貧院を満員にし、通りをごみごみした街並みに変えた。マンハッタンは、耳障りな声を上げる無教養な外国人がうろつく、汚い騒然とした無法地帯に変わり果てた。（中略）グラントは、思い切って生まれた街の混み合った歩道に出るたびに、目にする光景に嫌悪感を覚えた。奇妙な習慣も、理解できない言葉も、信仰に従ったおかしな衣服も、彼をうんざりさせた。ギリシャ人のくず拾いや、アルメニア人の靴磨きや、ユダヤ人のコイ売りがぶつかってくるたびに、新参者たちがこの国の歴史を知らず、共和制政府というものを理解していないという事実が容赦なく彼に突きつけられた。」グラントの世界は崩れ去った。彼は、自分のような生粋の米国人を守るために行動しなければならなかった。そして、米国を再び取り戻すのだ。

新たな移民のなかでも、特にグラントの注意を引いたのはユダヤ人だった。1880年から1914年の間に、東欧のユダヤ人の3分の1が米国に移住した。1880年に8万人前後だったニューヨーク市のユダヤ人人口は、わずか30年で100万人以上に膨れ上がった。その半数は、ニューヨークのロウアーイーストサイドのわずか1・5平方マイル（約3・9平方キロメートル）の範囲に密集して暮らしていた。この地域の人口密度は、世界中のどんな都市よりも――インドのボンベイ（現在のムンバイ）よりも――高かった。

マディソン・グラントは、自分のような北欧やドイツにルーツを持つ人々を北方人種と呼んだ。さらに、グラントは、アメリカバイソンやカリフォルニアのレッドウッドを守ってきたように、米国の北方人種も守りたいと考えた。これが、ベストセラーになった彼の著書のテーマにもなった。（米国の優生学者たちは北方人種と呼ぶが、ヨーロッパではアーリア人と呼ばれていた。）最終的に、グラントによる米国保護活動によって同性愛の嫌悪、女性蔑視、反ユダヤ主義、反カトリック主義が正当化され、1920年代にこれらをはびこらせることになった。このような保護活動に熱い支持を表明していたのは、南部の大規模な政治結社で500万人以上の会員を擁するクー・クラックス・クラン（KKK）だった。マディソン・グラントは、KKKや国家社会主義ドイツ労働者党（ナチス）の偏見に科学的根拠を与えることになった。

『偉大な人種の消滅』

１９１６年春、チャールズ・スクリブナーズ・サンズ社から『偉大な人種の消滅』が出版された。この本は１９２２年、１９２３年、１９２４年、１９２６年、１９３０年、１９３２年、１９３６年と版を重ね、累計１６０万部以上を売り上げた。科学専門書としては、歴史上で最も人気を博した一冊だと言えよう。本のなかで、グラントは（人種の）遺伝子が特性を決定し、その特性が歴史を決定すると説明している。彼は３つの科学的「事実」を挙げた。

1. 人類は生物学的にはっきりと異なる複数の人種に分類され、北方人種がその最高位にある。
2. それぞれの人種が特徴として持つ知性、分別、気質は、環境に左右されない。（生まれがすべてだ。どのように育つかは関係ない。）
3. 劣った人種と優れた人種の間に生まれた子は、劣った人種になる。「白人とインディアンの間の子はインディアンだ」とグラントは書いている。「白人と黒人の間の子は黒人であり、白人とヒンドゥー人の間の子はヒンドゥー人であり、３種類のヨーロッパ人種とユダヤ人の間の子はユダヤ人だ」。（この最後の表現は、のちにナチスドイツで通過した法案の根拠として使われた。）

グラントは、グレゴール・メンデルの豆の実験を、無理やりヨーロッパの歴史の説明に当てはめた。メンデルは緑の葉を持つ豆の木を選び出し、葉を黄色に塗った。彼は葉に色を塗った豆から、黄色い葉を持つ子孫が生まれるかどうかを調べようとした。しかし、黄色い葉の豆の木は生まれなかった。遺伝子がすべてなのだ。グラントは、メンデルのこの発見を、遺伝子は冒さざるべきもので、変えられないという自分の意見の根拠として利用した。骨に刻まれたものは、必ず肉に現れるというわけだ。「英語を話し、格好の良い衣服を身につけ、学校や教会に通っても、黒人が白人にはなれないということを学ぶのに、私たちは50年かかった」とグラントは『偉大な人種の消滅』に書いている。「シリアやエジプトの自由民は、トーガ（古代ローマの外衣）をまとい、円形競技場でひいきの剣闘士に拍手を送っても、ローマ人にはなれなかった。米国人は、ポーランド生まれのユダヤ人について同じような経験をすることになるだろう。小柄な身長、奇異な物の考え方、冷酷なまでの私欲への執着は、この国の人種に植えつけられている」。

マディソン・グラントにとって、北方人種とそうでない人々を見分けることは簡単だった。見るだけでわかる。北方人種は「波打つ茶色または金色の髪を持ち、目の色は青かグレーか明るい茶色、肌は白く、細い鼻筋がまっすぐに通り、身長は高く、面長で、髪の毛も体毛も豊かに生えている」。グラントによれば、これらの特徴は世界的に優れた絵画のいくつかで簡単に見つけ出せるという。「ギリシャ人の画家が、ブルネット（訳注　褐色の髪や肌や目）のビーナスを描くとは考えにくい」と彼は書いている。「教会の宗教画でも、天使はすべて金髪だが、地上の民は濃い褐色だ。十字架の場面で、救い主たるキリストは金髪だが、一緒にはりつけにされた2人の強盗の肌を褐色にすることをためらう画家はいないだろう」。ナザレのイエスは、明らかに北方人種だ（訳注　イエスの実像には諸説がある）。

北方人種は、漁師、船乗り、探険家、画家、兵士、王といった、最高の人種にこそふさわしい職についている。グラントは、アレクサンドロス大王は北方人種であり、ダンテも、ラファエロも、ティツィアーノも、ミケランジェロも、ダ・ヴィンチも、ソフォクレスも、アリストテレスも、ダビデ王さえも（聖書が彼の「fairness（金髪）」（訳注　皮膚が色白という意味もある）に言及しているため）そうだったと主張する。

米国でマディソン・グラントの本は非常に高く評価され、『イェール・レビュー』『アメリカン・ヒストリカル・レビュー』『ニューヨーク・ヘラルド』『ネイション』『ニューヨーク・サン』『サイエンス』などの雑誌や新聞で称賛された。ハーバート・フーヴァーやセオドア・ルーズベルトといった大統領経験者も、グラントの厳密性と洞察力に感銘を受け、ルーズベルトはグラントに手紙を送りさえした。「この本は、極めて重要な意味を持つ本だ。目的においても、先見の明においても、人々が最も認識する必要がある事実の把握においても」。（のちに米大統領になった）カルビン・クーリッジもグラントの本に感化され、米国は「大勢のよそ者をどんどん受け入れるゴミ捨て場」になるのをやめなければならないと発言した。

グラントの理論は、詩、絵画、科学雑誌、婦人誌にも登場した。産児制限活動家のマーガレット・サンガーは、演説でグラントの本の言葉を引用した。１９２４年、14才の少年を誘拐し、殺害したシカゴ大学の2人のユダヤ人学生、ネイサン・レオポルドとリチャード・ローブを弁護するために立ち上がった弁護士のクラレンス・ダロウは、彼らが罪を犯したのは悪い遺伝子のせいだと主張した。同じ頃、クー・クラックス・クランの最高指導者（インペリアル・ウィザード）のハイラム・ウェズレー・エバンスは、白人至上主義を唱える小冊子の中でグラントの本の中身を引用した。

さらに、グラントの本には第４の科学的「事実」も書かれていた。北方人種を守れるのは、優生学だけだというのだ。「これは、問題全体に対する現実的かつ必然的な、慈悲深い解決策であり、かつてなく広がっている社会の輪からはみ出した人々の集団（中略）おそらく突き詰めれば無用の人種にも適用できる」。グラントは、問題の解決策を表現するために「現実的」「慈悲深い」「必然的」という言葉を使った。のちに、ナチスドイツで登場した表現は「最終的解決」だった。

グラントの本は、彼が理想とする米国を求める懇願で締めくくられている。「我々米国人は、過去一世紀にわたって我々の社会の発展を支配してきた利他的な理想と、米国を『虐げられている人々のための保護施設』にしてきた感傷的な感情論が国を人種危機に追いやっていることを認識しなければならない。人種のるつぼを好き勝手に沸騰させ、我々が国家のモットーに従い続け、あらゆる『人種、信条、目や肌の色の違い』が見えないふりをするなら、生粋の植民地時代の米国人の子孫は、ペリクレスの時代のアテナイ人や、ロロ（訳注　10世紀のバイキングの公国ノルマンディーの創始者）の時代のバイキングのように死に絶えることになるだろう」。グラントの嘆きは、自由の女神の台座に刻まれた、ユダヤ系米国人のエマ・ラザラスの詩と真っ向から対立する。

疲れ果てたもの、貧しいものを我に与えよ
自由の息吹を求めて、身を寄せ合う人々を
岸にあふれる哀れな人々を
家なき者、嵐に翻弄（ほんろう）されるものを我がもとへ送れ

マディソン・グラントの本は全米を席巻したが、すべての人が彼の策略にはまったわけではなかった。

のちに染色体の研究でノーベル賞を受賞した遺伝学者のトーマス・ハント・モーガンは、グラントのいうような北方人種やアーリア人は存在しないと述べた。生物学的にいえば、すべての人間は多数の遺伝的背景が混ざり合った結果誕生している。人種はただ一つ、人類しか存在しない。

ウェルズリー大学の経済学者でやはりのちにノーベル賞を受賞しているエミリー・グリーン・ボルチは、優生学を強者が弱者を不当に扱う嘆かわしい例の一つだと考えた。「頭蓋骨（ずがいこつ）の測定結果を、証明しようのない社会や歴史の一般論にまで安易に発展させるのは早計だ。強者の理屈で弱者の世界を一掃しようとするような疑似科学は、もう時代遅れであってほしいと思う」。

風刺作家で、エッセイストで、『アメリカン・マーキュリー』誌の編集者でもあったH・L・メンケンは、自分では何もしていないのに、恵まれた立場に生まれただけでまるで自分が偉いかようにふるまう人々の横柄な態度と優越感にうんざりしていた。「私も金髪で北方人種だが、私の印象を言わせてもらうなら、偉大な人種の純血の人々は、少なくとも現代においては、ゴキブリとそれほど違わないことが多い」。

おそらく、最も鋭く反対意見を書き連ねたのは、イギリスの作家で詩人のG・K・チェスタトンだろう。審議中の移民法に関して、チェスタトンはグレゴール・メンデルの科学と、マディソン・グラントの疑似科学の間にくさびを打ち込んだ。「多発していた魔女狩りに反論するために霊的世界を否定する必要がない以上に、そのような法案に反撃するために遺伝を否定する必要はない」。残念ながら、モーガンやボルチやメンケンやチェスタトンがあげた声は、マディソン・グラントと彼の理論を支持する声にかき消されてしまった。

最終的には、マディソン・グラントの理論は歴史によって否定された。グラントは、移民が米国の文化に吸収されるまでに「数世紀の時間がかかる」と予測していた。しかし、それには一世代しかかからなかった。移民のヨーロッパ訛（なま）りはすぐに消え、学位を取り、ビジネスでも医療でも法律でも高い地位にのぼりつめた。問題は環境だったことが明らかになったのだ。

『偉大な人種の消滅』の出版後、マディソン・グラントは人種がすべてだと信じることをもろ手を挙げて歓迎する米国でトップクラスの人種理論学者になった。その後の10年間にわたって、グラントは影響力を生かし、米国がこれまで以上に米国らしくなることを目指した4つの移民法の実現に向けて議会に働きかけた。当時のある学者は、これらの法案を「米国の最も野心的な生物工学プログラム」と呼んだ。

グラントが『偉大な人種の消滅』を出版した1年後の1917年、「すべての白痴、痴愚、知的障害者、てんかん患者、精神障害者、および体質性精神病質劣等者」の入国を禁止する法案が議会で可決された。法案では、読み書きの試験も義務づけられることになっていた。審議中に、一人の議員が『偉大な人種の消滅』を読み上げる場面もあった。この移民法の施行により、年間約1500人の移民が入国を拒否された。潮目は変わりつつあった。

「この国の歴史のなかで最大の前進」

このような変化を誰よりも喜んだのは、チャールズ・ダベンポートだった。彼は、グラントに宛てた手紙で、移民規制の推進を強く呼びかけていた。「お粗末な人種が入ってこないように、この国の周りに高い壁を建設することはできないものか。あるいは、その程度では彼らをせき止められず、我々の子孫は国を黒人や褐色人種、黄色人種に明け渡すことになるのか」。その100年後に、ドナルド・トランプはこう発言した。「国境を越えて人々が押し寄せている。恐ろしいことだ。私たちは壁を建設しなければならない。世界有数の大規模建造物を作ってきた私にとって、壁の建設はたやすい。立ちはだかる正真正銘の壁だ。歩いて越えられるような壁ではない」。

１９２１年、さらに移民数を厳しく制限する緊急割当移民法が議会で可決された。法案に賛成したある議員は、このように述べた。「問題は（中略）単純だ。米国人のために、気高く輝かしい祖先から私たちに残されたこの国を、私たちは守ろうではないか。私たちの先祖が考えていたようなこの国を子孫に残すのだ。さもなければ、ほとんどが地球のくずやかすや無用の長物でしかない、異質で、様々な言語が混ざり合った寄せ集めの異邦人の集団によってこの国が侵略され、沈められることを許すことになる」。割当移民法が可決される前の1年間でおよそ80万人の移民が米国に入国したが、可決後は30万人にまで減少した。

１９２４年、さらに移民の割り当てを厳しくした移民制限法が議会で可決された。第一次世界大戦の前には、毎年１００万人前後の移民が米国に入国していた。１９２４年以降は2万人に激減した。最も厳しい優生学者でも受け入れられる程度のごくわずかな数にまで絞られたわけだ。

１９２９年、国籍別割当法が議会で可決され、移民の規制がさらに強化された。優生学界はまさに望んだ通りの成果を手にした。１９０７年の1年間に米国にやって来た移民の数よりも、その後の四半世紀に入ってきた移民数の方が少ないという結果になった。マディソン・グラントは、喜びに打ち震えた。「（これは）この国の歴史のなかで最大の前進だ」と彼は述べている。「ぎりぎりのところでドアを閉めて、我々北方人種が劣等人種に牛耳られる事態を防ぐことができた」。ヨーロッパからのほとんどの移民の窓口となっていたニューヨーク湾のエリス島の移民局局長は、より米国人らしい見た目の移民が増え始めたとコメントしている。

おそらく、マディソン・グラントの最も皮肉な同志は、アフリカ系米国人のマーカス・ガーベイだろう。ガーベイは、黒人が黒人であることに誇りを持ち、自分たちが成し遂げてきたことに誇りを持ってほしいという願いを持っていた。同胞が無理やり社会に同化させせられるのは、彼の望むところではなかった。ガーベイは異人種との結婚を糾弾し、人種の純化を説き、アフリカ人の国を持つことを切望していた。南部で黒人が次々とリンチにあっていた1920年、ガーベイのアフリカ回帰運動には200万人が参加していた。マーカス・ガーベイが肌の色を理由にひどい扱いを受けている人々のために祖国を求めていたのと同じ場所で、グラントは遺伝子プールを汚す人類の亜種と彼が信じる人々を国外に退去させる道を模索していた。優生学運動が生み出した、この上なく悲しい組み合わせだった。

アドルフ・ヒトラー

1925年、マディソン・グラントの『偉大な人種の消滅』はドイツ語に翻訳された。その少し前にドイツ南部のバイエルン政府への反乱を起こそうとして逮捕され、刑務所に送られていた不満を抱えた伍長アドルフ・ヒトラーもこの本を手に取った。読み終わった後で、この36才の革命家はグラントにファンレターを送った。「この本は、私にとっての聖書だ」とヒトラーは書いた。刑務所にいた9カ月間、ヒトラーは米国の優生学者が書いた本を何冊も読み、刑務所で過ごした時間を「大学」と呼んだ。ヒトラーが国民運動を開始し、優生学を地獄の底に引きずりこんでいくのは、それからまもなくのことになる。しかし、一般的に信じられているように、ドイツで起こった事の発端はナチ党大会が開かれたミュンヘンの競技場スタンドではない。ときの声が上がっていたのは、ニューヨーク市の法律事務所だった。

ヒトラーはランツベルク刑務所にいる間、自伝的要素を取り入れ、政治的世界観を披露した著作『我が闘争』の執筆に取り組んだ。第1巻は1925年に出版され、続いて1926年に第2巻が出版された。マディソン・グラントの『偉大な人種の消滅』がアドルフ・ヒトラーの『我が闘争』に影響を与えたというのは、過小評価だ。いくつかの箇所で、ヒトラーはグラントの本をほとんどそっくりそのまま引用している。例えば、『偉大な人種の消滅』でグラントは「英語を話し、格好の良い衣服を身につけ、学校や教会に通っても、黒人が白人にはなれないということを学ぶのに、私たちは50年かかった」と書いている。一方、ヒトラーは『我が闘争』に「だが、言わせてもらえば、黒人や中国人がドイツ語を学び、ドイツの言葉を話すことにやぶさかでないからといって、彼らがドイツ人になれると信じることは疑う余地のない誤った考えである」と書いた。アドルフ・ヒトラーが政権を握ってから3年後の1936年、ナチ党はマディソン・グラントの『偉大な人種の消滅』を必読書のリストに入れた。

フランシス・ゴルトン、チャールズ・ダベンポート、ハリー・ラフリン、マディソン・グラント、そしてアドルフ・ヒトラーには、いくつかの共通点がある。彼らの定義するところによれば、全員が北方人種であり、全員が北方人種は自由に子孫を残すべきだが、それ以外の人種が子孫を残すことを阻止すべきだと信じており、そして誰にも子供がいなかった。

ドイツの安楽死計画

政権を手にした1933年、アドルフ・ヒトラーは遺伝性疾患子孫防止法を成立させた。強制不妊手術の対象者は、コールド・スプリング・ハーバーの優生記録所で最初に作成されたリストとほぼ同じだった。診療所が設立され、法律に従わない医師には罰金が科された。1年も経たないうちに、5万6000人のドイツ人に強制不妊手術が行われた。1935年には7万3000人、1939年には40万人に手術が行われ、米国で実施された強制不妊手術の件数を大幅に上回った。この手術は非常に広く行われていたため、「ヒトラーの切除術」というあだ名がついたほどだ。この動きは米国でも注目された。バージニア州のウェスタン州立病院のジョセフ・デジャネット院長は「ヒトラーに我々のお株を奪われた」と嘆いた。

やがて、ヒトラーは強制不妊手術だけでなく、殺人にも手を染めるようになった。障害を持って生まれた子供たちは食事を与えられず餓死したり、致死性薬物を注射されたり、あるいは——古代スパルタのやり方にならって——寒空の下に放り出されたりした。最初のうち、殺されるのはひどい奇形を持った新生児だけだった。やがて、殺される対象となる不適格者の年齢が3才まで引き上げられ、そのうちに8才、12才、16才と段階的に引き上げられていった。「障害児」の定義も広がり、不治の病にかかっている子供や学習障害の子供も含まれるようになった。慢性の夜尿症までがやり玉に挙がった。ヒトラーの主治医だったカール・ブラントの指揮下で、ドイツの安楽死計画はすぐに高齢者、虚弱者、精神障害者、不治の病の患者に広げられた。7万人以上の成人のドイツ人が殺された。安楽死の方法は、最初は致死薬注射だったが、最終的には医療機関を巡回する移動式ガス室になった。ドイツの医師たちは、これらの殺人はすべて正当な行為だと考えていた。（カール・ブラントは戦争犯罪者としてニュルンベルク裁判にかけられ、のちに死刑を宣告されたが、ブラントは弁護のための証拠として『偉大な人種の消滅』を提出した。）アドルフ・ヒトラーのドイツは、まさにキャリー・バックの弁護士が米国の最高裁判所で行った口頭弁論のなかで予測した「医師が支配する世界」そのものだった。

1935年、アドルフ・ヒトラーはユダヤ人の市民権をはく奪し、ユダヤ人とアーリア人の性的関係や結婚を禁止したニュルンベルク法を成立させた。米国の優生記録所は、ニュルンベルク法を健全な科学的手段として称賛した。最終的に、ユダヤ人はゲットー（ユダヤ人隔離地区）に隔離され、ヒトラーがいうところの「最終的解決」のために強制収容所に送られた。「我々が健全な状態を取り戻すにはユダヤ人を完全に排除するしかない」とヒトラーは言った。少なくとも６００万人のユダヤ人、スラブ人、ロマ人、同性愛者、「精神障害者」が殺された。北方人種が劣等人種によって劣化させられていくのではないかとマディソン・グラントが恐れた「人種の自滅」は、民族大虐殺（ジェノサイド）に発展した。ヒトラー政権下で副総統を務めたルドルフ・ヘスは、「国家社会主義は生物学の応用に過ぎない」と言った。

フェアシューアー博士

米国の優生論者は、ヒトラーの活動を喜んで受け入れた。カーネギー研究所とロックフェラー財団は、強制不妊手術と安楽死に関与したドイツの科学機関を支援し、ＩＢＭ社は、ユダヤ人かどうかを判定できるように、家系図を整理するための装置をナチスに提供した。

米国の優生運動の機関誌『ユージェニカル・ニュース』では、「我々がこの一人の男、アドルフ・ヒトラーに感謝する最初の人間となり、彼に続いて生物学的な救済と人間らしさに向かう道をたどれるように」と書かれている。

１９３５年2月12日、米国改良財団と称する優生学団体の理事を務めるＣ・Ｍ・ゲーテは、財団で働く人々に宛てた文書を公開した。「ヒトラーの時代を動かす画期的な計画を支えた有識者集団の意見形成に、皆さんの仕事が強力な役割を果たしたことをご存知でしょうか。親愛なる友である皆さんに、このことを生涯覚えていてほしいと思います。皆さんは６０００万人の国民を擁する偉大な政府を実際に動かしたのです」。

『米国医師会雑誌』『米国公衆衛生ジャーナル』『ニューイングランド医学ジャーナル』のような主要な科学雑誌の記事でも、世界で最も活躍する優生主義者たるアドルフ・ヒトラーの取り組みは支持された。

公平を期するためにいうと、米国の優生論者たちはドイツの収容所の壁の向こう側で強いられている恐怖を目にしたことがなく、想像することすらなかった。彼らが実態を知れば、優生思想は悪とされたかもしれない。だが、そうなる前に、ポーランド南部の小さな工業都市の近郊でさらなる展開が待ち受けていた。ここアウシュビッツで、1943年5月から1945年1月の間に、優生学は狂気に満ちた最後の正体を現した。

1940年代に、ドイツで最も大きな影響力をふるっていた優生主義の科学者は、ダーレムのカイザー・ヴィルヘルム遺伝生物学・民族衛生学研究所のオトマー・フライヘル・フォン・フェアシューアー博士だった。フェアシューアーはユダヤ人を研究していた。フェアシューアーはユダヤ人が糖尿病、偏平足、聴覚障害、神経症などの様々な病気にかかる割合が非常に高いことを発見し、ヒトラーを喜ばせた。1936年、フェアシューアーの発見は『ユージェニカル・ニュース』に掲載され、称賛を浴びた。

フェアシューアーとナチスにとって、ユダヤ人はただの民族集団ではなかった。彼らは身体的特徴により一般集団と区別できる、生物学的存在だった。ユダヤ人に特有の特徴を探す仕事を担当したのは、フェアシューアーの助手で、えくぼやあごの輪郭、耳介のくぼみの研究をしていた熱意ある若い医師だった。彼の名前はヨーゼフ・メンゲレといった。

死の天使

メンゲレは、１９１１年３月16日にドイツのギュンツブルクで農業機械工場を経営する家に生まれた。（現在、この会社はドイツ第３位の脱穀機メーカーとなっている。製造されたすべての機械には、今でも誇らしげにMENGELE［メンゲレ］の名が冠されている。）１９３８年にフランクフルト大学で医学博士号を取得すると、いったんメンゲレは戦地の前線に赴き、さらに優生学を研究するためにドイツに戻ってきた。１９４３年５月30日、彼は10万人以上が収容されたアウシュビッツ＝ビルケナウ強制収容所に到着した。

アウシュビッツに到着してまず降車場に並べられたユダヤ人たちは、ドイツの将校たちが列を行き来しながら「双子！　双子はいないか！」と叫ぶ声を耳にすることになった。（一卵性の）双子はまったく同じ遺伝子を持つため、遺伝の研究にうってつけだった。メンゲレは、病気にかからず、最高のアーリア人の特徴を受け継いだ、支配人種を作り上げる方法を模索していた。アウシュビッツにいた２年間に、彼は１５００組の双子を研究した。メンゲレの取り巻きの将校たちは、これらの双子を「メンゲレの子供たち」と呼んだ。

メンゲレの研究は、子供たちを通称「双子収容所」と呼ばれていたF収容所の第14号バラックに連れて行くところから始まった。そこで子供たちは裸にされ、写真を撮られ、あらゆる身体的特徴が丹念に調べ上げられ、記録された。それから、メンゲレは子供たちの血管に注射針を刺して血液を調べ、背中に針を刺して髄液の検査をした。さらに、優生学を最終的なおぞましい結末に向かわせる様々な実験が行われた。双子の一人は歌がうまいのに、もう一人はそうでないことがわかると、メンゲレは彼らの声帯を手術し、一人はそのせいで生涯声が出なくなった。双子の少女たちと双子の少年たちに無理やりセックスをさせて、双子が生まれるかどうかを調べる実験も行われた。アーリア人の特徴を人工的に作り出すため、メンゲレは子供たちの目に北方人種の目の色の染料を注射したりもした。そのような処置を受けた子供たちの多くは失明した。また、双子の片割れのせむしの子供を連れてきて、手首の血管をもう一人の片割れの血管に結合し、さらに背中合わせに2人の体を癒着させる手術も行われた。彼は脊椎の奇形がもう一人の双子にも伝染するかどうかを調べようとしていたが、手術が終わってから2人はおびえて絶え間なく叫び続けた。見かねた母親が致死量のモルヒネを彼らに与え、子供たち二人を殺すことになってしまった。あるときは、メンゲレがあるロマ人の双子が結核に感染したと診断したが、収容所の他のドイツの医師たちが診断に同意しなかったため、メンゲレは子供たちを奥の部屋に連れて行き、ピストルで首を撃って、解剖した。「ああ、まだ体が温かいうちに解剖したよ」とメンゲレは正しい診断を下していた仲間たちに告げた。彼は、病気への感染しやすさを判定するために子供たちをチフスや結核に感染させたり、どんなことが起こるかを調べるために血液型の合わない血液を輸血したりした。子供たちに電気ショックを与えて、どの程度の痛みに耐えることができるかを調べることもあった。300人の子供たちがメンゲレによって生きたまま火の中に放り込まれた。両目の色が違う子供たちがいれば、メンゲレは彼らを殺し、その目をフェアシューアーに送った。包みには「軍需物資：至急」と書かれていた。メンゲレは、一人の母親の乳房にテープを貼りつけさせて、その母親が産んだばかりの新生児が食べ物なしでどれほどの期間生きられるのかを調べたりもした。ある1才の子供は、生きたままメンゲレに解剖された。悪夢がようやく終わったとき、3000人いた双子の子供たちのうち、メンゲレの手から生き延びたのは200人に満たなかった。そして、はっきりとした情報はほとんど残っていない。ヨーゼフ・メンゲレとアドルフ・ヒトラーは、絶対的な力を持った自己陶酔的なサディストの手に優生学が渡ったときに、どんなことが起こるかをまさにそのまま証明した。

のちに死の天使と呼ばれるようになったメンゲレは、戦争が終わるとアルゼンチンに逃亡して、さらにパラグアイ、ブラジルへと逃亡生活を続け、68才のときにサンパウロで溺死した。メンゲレは自分が行った実験の記録を保管しており、いつかは革新的な科学者として世に迎えられるに違いないと確信していた。米国の優生学者たちには、メンゲレのような傲慢(ごうまん)さはなかった。戦争が終結すると、コールド・スプリング・ハーバーの優生記録所はすべての記録を消し去った。

狂気は終わった

１９５２年、人類学者、社会学者、遺伝学者、心理学者のグループが国際連合教育科学文化機関（ＵＮＥＳＣＯ）に集まり、人種が特性を決定するというマディソン・グラントの説は完全に否定され、そのような考えが生み出した狂気は終わった。このときに発表された声明を紹介しよう。

1. すべての人は同一の種、ホモ・サピエンスに属する。
2. 人種とは生物学的な事実ではなく、社会的作り話である。民族集団の益を考慮し、この用語は使用を止めるべきである。
3. 人類の集団ごとに先天的な精神特性や知的能力が異なる、もしくは人間の身体的特徴と精神的特徴の間に関連があることを示す証拠は存在しない。

『偉大な人種の消滅』を広めようとする活動をウェブサイトなどで続けるネオナチ主義者や白人至上主

義者たちは今もいるが、この本はすでに歴史に埋もれ、若い学生はほとんど知らない。

レッドウッド国立公園

マディソン・グラントは、1937年5月30日に72才で亡くなった。当時は有名だった彼の名前も、今ではほとんど忘れ去られている。しかし、その名前が完全に消えたわけではない。グラントの名前は、世界で最も背が高い樹木だと言われる、レッドウッド国立公園のファウンダーズ・ツリー（創設者たちの樹）の根元に設置された銘板に、今でもはっきりと記されている。1991年、公園の責任者であるドナルド・マーフィーは、来園者からの抗議の手紙を受け取った。公園側はあの忌まわしい男を顕彰するのをやめ、銘板を撤去しろという要求だった。マーフィーは返事を書いた。「（マディソン・）グラントは19世紀の人間であり、当時の多くの人々と同様に、現在の私たちのほとんどから見れば、できればそうあってくれることを願いますが、ばかばかしく、嫌悪を感じるような信念を持っていました。人種問題とは無関係ないくらかの歴史的な役割を持ち、「敬われて」いた多くの人々と（グラントが）おそらくさほど違わない考えを持っていたというのは、残念な事実です。社会が歴史の大規模な見直しをすることができるのか、あるいはそのような見直しをすべきなのかは、私にはわかりません。なぜなら、過去の人々は20世紀末の私たちのような公平や平等といった視点を持たなかったからです。カリフォルニア州公園・保養地管理局の責任者として、通常であれば、私が自分の民族性についてお話するようなことはありませんが、あなたのご心配について知りましたので、私がアフリカ系米国人であることをお伝えしておきます。私は人種差別による苦痛と失望を味わい、その痛みと苦しみについて私なりの意見を持っているつもりです」。

ドナルド・マーフィーは、手紙の最後に、銘板に書いてその木の根元に釘で打ちつけておきたいような文章を記した。「人々の和は、過去を消すことによってではなく、今日の正しい理念と態度から生み出されるのです」。

時代の空気に流されるな

この話の教訓は、説明がやや難しいが、他の教訓に劣らず胸に刺さる。時代の風潮に迎合するような科学的な偏見には気をつけなければならない、つまり時代の空気に流されるなというのがその教訓だ。例えば、特定の遺伝子配列の持ち主が強姦や殺人のような暴力行為に走りやすいことがわかったという研究結果が、一流医学雑誌に発表されたとしたらどうだろう。さらに、メキシコに住んでいる人々はそのような遺伝子を持っている割合が高いと聞いたら、あなたはどう思うだろう。もし本当にそんな研究結果があれば、２０１６年の米大統領選できっと幾人かの共和党候補がその結果をせっせと利用したであろう。彼らがずっと主張し続けてきたことを裏づける、はっきりした科学的証拠が手に入ったことになるからだ。自分たちはメキシコからの移民を制限しなければならない、巨大な壁を建設してメキシコ人の入国を阻止するのだ――さもなければ、劣った遺伝子を持つ連中が我々の国に侵入してくる、という彼らの主張を。

この話は飛躍しすぎだと思われるかもしれないが、これがまさに１９１６年にマディソン・グラントの『偉大な人種の消滅』が出版されたときに起こったことだった。結果として、移民がやって来る速度は鈍り、ごく少数しかやって来なくなった。今も昔も、人々は私たち人類がすべて共通の祖先を持ち、異なる点よりも似ている点の方がはるかに多いという事実から目を背けたがっているように思える。北方人種もアーリア人もメキシコ人もイスラム教徒もシリア人もない。人間は誰もが人類という同じ一つの種だ。

1950年代にジョセフ・マッカーシー上院議員が展開していた赤狩りに加わることを拒否した劇作家のリリアン・ヘルマンは、下院非米活動委員会で声明文を読み上げた。その有名な一節をここで紹介しよう。「私は今の風潮に迎合して良心を捨てることはできないし、そうすることはしない」。科学的な証拠を文化的・政治的偏見に合わせてねじ曲げようとするすべての人間は、ヘルマンの言葉を警告として受け取るべきだ。最後の章で述べるように、この忠告は現在も顧みられていないのだが。

第5章

心を壊す
ロボトミー手術

ポルトガルの神経科医が精神病を
わずか5分で治療できる手術を考案し、
ノーベル賞を受賞したが、
この手術を受けたジョン・F・ケネディ大統領の妹は
生涯にわたる後遺症が残り、
現在ではこの手術はホラー映画のテーマにもなっている。

「壊れたもの！　動かないもの！　どこの家にも修理が必要なものがあるはずだよ。」
——ビリー・メイズ、米国のテレビ通販番組の人気販売員

１９７８年から１９９１年にかけて、ミルウォーキー出身のジェフリー・ダーマーという男が少年と成人男性を17人殺害した。ダーマーを主人公にした本は25冊出版され、数百本のテレビ番組と数千本の新聞や雑誌の記事でこの事件が取り上げられた。しかし、大衆がジェフェリー・ダーマーに強い関心を持った理由は、彼が殺した相手でも、その殺害方法でもなかった。

ダーマーは特殊な連続殺人犯だった。まず、ヌードでモデルになってくれたら50ドル払うと約束して、犠牲者を自分のアパートに誘い込み、睡眠薬を混ぜた飲み物を飲ませ、相手が意識を失うと、被害者の首を絞めるか、棒で殴るか、小型ナイフでのどを切り裂いて殺した。ときには、殺す前に頭に穴を開けて脳の前部に塩酸や熱湯を注入することもあった。本人の弁によれば、被害者を「性奴隷になるゾ

ンビ」にしたかったのだという。

１９９２年２月15日、５時間にわたる慎重な協議の末に、陪審団はジェフリー・ダーマーに15件の殺人について有罪という判断を下した。判決では、15回連続の終身刑、合計で９５７年の懲役が言い渡された。２年後、ダーマーは同じ刑務所に収容されていた受刑者のクリストファー・スカーバーに金属パイプで撲殺された。

ジェフェリー・ダーマーの事件を知る人は多いが、彼が恐怖の部屋で行っていた一つの残虐行為の発明者に、50年前のノーベル賞が与えられていたという事実はほとんど知られていない。

前頭葉を切除する手術

１９３５年８月、ロンドンで開かれた神経学会で、イェール大学の２人の生理学者ジョン・フルトンとカーライル・ヤコブセンが２匹のチンパンジー、ベッキーとルーシーを使った研究の結果を発表した。フルトンとヤコブセンはチンパンジーたちに、棒を使って手の届かない場所にある食べ物を取るやり方を教えた。チンパンジーたちは食べ物を取るのに成功することもあったが、うまくいかないこともあった。ルーシーはいつもベッキーよりも辛抱強かった。ルーシーが食べ物を取るための挑戦を続けているうちに、ベッキーは怒り出し、自分の毛をむしり、脱糞して汚物を科学者たちに投げつけた。

実験の本番はここからだ。フルトンとヤコブセンは、記憶力を必要とする作業において、脳の特定の領域が担う役割を知りたいと考えていた。そこで、彼らはルーシーとベッキーの脳の前頭葉（ひたいのすぐ後ろの部分）を切除する手術を行った。手術後のルーシーは、食べ物を手に入れる方法をすっかり忘れていた。科学者たちは、ルーシーの前頭葉が最近の記憶を扱い、保存する場所だと結論づけた。さらに、彼らはある変化に気がついた。ベッキーが食べ物を取るのに苦労しているのは相変わらずだったが、今では彼女は感情的にならなくなった。「まるで（ベッキーは）幸福をうたうカルト宗教に入ったようだった」とヤコブセンは言った。ジョン・フルトンとカーライル・ヤコブセンは、どうやら不安障害を治す外科手術を見つけたようだった。

研究発表を聞いていた聴衆のなかには、ポルトガルの神経科医エガス・モニスがいた。モニスは今しがた聞いたばかりの話に感銘を受けた。彼の患者の多くは重度の不安障害に悩まされており、治療のしようがない患者も少なくなかった。ジョン・フルトンは、次に何が起こったかを覚えていた。「モニス博士が立ち上がり、『前頭葉切除術が動物の実験神経症の進行を抑えられるのだとしたら、外科手術によって人間の不安状態を緩和することも可能なのではないか!?』と質問された」。最初のうち、フルトンは、経験豊富で尊敬を集めていた神経科医のモニスが冗談を言っているのだと思った。「指摘を受けて、私たちは少しばかり驚いた」とフルトンは当時を振り返る。「モニス博士が両側の前頭葉切除を考えているのかと思ったからだ」。

しかし、モニスが考えていたのは、2カ所の前頭葉を完全に除去する前頭葉切除術ではなかった。彼が思い描いていたのは、脳から前頭葉の白質だけを切り離す（切断）手術だった。白質は神経線維が多く白く見えることからこのような名前で呼ばれるが、のちにモニスは、ギリシャ語で白を意味する「leuko」と、ナイフを意味する「tome」にちなんで、この手術をロイコトミー（leucotomy）と命名した。モニスの手術は大西洋を渡って米国に伝わり、ロボトミーという名前で呼ばれるようになった。

「女性は治癒した」

モニスは、フルトンとヤコブセンがチンパンジーに行った実験を、人間でも試してみることにした。まずは、手術を執刀する外科医を探さなければならない。モニスは、リスボン大学の神経外科医アルメイダ・リマに白羽の矢を立てた。数日のうちに、モニスとリマは動物実験を行うこともなく、午後の半日に死体を使って１回練習しただけで、最初の患者を選んだ。

１９３５年11月12日、アルメイダ・リマは、生活に支障をきたすほどの重度の不安発作と妄想に悩まされて地元の精神障害者施設に収容されていた63才の女性の頭蓋骨（ずがいこつ）の両側にドリルで穴を開けた。穴を開け終わると、リマはティースプーン半杯分のアルコールを患者の前頭葉に注入した（この章の冒頭に記したジェフリー・ダーマーが数十年後に真似たのは、このときの手術のやり方だ）。それから、リマは穴を閉じた。30分ばかりで手術は終了した。数時間後、女性は簡単な質問に答えられるようになり、2日後には施設に戻った。モニスによれば、手術前よりもかなり落ち着いた状態で、不安障害と妄想はなくなっていた。有頂天になったモニスは、女性は治癒したと宣言した。

ロボトミー手術に自信を持ったモニスとリマは、さらに６人の患者に手術を繰り返した。残念ながら、彼らの腕前には正確さが欠けていた。脳に浴びせかけたアルコールが前頭葉にとどまるのを患者たちは一様に嫌がった。そこで、彼らは特別な手術器具をパリから取り寄せた。細く長い棒状の器具で、先端はワイヤーが輪になっている。この器具を使って、リンゴの芯をくり抜くように、前頭葉の一部を少しずつ切除できるようになった。３カ月も経たないうちに、新たなロボトミーナイフは新たな13人の患者に使われ、合計手術件数は20件に達した。

手術の考案者としての権利を主張するため、モニスは20人の患者についての２４８ページの主題論文を発表した。７人が治癒し、７人は症状が大幅に改善され、６人には変化が見られなかった。こうして、精神外科という新たな医療分野が誕生した。これは「大きな前進」だとモニスは述べた。もはや患者は、情緒不安や不安発作、幻覚や妄想、躁やうつの状態に悩まされることがなくなるのだ。

1930年代後半に入ると、ロボトミーはキューバ、ブラジル、イタリア、ルーマニア、米国で行われるようになった。しかし、ポルトガルではロボトミー手術は禁止された。最初にモニスとリマに患者を紹介していた精神科医は、それ以上の患者の紹介を断った。まもなく、ポルトガルの他の精神科医も患者をよこさなくなった。手術が招く結果を誰もが恐れていた。ポルトガルでロボトミー手術が禁止された理由が明らかになったのは、ずっと後になってからだ。しかし、それがはっきりしたときには、手遅れだった。

前頭葉の働き

エガス・モニスがロンドンの学会でジョン・フルトンとカーライル・ヤコブセンのチンパンジーの研究発表を聞くずっと前から、神経科医は脳の前頭葉の働きに気がついていた。

おそらく、ニューイングランド鉄道で働いていたフィネアス・ゲージの物語ほど学ぶことが多く、ドラマチックで、信じがたい話は他にないだろう。1848年9月13日、当時25才のゲージが発破用火薬の穴の準備をしていたときに、長さ3・5フィート（約1メートル）の鉄の棒が彼の顔をめがけて飛んできた。鉄の棒はゲージの頬に刺さり、頭のてっぺんまで突き抜けて、左の前頭葉を激しく傷つけた。奇跡的にも、フィネアス・ゲージはその後11年間生きた。だが少なくとも、友人たちによれば、ゲージは「もはやゲージではなかった」。事故にあう前の彼は、活動的で機転の利くまじめな男だった。しかし、事故の後の彼は無作法で、頑固で、粗雑な人間になっていた。かつては責任のある立場にいたが、以前と同じ職務をこなすことはどうみても不可能だった。

　前頭葉のがん患者からも、いろいろなことがわかる。フィネアス・ゲージのように、子供っぽくなり、無感動になり、うとうとと眠り込んでしまうことが多く、自発性や意志が失われ、先のことを考えることが苦手になり、正常な判断力がなくなり、注意力、記憶力、言語能力に問題が生じ、抑制がきかなくなる。ニューヨークで株式仲買人をしていた39才のがん患者、ジョー・A.の例は、特に興味深い。前頭葉の腫瘍（しゅよう）の手術を受けた後も、ジョーの記憶力に変化はないように思われた。実際に、神経科医のグループが1時間にわたって彼を診察したときも、異常は見つからなかった。しかし、ジョーは別人のようになっていた。彼は仕事に復帰する意欲を失い、怒りっぽくなり、友人や近所の人々にきつくあたるようになった。一番大きく変わったのは、どうしようもないうぬぼれ屋になったことだった。息子が野球をしている様子を見ていたジョーは、自分は周りの誰よりもすごいバッターで、すぐにでもプロの野球選手になれるはずだと言い張った。

「人間の脳の勇敢なる探索者」

　モニスは「手術による悪影響はない」と豪語したが、彼が最初にロボトミー手術を行った患者たちの予後は彼の主張とはかけ離れていた。彼らは、嘔吐（おうと）や下痢、失禁、眼振（がんしん）（眼球が規則的に勝手に揺れ動く状態）、眼瞼下垂（がんけんかすい）（上まぶたが垂れ下がって来る症状）、盗癖、異常な食欲、今がいつで自分がどこにいるのかわからなくなる見当識（けんとうしき）障害などに悩まされることが多かった。最初の頃にモニスとリマに患者を送っていたポルトガルの精神科医たちは、のちに手術を「純然たる大脳神話」と呼んだ。

　しかし、スウェーデンのノーベル賞委員会の選考委員たちは、これらの問題を気にしなかったか、問題に気づいていなかったようだ。1949年、委員会は「精神疾患の外科的治療法を発明した」としてエガス・モニスに賞を贈ることを決定した。『ニューヨーク・タイムズ』紙は、すぐに人間の脳の勇敢なる探索者として、このノーベル賞受賞者を持ち上げた。「心気症（訳注　本当は病気ではないにもかかわらず、自分が病気にかかっていると思い込んで悩む精神疾患）患者はもはや自分がすぐに死ぬという考えを持たずにすむし、自殺志願者は生を受容できるようになる。被害妄想に悩まされる人々は存在しない陰謀者たちを忘れられる。今や外科医は、脳手術が虫垂を取る手術と変わらないくらいに考えるようになった」。こうして、ロボトミー手術は主流になった。皮肉なことに、ホロコーストに続いて明るみに出た、残虐かつ非倫理的な実験を医師たちが行うことを防ぐため作成されたニュルンベルク綱領に違反するとして、ドイツはロボトミー手術を一切受け入れなかった。

ノーベル賞委員会の発表からの40年間で、世界中で4万件のロボトミー手術が行われ、その半分以上は米国で実施された。米国でこれほどロボトミー手術の人気が高まった裏には、一人の男の固執と狂信的なまでの熱意があった。精神病治療のパンドラの箱を開けたのは、この男だ。

ウォルター・フリーマン

ウォルター・ジャクソン・フリーマンは1895年11月14日に生まれた。エガス・モニスと同じく、フリーマンも裕福な名家に生まれた。フリーマンの父親は医師で、母親は米国で最も有名な外科医、ウィリアム・ウィリアムズ・キーンの娘だった。フリーマンは父親を二流の医者だとみなしていたが（父の金融取引は最終的に家族を破産に追い込んだ）、祖父には憧れていた。だが、若きフリーマンが祖父ウィリアム・キーンに追いつくのは簡単ではなかった。

ウィリアム・キーンは、米国で初めて脳腫瘍の手術を行った外科医だった（このような手術は世界でもまだほとんど行われていなかった）。この手術をやり遂げるために、キーンは手術室全体に石灰酸を噴霧し、患者の頭蓋骨に穴を開け、手袋をはめていない手を差し入れて腫瘍を取り出し、出血した血管を縫い合わせ、縫合糸で穴を閉じた。手術は、レントゲンも、輸血も、局所麻酔も、十分な照明さえない状態で行われた。手術を受けた患者は、その後も30年間生き続けた。また、キーンは人工肛門形成術を最初に行った外科医でもあった。抗生物質が発明される前だったことを考えれば、まさに偉業だ。さらに、彼は年若い少年の手の傷ついた神経を縫い合わせる手術をした最初の外科医でもあった。手術のおかげで、少年はその後もピアノを弾き続けることができた。彼は、脳の中心部に管を入れて、命をおびやかすほど大量にたまった脊髄液を出す処置を初めて行った外科医でもある。さらに、患者の命を救うために開胸して心臓マッサージをした外科医も彼が最初だ。１９２１年にフランクリン・デラノ・ルーズベルト大統領がポリオを発症したときに、キーンは病気を診断した医師団の一員だった。

要するに、ウォルター・フリーマンが祖父を超えるのは簡単ではなかったということだ。だが、それでも彼はあきらめなかった。

一目置かれる存在に

フリーマンは7人兄弟の一番上に生まれた。フィラデルフィアの高級住宅地リッテンハウススクエアの近くの三階建ての瀟洒（しょうしゃ）な家で育った彼の子供時代は、波乱に満ちていた。1才2カ月のときに、祖父に首の肥大したリンパ節30個を摘出されたために、彼の頭は傾いたままになり、肩も下がった。少年時代にジフテリアにかかったときは、開発されたばかりのジフテリア抗毒素をドイツから取り寄せて投与され、命が助かったこともある。

成長すると、フリーマンはフィラデルフィアの名門校エピスコパル・アカデミーに入学し、卒業後はイェール大学に進んだ。その後、ペンシルベニア大学医学部を卒業すると、フィラデルフィア総合病院で臨床研修を行い、神経病理科に研修医として勤務した。1900年代初頭には経済的に余裕のある大勢の医師がしていたように、フリーマンもパリとローマで研究生活を送り、帰国後はワシントンD.C.のセント・エリザベス病院の研究所長になった。(セント・エリザベス病院は、米国で最大級の総合病院の一つで、4000人の職員が勤務し、7000人の患者を収容できる。ジェームズ・A・ガーフィールド大統領を暗殺したチャールズ・ギトーはセント・エリザベス病院の患者だった)。さらに、彼はジョージタウン大学とジョージ・ワシントン大学医学部の教授も兼任するようになった。1928年、ウォルター・フリーマンはジョージ・ワシントン大学の神経学・神経外科学科の初代学科長に就任した。

有名だった祖父と同じように、まもなくフリーマンも医師たちから一目置かれる存在になった。神経科医と精神科医の認定委員会の委員長に選出され、伸ばしたあごひげにソンブレロ、手にはステッキといういで立ちで、授業でも人気があった。フリーマンは、ドラマチックな演出をするのも得意だった。セント・エリザベス病院で働いているときに、前戯の間にガールフレンドに金の指輪をペニスにはめられたという船乗りがやってきた。ペニスが勃起すると、指輪が外れなくなったというのだ。フリーマンは指輪を切断し、2本のペンチでねじって外した。そして、その指輪を懐中時計用の鎖につけて持ち歩き、会話のきっかけにした(会話の締めくくりにしたこともあった)。

しかし、様々な形で医療を進歩させてきたウィリアム・キーンに比べると、ウォルター・フリーマンの実績は皆無に等しかった。フリーマンは、重度の精神疾患を抱える患者の脳には構造的な差異があるはずだと信じていた。1400人以上の脳を調べた後で、彼は躁うつ病の患者は躁かうつかによって解剖学的構造が異なるという誤った結論を出した。のちに、フリーマンは脳の中心部に直接染料を注入することによる脳の視覚化を試みたが、危険性が高く、すぐに中止した。だが、ウォルター・フリーマンはめげなかった。幼い頃から息子の自尊心が強い性格を目にしてきた彼の母親は、彼を（ラドヤード・キプリングの『なぜなぜ物語』を引き合いに出して）「気ままに歩く猫」と呼んだ。

高名な祖父を超えようと、フリーマンはひたすらがんばった。神経病理学の教科書の決定版となるであろう本を書く時間を捻出するために、彼は朝4時に起き、3時間ほど執筆してから車を運転してセント・エリザベス病院に向かい、午後5時まで勤務して、さらに自分の診療所に移動して午後8時まで診療した。家に帰って仮眠をとっていると、「一晩中咳込んでいるように思える」妻や、「大恐慌の頃から車輪が修理されていないようなすさまじい音を立ててコネティカットアベニューを走る路面電車」にしょっちゅう起こされた。彼はいら立ち、ふさぎこみがちになった。さらに起こった3つの出来事が追い打ちをかけた。まず、彼は車にはねられて、本の最終章をベッドで口述筆記してもらう羽目になった。次に、祖父のウィリアム・キーンが脳卒中で亡くなった。続いて、母親が死んだ。

立て続けに悲運に見舞われたフリーマンは、自分ももうすぐ死ぬに違いないと信じるようになった。自分はがんに違いないと思い込み、重度のうつ状態に陥ったのだ。執筆も、仕事も、車の運転もままならず、彼は船で旅に出て、ロンドンの神経学会に出席することにした。それが1935年だった。ジョン・フルトンとカーライル・ヤコブセンがベッキーとルーシーの研究について発表した年だ。学会会場に到着したフリーマンは、原稿を書くためのブースを用意してもらった。隣のブースには、エガス・モニスがいた。2人は仲良くなった。7カ月後、モニスが最初の20人のロボトミー患者についての論文を発表したとき、フリーマンはこれを「新時代を開く研究」と呼んだ。

1936年5月、ウォルター・フリーマンはエガス・モニスに手紙を書いた。「前頭葉の手術後に精神症状が緩和されるという先生の最近の研究を特に興味深く拝見しております。私も一部の担当患者にこの手術の試験的な実施を勧めてみるつもりです」。フリーマンはモニスが使っているロボトミーナイフの製造元を突き止め、同じものを2本注文した。器具が到着したのは1936年7月だった。この頃、米国全土の州立病院の精神病棟は数十万人の患者であふれかえっていた。そして、患者の数はさらに増え続けていた。何かの方策を講じなければならない。ウォルター・フリーマンは、自分ならそれができると信じていた。

モニスのロボトミー手術に、フリーマンはついに自分が医師の殿堂入りを果たすチャンスを見出した。「私は精神疾患の解明や治療において、大したことはしていないと自分で認識しております」とフリーマンはモニスに書いている。それからまもなく、ロボトミー手術のおかげで、ウォルター・フリーマンは米国のみならず、世界的にも非常に有名な医師となる。「私たちが正しく考えられないのは、『脳が足りない』からだと言われている」と彼は論じた。「おそらく、精神を病む患者は脳を手術で減らすことにより、より明晰かつ前向きに思考できるようになることが示されるはずだ」。

最初の患者

ウォルター・フリーマンの最初の患者は、カンザス州エンポリアの63才の主婦、アリス・ハマットだった。彼女は「イライラ、不眠症、気分の落ち込み、不安感」を訴え、「ヒステリックに笑い出したり、泣き出したり」することもよくあった。フリーマンによれば、彼女は虚栄心が強く、年をとることを恐れ、髪が薄くなっていくことを過剰に気にし、かたくなで、不安定で、感情的で、口うるさく、閉所恐怖症や自殺願望があり、「不平不満の女王」で、あまりの横暴さに夫は惨めな生活を強いられていた。アリスの夫は、彼女がロボトミー手術を受けることを希望した。本人は手術を望まなかった。

１９３６年9月14日、ウォルター・フリーマンはアリス・ハマットを手術室に運び入れた。しかし、手術を始める前に、髪を切られることを恐れたハマットが手術への同意を拒んだ。フリーマンは、髪には手をつけないと嘘をついて彼女をなだめた。手術を担当したのはフリーマンではなかった。モニスと同じく、フリーマンも外科医ではなく神経科医だったため、手術を担当する神経外科医を探す必要があった。フリーマンが見つけたのは、ジョージ・ワシントン大学病院の神経外科医、ジェームズ・ワッツだった。ワッツはバージニア大学医学部を卒業した後、イェール大学とシカゴ大学、ドイツのブレスラウ（ここで彼はレーニンの脳を見た）で外科の研修を受けた。フリーマンは早口でせっかちで派手な演出を好んだが、ワッツはのんびりとした穏やかなはにかみ屋だった。

本人の意思に反してアリス・ハマットが手術室に運び込まれた後で、ワッツは彼女の髪を剃り、ゲンチアナバイオレットで頭皮を消毒してから、頭の両側を1インチ（2・54センチメートル）ずつ切開し、錐（きり）で頭蓋骨に穴を開け、ロボトミーナイフを脳の中に5インチ（約13センチメートル）ほど差し込んで、両側から脳の部位6カ所を切り離した。手術は4時間かかった。

ハマットは「穏やかな表情」で目を覚まし、夜には「一切の不安を示さない」状態になっていた。不安感について尋ねられると、彼女は「（不安を）忘れてしまったみたい。今はそれが大したことには思えない」と答えた。しかし、ハマットには以前にはなかった行動がみられるようになった。彼女はペーパータオルを手にして、体を拭いているかのようにごしごしと自分の顔や腕をこすった。しかし、少なくともフリーマンによれば、彼女は活動的で意識もしっかりしており、よく眠り、食欲があり、雑誌を読むこともあった。「精神病の患者を手術して、物理的には問題のない脳を切り離せば、やり過ぎだという声が出ることはわかっていた」とフリーマンは語った。それでも、彼は結果を喜んでいた。「私たちはすばらしい結果に満足している」と彼は興奮気味に話した。

手術から6日後、アリス・ハマットの様子がおかしくなった。見当識障害が出て、言葉はつっかえ、単語のつづりを間違え、読めないような字を書き、会話が成立しなくなり、体をこするおかしな行為は続いていた。しかし、彼女は穏やかで、睡眠薬なしでも眠れ、看護師による介助を受けずに生活できた。夫と家政婦がほとんどの家事を担当し、ハマットはあきれるほど友人たちに言いたい放題だったが、彼女の不安は去っていた。アリス・ハマットは、5年後に肺炎にかかって死んだ。彼女の夫は、手術以降の年月は彼女にとって「人生で最も幸福な時期」だったと言った。

手術の17日後に、フリーマンはアリス・ハマットの症例をコロンビア特別区医学会で報告した。「この女性は10日後に自宅に戻り、治癒した」と彼は述べた。会衆は「治癒」という言葉に違和感を覚えた。メリーランド州ロックビルで私立精神病院の院長を務める精神科医のデクスター・バラード博士は、立ち上がって異議を唱えた。「ウォルター、そうとは言えないだろう!」と彼は叫んだ。周囲の人々もうなずいて同意した。激しい非難の声を上げる参加者もいた。手術の数カ月後に、アリス・ハマットは長時間の痙攣(けいれん)を起こし、転げ落ちて手首を骨折した。

フリーマンとワッツは、ハマットの手術の結果を『南部医学ジャーナル』で発表した。論文は「激越型うつ病における前頭前野ロボトミー手術:症例報告」と題された。「ロボトミー」という言葉が印刷物に登場したのは、これが初めてだ。（モニスとリマは、いつも「ロイコトミー」という言葉を使っていた。）

ボルチモアでの開催が予定されていた次の南部医学会での発表に備えて、フリーマンとワッツは急いでさらに5件のロボトミー手術を行った。この学会は、ロボトミー手術の素晴らしさを米国の医師たちに示す2回目のチャンスとなるはずだった。しかし、今回はもう少し好意的に受け入れられることをフリーマンは望んでいた。そこで、彼は『ワシントン・スター』紙の記者、トーマス・ヘンリーに連絡を取り、独占インタビューを持ちかけた。学会の数日前、フリーマンの研究を非常に好意的に紹介する記事がスター紙に掲載された。ヘンリーは、ロボトミー手術について「おそらくはこの時代で最大の外科の新機軸となるだろう」と書いた。「（中略）１本の錐と１本のナイフで、手の施しようがなかった苦しみを消し去れるとは信じがたいことのように思える」。研究成果を発表する前の時点で、少なくとも報道上の扱いでは、ウォルター・フリーマンは英雄となっていた。「予想通り、私がボルチモアに到着したときには、かなりのメディアが関心を持っていた」とフリーマンは得意げに話した。

１９３６年11月18日、ウォルター・フリーマンは衝撃に包まれる神経科医と精神科医たちの前に立ち、手術の結果を説明していった。ロボトミー手術を実施した患者６人全員に改善が見られた。手術後の患者は、以前のような見当識障害や恐怖症、精神錯乱、幻覚、妄想などの症状を示さなくなった。心配や恐れや不安、不眠、緊張も消失した。患者は穏やかになり、不満を持たず、手術前に比べてはるかに扱いやすくなった。「死亡した患者はおらず、悪化した人もいないといえる」とフリーマンは述べた。「患者全員が自宅に戻り、一部の患者は介護の必要がなくなった」。

ケンタッキーからやって来たスパフォード・アカリーが立ち上がり、フリーマンの研究成果への支持を表明した。「これは、驚くべき論文だ」と彼は言った。「勇気ある治療法の特筆すべき例として、医学の歴史に刻まれるに違いない」。しかし、ワシントンD.C.でアリス・ハマットの症例について最初に発表したときと同じく、ボルチモアでもその場に居合わせた全員が賛成派というわけではなかった。ニューヨーク市マンハッタンの精神科医、ジョセフ・ウォルティスは、ロボトミー手術は患者にショックを与えることで、ある程度まで正常な状態を取り戻させているに過ぎないと主張した。「私は、足を骨折した後で症状が改善した患者を診察したことがある」とウォルティスは言った。次に発言したのは、誉れ高いジョンズ・ホプキンス病院の神経学教授で、米国精神医学会会長のアドルフ・マイヤーだった。「私はこの研究成果に反対することはしないが、面白いとは思う」とマイヤーは述べた。「この手術には、表面にあらわれているよりも多くの可能性がある」。もしマイヤーがここで批判的な立場をとっていれば、彼の影響力の大きさから考えて、米国のロボトミー手術は6件で終了していたかもしれない。だが、マイヤーはあいまいな態度に終始した。勢いを得たフリーマンとワッツは、1936年末までに20件のロボトミー手術を終わらせることを目指して、すぐさま研究に戻った。彼らは、シカゴで控える次の重要な学会で、さらに多くの症例を発表したいと思っていた。ウォルター・フリーマンが最初の6人の患者の予後について正直に話していれば、アドルフ・マイヤーのロボトミー手術に対する意見も違っていたかもしれない。5番目の患者は、不注意で大脳動脈を切断され、明らかな重度の損傷を脳に負った。結果として患者はてんかんと失禁を起こすようになり、残りの人生をこれらの症状を抱えたまま、送ることになった。

1937年2月、ウォルター・フリーマンはシカゴ神経学会で数百人の医師たちの前に立っていた。今回は、彼にとって今後を占う最大のヤマ場になるはずだった。フリーマンとワッツは、3カ月間で20

人の患者を手術した。患者はほぼ全員が女性だった。フリーマンは相変わらず楽観的な様子で、患者の記憶力、集中力、判断力、洞察力は失われることなく、ロボトミー手術後は人生を楽しむ力が向上したと述べ立てた。唯一のマイナス面は、「患者全員が手術によって何か、自発性、気力、個性のようなものを失っているように思われる」と彼は論じた。ワシントンD.C.でもボルチモアでもフリーマンは手術への反対にさらされたが、シカゴでの反対の声の大きさは比べものにならなかった。

何人もの医師たちが、手術は手探りで脳の一部を切断するため、脳血管を傷つけかねないと主張した。（実際は、すでにそのような事態が起こっていたわけだが。）別の医師は、不安は良くなったり悪くなったりを繰り返す症状であり、短期間しか経過を観察していない現状で、結論を出すことはできないはずだと言った。また別の医師は、前頭葉を切り離された音楽家や画家がどうなるのかについて疑問を呈した。手術には「解剖学的な根拠」がなく、「いい加減な推量」で正当化されていると主張する医師もいた。さらに別の医師は、手術が「倫理に反する」と言った。フリーマンは「脳はかなり手荒な扱いにも耐えられる」し、「損傷のほとんどは元に戻る」と反論した。それでも、批判の声にウォルター・フリーマンは動揺し、セント・ルイスで予定されていた次の発表の場をキャンセルした。「パイプをくわえて落ち着こうとしたが、もう少しでパイプの管をかみちぎるところだった」と彼は当時を振り返った。

ボルチモアやワシントンD.C.での発表のときと同じように、シカゴの学会でもフリーマンはすべてを正直に話していなかった。最初の20人の患者のうち、8人は症状が再発し、もう一度手術が必要になった。フリーマンとワッツは最初の手術の結果に失望し、再手術では前頭葉を切り離す箇所を6カ所から9カ所に増やして、脳の深部まで届くようにより深い穴を開けた。穴を深くまで開けたせいで2人の患者が脳出血を起こして死亡し、別の1人の患者は手術後すぐに心臓発作で亡くなった。13年間にわたって事務員を務めていた4人目の患者は、徐々に機能障害を起こし、そのまま回復することなく、精神病者用施設で残りの人生を送った。複数の患者に痙攣発作の後遺症が残り、手足がうまく動かせなくなった患者もいた。おそらく初期に行われたロボトミー手術に関して最も詳しい情報を知っていたと思われるセント・エリザベス病院のウィリアム・ホワイト院長は、これ以上自分の病院の患者に手術を行うことを拒否した。ポルトガルの精神科医たちと同様に、ホワイトは自分が目にしたものを恐れた。

しかし、ロボトミー手術に反対する医師ばかりではなかった。米国最大の医学雑誌、『ニューイングランド医学ジャーナル』は、ロボトミーを「理にかなった手術」と紹介した。『ニューヨーク・タイムズ』紙は「精神病治療の転換点となる新手術」と書き立てた。1937年6月7日、『ニューヨーク・タイムズ』紙の一面で、ロボトミー手術は「緊張、不安、気分の落ち込み、不眠、希死念慮（訳注　漠然と死を願う状態）、妄想、幻覚、叫声、うつ症状、強迫観念、パニック状態、見当識障害、精神性疼痛（精神的な原因によって発生する痛み）、神経性消化不良、ヒステリー性麻痺」を和らげ、「獰猛な野生動物が数時間で穏やかな生き物に変わる」という——特許医薬品の広告のような——紹介がされた。

2万件以上のロボトミー手術

シカゴの学会で激しく批判されたにもかかわらず、ウォルター・フリーマンとジェームズ・ワッツが立ち直るまでに時間はかからなかった。『タイム』『ニューズウィーク』『ニューヨーク・タイムズ』『ニューイングランド医学ジャーナル』などの新聞や雑誌を味方につけた彼らは研究に戻り、ニューヘブン、ボストン、ニューヨーク、フィラデルフィア、メンフィスで開催された科学や医学の学会、またアトランティックシティで開かれた権威ある米国医師会の年次総会でも講演を行った。彼らのもとには、全米中から精神病の治療を求める何百通もの手紙が届いた。なかには、精神病以外の様々な病気を治してほしいという希望も混ざっていた。ある手紙の主は、喘息（ぜんそく）の原因になっている脳の部分を切り離してほしいとフリーマンに頼んできた。それからの40年間に、米国で２万件以上のロボトミー手術が行われた。そのうち、ウォルター・フリーマンは４０００件近くの手術を自ら担当した。

受け入れられた理由

現代の私たちから見れば、ロボトミー手術は残酷で、異常で、滑稽（こっけい）な手術に思える。ロボトミー手術は、カクテルになり（「フロンタル・ロボトミー（前頭葉切断術）」カクテルはアマレット、シャンボール、パイナップルジュースを混ぜて作る）、ことわざになり（トム・ウェイツの「ロボトミー手術よりもボトルで一杯やる方がいい（I'd rather have a bottle in front of me than a frontal lobotomy）」）、スローガンにも使われた（イラク戦争中に反対派がジョージ・W・ブッシュ大統領の写真の下に「私のロボトミー手術については私に聞いてくれ」と書いたTシャツを作った）。今でこそ、ロボトミー手術は、むちゃ、手足の枷（かせ）や、蛇の穴（訳注　まともな治療をしない精神病院のこと）、自白薬、骨相学の機械、穿頭（せんとう）（脳に穴を開けて悪霊を追い出そうとする古代の儀式）などと並んで、トンデモ医療の棚の隅で埃（ほこり）をかぶっている。それなのに、なぜ１９３０年代後半から１９７０年代の初めまでの間、ロボトミー手術はこれほど簡単に受け入れられ、あまつさえそれを求める人々まで現れたのだろうか？　その理由は３つある。

第一に、精神科医も、家族も、患者本人も、治療のしようがない精神病（最も一般的だったのは精神分裂病だった）を治療する手段を切に求めていたからだ。彼らは、どんな手段でもすがりつくしかなかった。他にましな選択肢はなかったからだ。

第二に、州立の精神病院はどこも患者であふれていた。1909年に15万9000人だった患者は、1940年には48万人に増加し、人口増加率の2倍の勢いで増えていた。1940年代から1950年代には、米国の入院患者のうち、精神病患者の数は、他のあらゆる病気の患者を合計した数とほぼ同じだった。ロボトミー手術によって、そんなどうしようもない状況を打開する素晴らしい道が開かれたのだ。

第三の理由は、州立病院のひどさにあった。1946年5月、『ライフ』誌に「1946年版ベドラム（訳注　ベドラムとは環境の劣悪さと患者への虐待で有名だった英国の精神病院の名前）」と題して掲載された記事で、状況の悲惨さが紹介された。患者は暴力をふるわれ、放置され、衣服はろくに与えられず、暗く湿った地下牢のようなクッション壁の病室に入れられ、数週間も拘束服を着せられたまま自由を奪われ、垂れ流しの排泄物の中に身を横たえさせられた。施設は「ベルゲン・ベルゼン強制収容所」を彷彿とさせた。病院スタッフは、地元の刑務所から連れてこられた、何の知識もない一時雇いばかりのことも多く、男女を問わず患者のレイプが発生し、ときには患者が殺されることもあった。病院なのに、医師はどこにも見当たらない。医師は患者250人につき1人しかいなかった。

ロボトミー手術がただ受け入れられただけでなく、進んで行われるようになったもう一つの理由は、ボルチモアの学会でマンハッタンの精神科医ジョセフ・ウォルティスが、フリーマンのロボトミー手術は単に患者に「ショックを与えて」正常な状態を取り戻させているだけだと発言したことにあったかもしれない。1940年代の米国では、患者にショックを与えて病気の状態から抜け出させようとする方法が精神病治療の主流だった。ロボトミー手術は、それまでに精神科医たちが行ってきたことに比べれば、それほどひどい行為とは言えなかったようだ。

ショック療法

ショック療法が始まったのは、中世だ。精神病の患者にショックを与えるため、医師たちは患者を水に放り込んで溺れる寸前まで放置したり、先に蛇の穴がある真っ暗な廊下を無理やり歩かせたりした。20世紀の初めには、同じような考え方に基づいた4種類の治療法が行われていたが、治療の様子を目にしたある人物によれば、どれもが「腕時計をハンマーで叩いて直そうとするに等しい」行為だったという。

1917年、ユリウス・ワーグナー・フォン・ヤウレック（訳注　オーストリアの医師）がマラリア療法を考案した。フォン・ヤウレックは、梅毒による麻痺と精神症状を起こした患者に、マラリア患者の血液を注射することで、病気を治療できる可能性があることを発見した。患者をマラリアにかからせる目的は、治療効果があると思われる41℃まで体温を上げることだった。この発見により、フォン・ヤウレックは1927年にノーベル医学賞を受賞した。これは、精神病の治療法に与えられた最初のノーベル賞だった。エガス・モニスは、ロボトミー手術の発明により、2番目の受賞者となった。これだけ聞けば、20世紀前半のノーベル賞には大した価値がなかったのではないかと勘繰る向きもあるだろう。しかし、フォン・ヤウレックのマラリア療法は、梅毒スピロヘータが引き起こす梅毒の患者に実際に効果を発揮した。実は梅毒スピロヘータは高温に弱い。患者の症状が改善すると、マラリアの治療薬キニーネが与えられた。マラリア療法の問題は、他にも多くの精神病治療に用いられてしまったことにある。もちろん、それらの病気にマラリア療法は何の効果ももたらさなかった。（驚いたことに、マラリア療法は現在も行われている。「慢性ライム病（訳注　皮膚の慢性紅斑を伴う関節炎で、一種のスピロヘータ感染が原因とされる）」にかかっていると信じる一部の米国人は、メキシコに渡ってマラリア原虫の注射を受けている）。

１９３０年、精神科医のマンフレート・ザーケルがインスリンショック療法を考え出した。ウィーンで働いていたザーケルは、モルヒネ中毒患者に多量のインスリンを誤って投与したが、このミスによって中毒が治ったことを発見した。彼はさらに15人の中毒患者でインスリン療法を試したが、本人の弁によれば、全員に同様の効果が得られたという。次に、彼は精神分裂病の患者に同じ治療法を試し、治癒率は88パーセントにのぼったと主張した。ザーケルのやり方を真似て、米国の患者にも大量インスリン投与が行われたが、量をどんどん増やしていったために、ついには患者が低血糖を起こして昏睡状態に陥るようになった。そこで、患者を死なせることなく昏睡状態を維持できるように、経鼻胃チューブを使って量を調整しながらブドウ糖を投与する措置がとられた。たいていの患者は、１カ月から２カ月の間、昏睡状態を保ち続けた。そして、大勢の患者が亡くなった。

１９３５年、ハンガリーの研究者ラディスラス・ジョセフ・メドゥナがメトラゾールショック療法を発明した。メトラゾール（一般名　ペンチレンテトラゾール）は痙攣を引き起こす薬だが、メドゥナは痙攣で精神分裂病を治療できると信じていた。彼は、４年間ベッドに寝たきりだった緊張型精神分裂病の患者をメトラゾールで治療すると、患者が起き上がり、自力で着替え、帽子をかぶって、歩いて病院を出て行ったと主張した。メドゥナはさらに10人の患者を治療し、同様の成果を挙げたと言われている。

1938年、あらゆるショック療法の極めつけとなるショック療法、電気ショック療法を発明したのは、イタリアのウーゴ・ツェルレッティだった。ツェルレッティは最初に、警察署の周辺をうろついていた精神分裂病の男にこの治療法を試した。彼は男の頭の両側に電極を取りつけて、スイッチを入れた。男の呼吸が止まり、顔は真っ青になり、永遠に続くかのような痙攣を起こし、やがて回復した。ツェルレッティは、このときを境として男がまともにふるまうようになったと主張した。電気ショック療法は、ショック療法のなかでも一番簡単で、最も一般的に行われるようになった。

1942年には、少なくとも7万5000人の精神病患者（ほとんどが精神分裂病だった）が何らかのショック療法を受けていた。現在でも、重度のうつ病の患者に対して電気ショック療法が行われることがあるが、それ以外のショック療法は姿を消した。ロボトミー手術が最初に米国で行われるようになった時点でライバルになったのは、ある精神科医に言わせれば「最後の手段」の治療法ばかりだった。

「ドライブスルー・ロボトミー」

ウォルター・フリーマンとジェームズ・ワッツが最初のロボトミー手術を行った1936年から1942年までの間に、米国でおよそ300件のロボトミー手術が実施された。1943年にはさらに300件が行われ、1947年までにさらに1000件の手術が行われた。1948年には2000件、1949年には5000件が行われた。1949年8月までに実施されたロボトミー手術は1万件以上にのぼった。ロボトミー手術のおよそ60パーセントは州立精神病院で行われたが、州立病院には女性よりも男性患者の方が多かったにもかかわらず、主な手術対象は女性患者だった。1951年末までに、フリーマンとワッツ、さらに彼らの指導を受けた医師たちが手がけたロボトミー手術の数は1万8000

件を突破した。うつを治すためにロボトミー手術を希望する中年女性、神経症を治療するために手術を望む大学生、問題行動をする子供を治したいと願う親など、手術の希望者は後を絶たなかった。

ロボトミー手術は絶大な人気を博したが、これほど急激に件数が増えたのは、ウォルター・フリーマンが手術のやり方を変えたためだ。新しい方法はとても手軽で、「ドライブスルー・ロボトミー」と呼ばれたのもうなずける。

1946年1月、フリーマンはサリー・イヨネスコにロボトミー手術を実施した。ただし、このときの手術を担当したのはジェームズ・ワッツではなく、フリーマン自身だった。フリーマンは手術室を使わず、診察室で手術を行った。彼は部屋の殺菌も、器具の消毒も行わなかった。全身麻酔は使わず、代わりに電気ショックで患者に麻酔をかけた（電気ショックは数分間なら患者の意識を消失させることができる）。頭蓋骨の横の皮膚を切開するためのメスも、穴を開けるための錐も使わなかった。彼が手術に使ったのは、キッチンの引き出しから持ち出してきた「ユーライン・アイス・カンパニー（Uline Ice Company）」の文字が入ったアイスピックだった。フリーマンは、サリー・イヨネスコの眼窩（がんか）上部の内側の骨にアイスピックを差し込んで、小さなハンマーで叩いて脳に約3インチ（7・6センチメートル）ほど入るようにし、そこで小刻みに動かした。次に、彼は反対の眼窩でも同じ手技を繰り返した。

フリーマンのアイスピックを使った新しいやり方は、それまで4時間かかっていたロボトミー手術を7分間で終わらせることができた。さらに、少なくともフリーマンによれば、正式な外科訓練を受けていなくても、誰でもできる手術だった。ジェームズ・ワッツは、この手術について何も知らされていなかった。ウォルター・フリーマンの診察室に入り、サリー・イヨネスコの顔面から突き出したアイスピックを目にして、ワッツは絶句した。彼は脳細胞を破壊するような手術は、脳を直接目で確認しながら施術できるように絶対に手術室で行うべきだと考えていた。そうでなければ、術者が誤って大脳動脈を傷つけ、患者が死に至るような脳出血を起こす可能性が高まる。この件をきっかけに、ワッツとフリーマンは袂（たもと）を分かつことになった。

アイスピックを使った新たな手術法を編み出したウォルター・フリーマンは、ロボトミー手術を手っ取り早い治療法として普及させるために動き出した。彼は、上着のポケットにアイスピックを入れて、車に飛び乗り、全米中で手術を実演して回った。興味があれば、誰でも手術を見学できた。フリーマンは、カリフォルニア、テキサス、アーカンソー、ミネソタ、オハイオ、ニューヨーク、ワシントン、ミズーリ、メリーランドの州立精神病院を回り、８万６０００マイル（13万８４００キロメートル）を超える距離を走破した。（彼は自分の車を「ロボトモバイル」と呼んでいた。）ウエストバージニア州のウェストン州立病院では、フリーマンは12日間で２２８人の患者を手術し、２時間15分で22人の手術をこなした。１人あたりの平均手術時間は６分だったことになる。その後でフリーマンは、23州55カ所の病院を訪問し、さらにカナダ、カリブ海沿岸諸国、南米の精神病院にも足を延ばした。フリーマンの娘は、父を「精神医学界のヘンリー・フォード」と呼んだ。

派手な演出を好むフリーマンは、ロボトミー手術に慣れると、両目の奥の前頭葉を同時に破壊する手術もこなせるようになった。１９４８年にフリーマンの手術を目撃した看護学生のパトリシア・デリアンは、「彼は、笑みを浮かべながら私たちの方を見ていました」と当時を振り返った。「サーカスの演技と見まがうばかりでした。彼は両手の動きをそろえて前後に動かし、左右の目の奥の脳をまったく同じように切り離しました。あまりに屈託がなく、陽気で『ハイ』な彼の様子に驚かされました」。（現在でも、ウォルター・フリーマンのアイスピック・ロボトミー手術を受けた患者たちの脳のＭＲＩやＣＴスキャンを読影した放射線科医たちが、他では見られないような脳の損傷に驚くことがあるという。）

恐ろしい副作用

１９５０年、フリーマンは著書『精神外科学』を書いた。著書のなかで、彼は数百件のロボトミー手術の予後について報告している。フリーマンは、自分の発明が州立精神病院にかかる米国の負担を軽くしただけでなく、大勢の不安症や神経症の国民を治したと結論づけた。しかし、フリーマンの本をよく読むと、彼の成功の判定基準がどれほど低かったかがわかる。

ロボトミー手術を受けてから最初の数週間は、ほぼすべての患者に同様の症状が現れた。彼らは「蝋（ろう）人形」のようにベッドに横たわったままで、床ずれを起こさないように訪問看護師や家族が時々体の向きを変えてやらなければならなかった。全員が周囲に著しく無関心だった。彼らにとっては、何もかもがどうでもいいようだった。さらに悪いことに、彼らからは礼儀という観念がすっかり失われていた。ある上品な夫人は、トイレと間違えてゴミ箱で排便した。別の患者は「スープ皿に嘔吐して、看護師が片づける前に皿の中のものを食べ始めた」という。だが、フリーマンが成功の判断基準としたのは、病棟で騒ぐことが少なくなり、以前に比べて扱いやすくなったかどうかであり、ほぼすべての患者がそれに該当した。彼は「外科的誘発小児期」なる言葉を作り出した。ロボトミー患者の約25パーセントは生涯この段階にとどまり、施設から出られなかった。再び騒ぐようになったために、２度、３度とロボトミー手術を繰り返し受けさせられた患者もいた。

ほとんどのロボトミー患者は退院して、家族のもとに戻ることができた。しかし、全員に精気がなく、無気力で、フリーマンによれば「自分に対する興味を失っていた」。患者の着替えは家族が手伝わなければならなかった。そして、ほとんどの患者は恥ずかしいと思う気持ちを失っていた。他人の前に裸のままで姿を現し、夕食の席では自分以外の皿からも取って食べ、湯船で「小さな子供のように」何時間も過ごし、「あたりに水をまき散らした」。患者たちはずけずけ物を言い、がまんができず、分別がなくなった。だが、どれも深刻にはとらえられていなかった。彼らは旅の途中で道に迷っているのだろう。ビクトリア時代の小説を愛読していたある女性は、手術後もそれらの本を読んでいたが、内容をさっぱり覚えていなかった。フリーマンは、このような患者たちが「家庭内の病人またはペットの程度に調整される」と説明した。それでも、彼はロボトミー手術が患者たちの不安症や神経症をほぼ完全に解消したと考えていた。

ロボトミー患者のなかには、家を出て働き始めた者もいたが、手術前と同じだけの仕事をこなすことはできなかった。教授は机の前に座っているばかりだった。レジ係は数字の区別がつかなかった。販売員は正しい額のお釣りを返せなかった。音楽家は演奏することはできたが、彼らの演奏は機械のようで、心が感じられなかった。仕事に戻ろうとした患者のほとんどは、クビになった。

さらに、ロボトミー手術には恐ろしい副作用があった。ジェームズ・ワッツが恐れたように、アイスピック・ロボトミー手術を受けた患者の１００人に３人は死亡した。たいていは、大脳動脈を傷つけて、手の施しようがない大出血を起こしたことが原因だった。さらに１００人に３人の患者は、手術後ずっと痙攣に悩まされた。便意や尿意をコントロールできなくなる者も多かった。特にひどかったのは、フリーマンが本で紹介した11人の手術を受けた子供たちのケースだ。なかにはたったの４才の子供もいて、11人のうち２人が脳出血により死亡した。

「歯を抜くのと変わらない」

ロボトミー手術の件数が増えるにつれ、多くの医師たちは批判的になっていった。ロボトミー手術は「医療サディズム」「損傷術」「部分安楽死」などと揶揄(やゆ)され、フリーマンは恐ろしい病を別の病気に変えているだけだという声も上がった。イェール大学の研究者で、エガス・モニスが初めて人間のロボトミー手術を行うきっかけを作ったジョン・フルトンは、フリーマンのアイスピック・ロボトミー手術のことを知って、こう言った。「アイスピックを使って診察室でロボトミー手術をしているというひどい話を聞いたが、どういうことだ？　私はつい先日カリフォルニアとミネソタに行ってきたばかりだが、どちらでもその話を聞いた。なぜショットガンを使わないんだ？　その方が手っ取り早いだろうに！」

これらの抗議の声にもかかわらず、米国医師会や米国精神医学会をはじめとする学術団体も、医学界も、倫理学会も、ロボトミー手術の反対に向けて動き出すことはなかった。さらに悪いことに、メディアは大衆に向けて間違った情報を流し続けた。全米中の新聞には「外科医のナイフが神経症患者に正気を取り戻させる」「歯を抜くのと変わらない」「外科手術の妙技が50人の錯乱した狂人を正気に戻す」といった見出しが日常的に踊った。１９４６年に発行された『アメリカン・ウィークリー』誌の漫画は、「オフィスのみんなにからかわれてばかりいる、臆病で内気で小柄な簿記係」がロボトミー手術を受けて、「社交的で誰とでもすぐ打ち解ける人間」に変身し、あらゆる相手にあらゆる商品を売って業界のヒーローになるという筋だった。

ロボトミー手術に関して最も大きな影響があった記事の一つが、１９４１年に『サタディ・イブニング・ポスト』紙に掲載された「心を作り変える」と題した記事だ。記事を書いたのは、『ニューヨーク・タイムズ』紙の編集者でもあったウァルデマー・ケンプフェルトだった。「米国には、かつて不安、被害妄想、自殺願望、強迫観念、優柔不断、神経の緊張を抱えていたが、新たな脳手術によってナイフで文字通り心の一部を切り取った男女が少なくとも200人はいるはずだ」。のちに、ウォルター・フリーマンは、メディアによる報道がなければ、ロボトミー手術がこれほど広く受け入れられることはなかったかもしれないと発言している。

ローズマリー・ケネディ

アイスピック・ロボトミー手術を発明したとき、ウォルター・フリーマンが目指していたのは、州立病院に重くのしかかっていた貧困者の治療費という財政的な負担を軽くすることだった。だが、フリーマンは富裕層や有名人にもロボトミー手術を施した。劇作家のテネシー・ウィリアムズが書いた戯曲『ガラスの動物園』や『去年の夏突然に』は彼の姉ローズをモデルにしているが、彼女もロボトミー手術を受けている。ビートニク詩人アレン・ギンズバーグの母親もそうだ。だが、フリーマンの手術を受けた患者のなかでも一番の有名人は、ローズマリー・ケネディだろう。ジョセフ・ケネディとローズ・ケネディの間に生まれ、兄はジョン・F・ケネディ米大統領、弟はロバート・F・ケネディ司法長官とテッド・ケネディ上院議員という家柄の女性だ。

ローズマリー・ケネディには軽度の精神遅滞が見られ、他の8人の兄弟姉妹に後れを取るようになった。身体的にも知的にも秀でた能力を誇る家族のなかで、ローズマリーは居心地の悪さを感じていた。しかし、もちろん彼女はまともだった。ロボトミー手術を受ける前のローズマリーは、付き添いもなしに海外旅行に出かけ、ヨットレースに出場し、苦労しながらも読み書きを勉強した。15才のときに彼女が父親に送った手紙にはこう書かれている。「パパを幸せにするためなら何でもするわ」。しかし、成長するにつれて、ローズマリーは怒りを抑えきれず、大声を出し、手をあげるといった行動が出てきた。現代であれば、ローズマリー・ケネディは軽度の精神遅滞の診断を受けて、作業療法と行動療法を受けることになっただろう。しかし、ジョセフ・ケネディにとって娘の行動は見過ごすことができないものだった。彼は、今後の自分や他の子供たちの政治活動が彼女のことで脅かされることを恐れた。ローズマリーを何とかしたいと考えたケネディは、娘をボストンの有名な神経科医のところに連れて行き、新しい手術について尋ねた。神経科医は、手術に反対した。軽度の精神遅滞では、ロボトミー手術を受ける理由にはならないというのが医師の見解だった。そこで、ケネディはウォルター・フリーマンに連絡を取り、フリーマンはローズマリーを「激越性うつ病」と診断した。フリーマンは、自分なら彼女を治せると確信していた。ジョセフ・ケネディは、自分の計画を妻には一切知らせなかった。

1941年11月、ウォルター・フリーマンはローズマリー・ケネディのロボトミー手術を行った。彼女はまだ23才だった。フリーマンはローズマリーの頭の両側に2個の穴を開け、ロボトミーナイフを差し込み、脳の切除箇所の数を決めるために彼女に数を数えさせ、歌を歌わせ、話をさせ、月の名前を挙げさせた。このような方法で、フリーマンはローズマリーの知的能力が失われないかどうかを判断しながら手術を進めた。しかし、フリーマンはやり過ぎた。最後となる4カ所目が切除された後で手術室から出てきたローズマリーは、身体も精神も損なわれていた。手術に立ち会った看護婦はこの結果に苦しみ、仕事を辞めた。

しかし、ジョセフ・ケネディは楽観的な見方を崩さなかった。彼は娘をニューヨークのビーコンにある私立精神病院のクレイグハウスに入院させた。なだらかな起伏のある郊外の380エーカー（約1・5平方キロメートル）の土地に建つクレイグハウスは、屋内プール、ゴルフコース、家畜小屋、工芸センターを備え、高度な訓練を受けた医療スタッフがそろっていた。クレイグハウスで治療を受けると、現在の価値に換算して年間25万ドル（約２７００万円）の費用がかかった。数カ月間にわたる集中治療の結果、ローズマリーは歩けるまでに回復した。しかし、字を読むことはできなくなり、短い言葉しか発することができず、身の回りのことも自分ではできなかった。そして、友達と家族についてのすべての記憶をなくしていた。母のローズ・ケネディは家族の近況についての長い手紙を定期的に子供たちに送っていたが、ローズマリーに言及することはなかった。そして、20年間も娘を見舞うことすらしなかった。ジョセフ・ケネディは、のちにローズマリーをウィスコンシン州ジェファーソンのセント・コレッタ特殊学校に移し、死ぬまでの25年間、一度もローズマリーのもとを訪れることはなかった。２００５年にローズマリーが亡くなるまでに、彼女のところにやって来た家族は、ウィスコンシンでの遊説中に内密で立ち寄った兄のジョンただ一人だった。ローズ・ケネディはのちにこう書いている。「ローズマリーの悲劇が、私たちに降りかかった一連の悲劇の始まりだった」。

『カッコーの巣の上で』

20世紀半ばまでに、ロボトミー手術は米国の文化においても非常に重要な位置を占めるようになった。例えば、ロバート・ペン・ウォーレンの小説『すべての王の臣』（１９４６年）、テネシー・ウィリアムズの戯曲『去年の夏突然に』（１９５８年）、映画では『素晴らしき男』（１９６６年）、『猿の惑星』（１９６８年）、『時計じかけのオレンジ』（１９７１年）、『電子頭脳人間』（１９７４年）、『カッコーの巣の上で』（１９７５年）、『女優フランシス』（１９８２年）、『レポマン』（１９８４年）、『ホールインワン（日本未公開）』（２００４年）、『アサイラム　狂気の密室病棟』（２００８年）、音楽ではラモーンズの『ティーンエイジ・ロボトミー』（1977年）などにロボトミー手術が登場する。

ロボトミー手術に対する米国人の態度が徐々に変化したのは、これらの作品を見れば明らかだ。エリザベス・テイラーとキャサリン・ヘプバーンが主演した1959年の映画『去年の夏突然に』では、モンゴメリー・クリフトがロボトミー手術を行う医師を人間味のある人物として演じている。しかし、1970年代に入る頃には、ロボトミー手術に対する考え方も変わり、従わない相手を罰する手段として描かれるようになった。例えば、ケン・キージー原作の1975年の映画『カッコーの巣の上で』では、ジャック・ニコルソン演じる主役のランドル・パトリック・マクマーフィーが婦女暴行の罪に問われて有罪判決を受けるが、刑務所から逃れるために精神病を装う。精神病院では、看護師ラチェッドが薬や見せかけの治療セッションで従順な患者たちを支配していた。彼女に対抗するために、マクマーフィーは患者たちを集めて、立ち上がる。最後の対決でマクマーフィーはラチェッドを絞め殺そうとするが、結局はロボトミー手術により、廃人同様の惨めな姿にされてしまう。

2000年代の初めには、ロボトミー手術はもはや病院が患者をコントロールするための道具として描かれることはなくなり、ホラー映画に登場するようになった。2008年の『アサイラム　狂気の密室病棟』では、改装されたばかりの学生寮にやってきた6人の大学の新入生が、この建物が以前は精神病院だったことを知る。回想シーンには、ベッドに縛りつけられた少年、有刺鉄線でできた拘束服を着せられた少女、眼窩からアイスピックが突き出した少年、小型のハンマーを手にした高圧的な背の高い男などが登場する。この最後の人物が登場する場面が、おそらくは一番恐ろしい。なぜなら、この身の毛のよだつような恐ろしい場面は、現実に起こったことだからだ。そのような経験をした少年、ハワード・ダリーは、のちに自らの経験を本に書いた。ダリーのロボトミー手術を行ったのは、ウォルター・

フリーマンだった。『アサイラム　狂気の密室病棟』のような映画は、ある評論家に言わせれば、「外科医をホラー映画の登場人物にするには、私たちが彼らに抱く信頼をちょっと変化させるだけでいい」ことを示している。

最終的には非難されるようになったロボトミー手術だが、この手術を終焉(しゅうえん)に向かわせたのは向精神薬に他ならなかった。１９５４年、米国食品医薬品局は初の精神分裂病（現在は統合失調症に改称）の治療薬としてスミスクライン・アンド・フレンチ社のクロルプロマジンを承認した。この薬は、鎚(つち)を振り回し、人間を守る北欧の雷神トール（Thor）にちなんで、ソラジン（Thorazine）と名づけられた。ソラジンは確かな効き目を発揮し、精神分裂症患者の幻覚や妄想などが明らかに減った（ロボトミー手術にはできなかったことだ）。１９５５年には、抗うつ薬のトフラニール（一般名　イミプラミン）、精神安定剤のミルタウン（一般名　メプロバメート）が相次いで発売された。こうして、精神科医たちは心の痛みを和らげる薬を処方できるようになった。副作用が出たとしても、薬を止めれば元に戻る。一方の心を破壊する外科手術では、副作用を元に戻すことはできない。

激しいブーイング

ウォルター・フリーマンは医師として幸福な結末を迎えることはできなかった。ソラジンが発売された１９５４年、友人からパロアルト診療所（カリフォルニア州）への誘いを受けたフリーマンはジョージ・ワシントン大学を離れ、北カリフォルニアに移ることを決意した。フリーマンはジョージ・ワシントン大学医学部に自分を名誉教授にしてくれるように頼んだが、断られ、１年間の休職ののちに辞職する道を選んだ。

フリーマンがカリフォルニアに着くと、パロアルト診療所の医師たちは考え方を変えており、彼に対する風当たりは強かった。それでも、周辺地域にはロボトミー手術を実施できる診療所や病院がたくさんあった。1961年、ラングレー・ポーター診療所の大勢の神経科医と精神科医の前で、ウォルター・フリーマンは1958年から1960年にかけてロボトミー手術を行った7人の少年少女のうち3人を紹介した。彼は、その場に居合わせた医師たちに、彼が手術した患者がどれほどの能力を発揮できるのかを見せたいと考えていた。道化芝居の舞台監督よろしく、フリーマンは子供たちに自分たちが持つ知的能力や身体能力をみんなに見せるように促した。一人の少年の答えが遅れると、フリーマンは声を荒げた。その子は、いら立ちを隠さず、「僕だってせいいっぱいやってるんだよ!」と叫んだ。このやりとりは聴衆に好感を与えず、フリーマンに激しいブーイングが飛んだ。フリーマンは怒って、患者たちから受け取ったクリスマスカードの箱の中身をテーブルの上にぶちまけた。「あんたたちが患者からもらったクリスマスカードがどれだけあると言うんだ!?」と彼は怒鳴った。ウォルター・フリーマンは、今や尊敬を集める神経科医ではなく、厄介者になっていた。それでも、フリーマンは各地を巡ってロボトミー手術を行い、術者を養成しようとしていたが、手術のペースが落ちているのは明らかで、1965年に手がけた手術はわずか8件だった。

1967年、72才になったウォルター・フリーマンは最後のロボトミー手術を行った。患者の女性は脳出血で死亡し、彼は医師免許をはく奪された。

トランス・アレゲーニー精神病院

ウォルター・フリーマンは、自伝の最後に、いつの日にかウエストバージニアの病院が「ロボトミーの成功を記念する建造物」となることを望んでいることを明かした。彼がウエストバージニアを選んだのは、1950年代の初めにウェストン州立病院で自分が多数のロボトミー手術を行ったからだ。ある意味では、フリーマンの望みは叶っていた。

2008年、ウェストン州立病院はトランス・アレゲーニー精神病院という名前の観光名所に生まれ変わった。トランス・アレゲーニー精神病院は、テレビ局サイファイチャンネルの『ゴースト・ハンターズ』やトラベルチャンネルの『ゴースト・アドベンチャー』で紹介されたこともある。確かに、幽霊は出る。さまよい歩く幽霊は、ウォルター・フリーマンだ。精神病院の入口にはフリーマンの写真と、彼の功績について記した銘板が飾られている。「フリーマンは医学界から資質を問う声が出て、病院で診療できる免許を取り消された。彼は失ったものを取り戻すために残りの人生を費やし、全米各地を旅して過去に手術をした患者を突き止め、自分が彼らの人生をより良いものにしたことを証明しようとした。彼は1972年に大腸がんのため77才でこの世を去った。今日では、多くの人が、フリーマンは米国のメンゲレと呼べるほどひどい人間だったと考えている」。

ウォルター・フリーマンが望んでいた通りの記念建造物とはいかなかったわけだが。

手っ取り早い解決策には気をつけろ

ロボトミー手術の話から得られる教訓は、言うのは簡単だが、実行するのはとても難しい。**手っ取り早い解決策には気をつけろ**というのがその教訓だ。

娘の軽度の精神遅滞を何とかしたいと思ったジョセフ・P・ケネディは、ウォルター・フリーマンに相談し、フリーマンは簡単な解決策があるとケネディに話した。手術はたったの数分で終わり、全身麻酔も必要なく、娘を他の兄弟姉妹と同程度の精神年齢にまで回復させられるというのだ。ローズマリーを期待通りの水準にたどり着かせるために、ケネディが家庭教師や私立学校につぎ込んできた金も時間もまったくかからない。彼女に求められていたのは、手術用ナイフを一度だけ注意深く脳に入れることだけだった。ローズマリーのロボトミー手術を勧めたのが有名な外科医だったとはいえ、話がうますぎるように聞こえた理由は、その話がうますぎたからだ。ケネディがまともに考えてこのうまい話を疑っていれば、彼の娘は身体にも精神にも生涯にわたる重度の障害を負うことはなかったかもしれない。ケネディは、ロボトミー手術を受けた他の患者たちに会わせてもらえるように頼みさえすればよかった。しかし、彼はそうすることを望まなかった。彼は、奇跡を信じたかった。そのために、彼の娘は極めて大きな代償を払うことになった。大勢の患者とその家族も、やはりやっかいな精神病を5分の手術で治せることを信じたかったはずだ。

最後の章で見ていくが、自閉症の子供たちについては、手っ取り早い治療法の教訓は生かされていないようだ。

第6章

『沈黙の春』の功罪

現在の環境保護運動の生みの親である有名な自然を愛する作家が
書いた本が、ある殺虫剤の禁止に結びついた。
禁止法は環境活動家には歓迎されたが、
公衆衛生当局は状況を不安視した。
そして殺虫剤が禁止された結果、命を落とさなくてすんだはずの
数千万人の子供たちが犠牲になった。

ねえ、農家の人たち
DDTは今すぐ片づけて
リンゴに染みがあってもいい
だけど、鳥やハチを私に残して
お願いだから！

——ジョニ・ミッチェル、「ビッグ・イエロー・タクシー」

オルガ・ハッキンズは怒っていた。1958年1月29日、彼女はボストン・ヘラルド紙に一通の手紙を送った。

前年の夏、増え続けるマイマイガやテンマクケムシや蚊を殺すため、政府はペンシルベニア州、ニューヨーク州、そしてニューイングランド（訳注　メーン州、ニューハンプシャー州、バーモント州、マサチューセッツ州、ロードアイランド州、コネチカット州を合わせた地方）の広い範囲にDDTをまいた。マサチューセッツ州ダックスベリーの鳥類保護区の近くに住んでいたハッキンズは、次の日に起こった出来事を目にして恐怖に震え上がった。「私たちは翌朝、3羽の（コマツグミの）死骸を拾いました」と彼女は書いていた。「この鳥たちは、私たちのすぐそばに住み、私たちを信頼して、うちの木に毎年巣を作っていたのです。（中略）鳥たちはどれも、同じような恐ろしい死に方をしていました。彼らはくちばしを大きく開け、激しく苦悶するように開いた鉤爪（かぎづめ）を胸にまで引きつけていました」。

怒っていたのはハッキンズだけではなかった。多数の住民が散布の影響で具合が悪くなり、彼らもやはり手紙でそれを訴えた。衛生当局は頑として住民たちの主張を認めようとしなかった。しかし、オルガ・ハッキンズは黙っていなかった。彼女はボストン・ヘラルド紙に送付した手紙のコピーを友人のレイチェル・カーソンに送った。４年後、カーソンはこの事件を扱った本を出版した。『沈黙の春』と題され、殺虫剤の危険性を世に知らしめたこの本は、国際的なベストセラーとなった。この本を出版したことにより、カーソンは全米で放送されるテレビ番組に出演し、議会の公聴会に出席し、ジョン・F・ケネディ大統領、ウィリアム・O・ダグラス連邦最高裁判所判事、シンガーソングライターのジョニ・ミッチェルなど様々な人々から称賛を受け、カーソンは米国で最も有名で、最も影響力がある女性の一人になった。しかし残念ながら、レイチェル・カーソンは一つの悲劇的な過ちを犯した。

レイチェル・カーソン

レイチェル・ルイーズ・カーソンは、１９０７年５月27日にペンシルベニア州スプリングデールで三人兄弟の３番目として生まれた。父のロバートは電気技師や保険のセールスマン、夜間警備員などの職を転々としていた。母のマリアは、育児のために教職を辞めていた。

スプリングデールはにかわ工場と、さえない通りと、肉体労働者たちで知られる、貧しい町だった。しかし、マリアは子供だったレイチェルに自然の素晴らしさをたっぷり味わわせてくれた。子供たちと手をつないで近くの森や、果樹園や、原っぱを歩き回り、アレゲニー川のほとりを散歩しながら、マリアは周囲にあふれる生き物たちについて詳しく、生き生きと説明した。マリアは末っ子のレイチェルを溺愛し、大学に行っていた数年間をのぞけば、生涯娘のそばを離れなかった。何よりも、マリアはレイチェルに書くことを熱心に勧めた。

1922年、15才になったレイチェルが書いた記事が『セント・ニコラス』誌に掲載された。ここには未来の彼女の片鱗がうかがえる。飼い犬のパルとともに歩いた森を、カーソンは「荘重な静けさをさえぎるものといえば、さらさらと葉を揺らすそよ風と、『チェリー、ウィッチ、ウィッチェリー』という陽気なカオグロアメリカムシクイの鳴き声ばかりだ」と表現している。また彼女は、ムクドリモドキ、コリンウズラ、カッコー、ハチドリのさえずりについても愛情を込めて説明し、巣には「宝石のような4つの卵が入っている」と紹介した。カーソンは、薄汚れたスプリングデールの通りから遠く離れたこの場所に桃源郷を見ていた。ここは別天地であり、エデンの園だった。ここでは、彼女は自然の複雑さを全身で感じることができた。スプリングデールのにかわ工場が発するくさい臭いは遠ざかり、いつの間にか消えていた。

鮮烈なデビュー

1925年に高校を卒業すると、カーソンはピッツバーグにあるペンシルベニア女子大学（現在のチャタム大学）に進学した。マリアは週末ごとに娘のもとを訪れた。当初カーソンは英文学を専攻していたが、科学に強く惹かれ、植物学、動物学、組織学、微生物学、発生学のコースで学んだ。1929年、彼女は優秀な成績で大学を卒業した。その夏に、レイチェルはマサチューセッツ州の名門ウッズホール海洋生物学研究所の奨学金を得て夏季研修を受け、海に強く惹かれるようになった。彼女は、夜にボラの稚魚に遭遇した時のことについて次のように書いている。「急な流れに膝までつかって立っていた私は、涙のせいで素早く動く銀色の小さな生き物たちの姿がほとんど見えないほどだった。それが、水面の下に私の想像力が広がり始めた瞬間だった」。

１９２９年の秋に、カーソンはボルチモアにあるジョンズ・ホプキンス大学に進み、博士号の取得を目指すことにした。しかし、物事はすんなりとは運ばなかった。レイチェルは１９３２年にナマズの腎臓形成をテーマにした修士論文を提出したが、指導教授は彼女には科学者としての資質が欠けていると考えていた。指導者に見放された彼女が、それ以上の実験を行うことはなく、博士号を取ることもできなかった。

その後の数年間、カーソンは『ボルチモア・サン』紙や『リッチモンド・タイムズ』紙にノバ・スコシア沖のマグロ漁やチェサピーク湾のカキの養殖、ボルチモアでのホシムクドリの冬越し、フロリダ沖のサルガッソ海へのウナギの回遊についての記事を寄稿した。さらに、アメリカアカシカやソウゲンライチョウ、サケ、シャッド（ニシン科の魚）、野ガモのオオホシハジロ、カモシカの一種のプロングホーン、シロイワヤギ、ヘラジカ、クマなどの一部の生物種が、恐ろしく激減している様子についても綴った。カーソンの文章は暗さを増し、希少動物や絶滅が主なテーマになっていった。

１９３５年、レイチェル・カーソンはジョンズ・ホプキンス大学を退学し、メリーランド州カレッジパークの米国漁業局で現場助手として働くことになった。彼女の仕事は、パンフレットやプレスリリースを書くことだった。翌年、彼女は海洋学者見習いとして同局の常勤職員になった。そこで、彼女は『水中のロマンス』というラジオ番組向けの短い脚本を書いた。それから2年後、彼女は鮮烈な米国デビューを果たすことになる。

1937年9月、カーソンは『アトランティック・マンスリー』誌で「海の中」と題した記事を発表した。「エベレスト山の征服はすでに過去の出来事になった」と彼女は書いた。「しかし、探検家たちの旗が世界最高峰の山頂でなびき、凍りついた大陸の縁ではためいている今でも、広大な未知の領域がまだ残っている。それは水の中の世界だ」。ジュール・ヴェルヌの『海底二万里』をヒントに、彼女はこう続けている。「海は矛盾に満ちた場所だ。海には、体重2000ポンド（約900キログラム）の海の殺し屋、ホホジロザメや、世界最大の生物である体長100フィート（約30メートル）のシロナガスクジラが生息している。同時に、両手ですくうと天の川の星の数ほどたくさん手の中におさまるような小さい生き物も暮らしている」。カーソンは名前の欄に「R・L・カーソン」と署名していた。女性が書いた科学記事など、誰も読んでくれないに違いないと考えたからだ。

大手出版社サイモン&シュスターの編集者も「海の中」を読んで、いたく気に入り、カーソンに本を書くように勧めた。そして、1941年11月1日、レイチェル・カーソンは『潮風の下で』を上梓（じょうし）した。今回は作者名に自分のフルネームを使った。『潮風の下で』は大人向けの本だが、神秘や不思議を見つめる子供のような目線で書かれていた。この本では、北極圏からアルゼンチンに飛来する渡り鳥のミユビシギのシルバーバー、ニューイングランドから大陸棚まで旅するサバのスコンバー、産卵のために大勢の仲間がいるサルガッソ海まで泳いだアメリカウナギのアンギラの物語が語られている。「ここには詩のような趣きがある」と一人の評論家は評した。

その後も、この本には続々と評価が寄せられた。『ニューヨーク・タイムズ』紙は、カーソンの本を「美しい、特別な本、激しい生存競争を息をのむような迫力で描いている」と表現した。『ニューヨーカー』誌、『クリスチャン・サイエンス・モニター』紙、『ニューヨーク・ヘラルド・トリビューン』紙、

『ニューヨーク・タイムズ・ブック・レビュー』誌も彼女の本をほめちぎった。しかし、時期が悪かった。本が出版されてから1カ月後に、日本による真珠湾攻撃が行われ、米国人の関心は戦争に集中した。1942年6月までに売れた本の数は1200部に満たず、カーソンが手にした印税は689ドル17セントだった。「世界はこの本を見事なまでに冷淡に受け取った」と彼女は嘆いた。

カーソンは、本の売上が振るわなかったのが第二次世界大戦のせいだとは考えなかった。サイモン＆シュスターの広報担当者が本をしっかり宣伝しなかったせいだと思っていたからだ。彼女は契約の解除を申し出て、その後二度とこの会社から本を出すことはなかった。プライベートな面ではこのような挫折を経験しながらも、勤め先の漁業局（その頃には魚類野生生物局と名前を改めていた）では彼女の評価は高まり続けた。1949年には、カーソンはあらゆる科学出版物の編集責任者になっていた。

『われらをめぐる海』

1951年7月2日、オックスフォード大学出版局からカーソンの2冊目の著書『われらをめぐる海』が出版された。出版の1カ月前に、『ニューヨーカー』誌に本の一部抜粋が掲載された。これには圧倒的な反響があった。雑誌の発刊以来最多の手紙が編集部に寄せられた。カーソンは一躍有名人の仲間入りを果たした。辛口で知られるラジオパーソナリティーのウォルター・ウィンチェルでさえも、カーソンの新刊を読むことを自分がどれほど楽しみにしているかを語った。

『われらをめぐる海』の出だしは、聖書の創世記のように始まる。「地を覆う緑がどこにも見当たらない、すべてがむき出しの岩でできた大陸を想像せよ。（中略）石だらけの土地、吹き荒れる雨風の音以外は何も聞こえない、沈黙の地を想像せよ。生き物の声は聞こえず、地表を動くのは雲の影ばかりでしかない」。

『ニューヨーク・ヘラルド・トリビューン』紙は『われらをめぐる海』を「今の時代で最も美しい一冊」と呼んだ。セオドア・ルーズベルトの娘は、自分がこれまで読んだ本のなかで最高の作品だと言った。発売から3週間後に、『われらをめぐる海』は『ニューヨーク・タイムズ』紙のベストセラーリストでトール・ヘイエルダールの『コン・ティキ号探検記』、ハーマン・ウォークの『ケイン号の叛乱』、ジェームズ・ジョーンズの『地上より永遠に』、J・D・サリンジャーの『ライ麦畑でつかまえて』に続く5位にはいった。9月に『われらをめぐる海』は1位に浮上し、39週間にわたってその座を維持し続け、記録を打ち立てた。11月までに売上は10万部を突破し、翌年3月には20万部を超えた。ブック・オブ・ザ・マンス・クラブでもこの本が選ばれ、『リーダーズ・ダイジェスト』誌に要約版が掲載された。毎週4000部の本が売れていた。最終的に『われらをめぐる海』は130万部を売り上げ、32カ国語に翻訳された。

やがてハリウッドからも声がかかり、『われらをめぐる海』は映画化された。『タワーリング・インフェルノ』『ポセイドン・アドベンチャー』『スウォーム』『原子力潜水艦シービュー号』『宇宙家族ロビンソン』などのテレビシリーズや映画で有名なパニック映画の巨匠、アーウィン・アレンが監督した映画版『われらをめぐる海』はアカデミー賞の最優秀長編ドキュメンタリー映画賞を受賞した。カーソンはこの映画がまったく気に入らなかった。映画のために行われた、大げさで中身のない宣伝もすべて気に食わなかった。ジャック・クストーからカリプソ号の航海に誘われたときも、彼女は誘いを断った（訳注　海洋学者のクストーは、カリプソ号という調査船を使ってドキュメンタリー映画を制作していた）。

カーソンは世間の注目を浴びることを良しとしなかったが、その後も米国で最も権威のある文学賞といわれる全米図書賞をはじめとする賞の受賞は続いた。米国の大手新聞社の編集者による投票で決定される「ウーマン・オブ・ザ・イヤー」にもカーソンが選ばれた。

名声に続いて、大金も転がり込んできた。『われらをめぐる海』が出版される前にオックスフォード大学出版局からカーソンに支払われた前金は1000ドルだった。出版後に『ニューヨーカー』誌での連載により7200ドル、『リーダーズ・ダイジェスト』誌の要約版により1万ドル、重版に伴う印税2万ドル、他にも映画会社RKOから映画化権として2万ドルを受け取り、彼女の手元に入った金額の合計は年俸の4倍以上にのぼった。経済的な安定を得たカーソンは魚類野生生物局を辞め、専業作家になった。金銭面では『われらをめぐる海』は途方もない成功をおさめたが、カーソンは満足していなかった。彼女は、オックスフォード大学出版局による本の宣伝がまだ足りないと信じていた（しかし、彼らは『ニューヨーク・タイムズ』『ニューヨーク・ヘラルド・トリビューン』『シカゴ・トリビューン』の各紙に全面広告を出していた）。

残念ながら、レイチェル・カーソンの名声は長続きしなかった。『われらをめぐる海』を執筆した時点で43才だったカーソンは、胸から2個の小さなしこりを取る手術をした。病理医は切除されたしこりは良性だと診断したが、この診断にはのちに疑問符がつくことになった。

『海辺』

1955年10月、レイチェル・カーソンは気軽な冒険に出かけたい人のための案内書、『海辺』を出版した。再び、本は『ニューヨーカー』誌で連載され、評論家たちに高く評価され（「カーソンはこの知性的な素晴らしい本でまたやってくれた」）、人々は本を買い求めた（7万部以上が売れて、『ニューヨーク・タイムズ』紙のベストセラーリストでいきなり4位を獲得した）が、出版元のホートン・ミフリン社が2万ドル以上の広告費をかけたにもかかわらず、カーソンは今回も宣伝が足りないと主張し、売上の数字を嘆いた。

博士号もなく、研究機関にも所属していなかったにもかかわらず、次の本を出す直前の1960年代初頭にはすでにレイチェル・カーソンは米国で最も有名なサイエンス・ライターになっていた。大衆に愛され、メディアに信頼され、政府からも一目置かれていた。

1962年、レイチェル・カーソンは『沈黙の春』を発表した。彼女は、激しい怒りを抱え、殺虫剤――特にDDT（訳注　代表的な有機塩素系殺虫剤）と呼ばれていた農薬――を徹底的に阻止しようと立ち向かう論客となっていた。E・B・ホワイト（訳注　児童文学で人気の米国作家）を引用した最初のページから、『沈黙の春』が曖昧な表現を使おうとしていないことがはっきりと伝わってくる。「私は人類について悲観している」とホワイトは書いている。「なぜなら、人間は自分たちのために知恵を働かせすぎるからだ。私たちのやり方は、自然を力づくで従わせようとしている。私たちの方がこの惑星に合わせて生活し、懐疑的になったり、横暴にふるまう代わりに、自然の良さを認めていけば、私たちが生き延びられるチャンスは広がるはずだ」。

「明日のための寓話」と題された第1章は、平和な描写から始まる。「かつて、米国の奥深くにひとつの町があった。そこでは、あらゆる生物が周囲と調和しながら生きていた」。町には、「豊かな農場と穀物畑、それに果樹園の丘」があった。町は、「緑の野原の上に白い花の雲がたなびく」場所だった。町は、「鳥たちが多く、種類も豊富なことで有名だった」。しかし、遠くから暗い影がしのびよってきた。「それから、異変が一帯を襲い、すべてが変わり始めた（中略）ニワトリの群れに謎の病気が広がり

（中略）ウシやヒツジの具合が悪くなって、死んだ（中略）道端には（中略）まるで焼き払われたかのように茶色くなってしおれた草木が並んだ。（中略）小川に生命の気配はなく（中略）あらゆる場所に死の影がさしていた」。特に、この奇妙な災厄の犠牲になったのは、鳥たちだった。「鳥たちは（中略）どこへ行ってしまったのだろう？　裏庭のえさ場にやって来るものはなく、どこかで見かけるわずかな数の鳥は死にかけていた。彼らは激しく体を震わせ、飛ぶことができなかった」。かつて町では「夜明けとともにコマツグミ、ネコマネドリ、ハト、カケス、ミソサザイをはじめとするいろんな種類の鳥たちの声が響き渡っていたが、今では聞こえる音もなく、沈黙があたりを支配している」。沈黙の春だ。犠牲になったのは、鳥たちだけではない。カーソンによれば、子供の先天性異常や肝臓病、白血病が増えたという。さらに、女性たちは不妊に悩まされた。「説明のつかない突然死が何件も起こっている」とカーソンは書いている。「大人ばかりではない。遊んでいるときに突然具合が悪くなり、数時間後に死んでしまう子供たちもいた」。

カーソンは冒頭で、自分が書いているのは、架空の物語ではないとはっきり述べた。彼女は、本当に起こった出来事を語っているのだ。「実際に多数の地域がこの問題に苦しんでいる」と彼女は語る。「知らず知らずのうちに、不気味なお化けが私たちのもとへと忍び寄ってきている」。グリム童話のような文章で綴られた『沈黙の春』は、殺虫剤について取り上げた本だ。さらに悪いことに、あらゆる努力にもかかわらず、虫たちは攻撃を食い止め、以前よりも力を増し、食欲旺盛になっている。それに対して人間は、単に薬剤を増やして対抗していたようだ。１９４７年から１９６０年にかけて、合成殺虫剤の生産量は1億２４００万ポンド（約５６００万キログラム）から6億３８００万ポンド（約2億９０００万キログラム）にまで増えた。レイチェル・カーソンに言わせれば、人間が自然に対して仕掛けた戦いは、自分たち自身との戦いになってしまった。

米国農務省は、『沈黙の春』が出版される数年前から(水質汚染を理由に)DDTの使用に若干の制限をかけていたが、カーソンの本は最終的に地上から殺虫剤をなくそうという運動に火をつけた。

『沈黙の春』

『沈黙の春』が出版される1カ月前の1962年8月29日、ジョン・F・ケネディ米大統領は記者会見に姿を現した。その席で一人の記者から質問が出た。「大統領、科学者の間ではDDTをはじめとする殺虫剤を広範囲に使用することで、長期的に危険な副作用が発生する可能性を懸念する声が高まっているようですが、農務省や公衆衛生局にこの問題を詳しく調査するように指示するお考えはありますか?」「ある」とケネディは答えた。「私は、すでにそのような問題が存在することを承知している。そうだな、もちろん、ミス・カーソンの本でこの問題を扱っているからだと思うね」。カーソンの本は、出版前であるにもかかわらず、すでに影響力を発揮していた。ケネディは、その年の夏に『ニューヨーカー』誌で3回にわたって連載されていた抜粋記事で情報をつかんでいた。

本に注目していたのは、ケネディ大統領だけではなかった。出版の直前に、多数の新聞や雑誌が彼女の本の書評を掲載した。おおむね、どれもが好意的な書き方だった。科学記者のウォルター・サリバンは、「新作で(レイチェル・カーソンは)私たちをものすごく怖がらせようとしているが、その試みはかなり成功している」と書いた。

発売から2週間で『沈黙の春』の売上は6万5000部に達した。

それから2週間後の1962年10月、ブック・オブ・ザ・マンス・クラブはさらに15万部を売り上げた。連邦最高裁判所判事のウィリアム・O・ダグラスが「人類にとって最も重要な今世紀の文学」と推薦したことも少なからず影響したようだ。

クリスマスの時期には、『沈黙の春』は『ニューヨーク・タイムズ』のベストセラーリストで1位を獲得し、31週間にわたってトップを維持し続けた。本が売れたのは、米国内だけではなかった。『沈黙の春』は22カ国語に翻訳されて国際的なベストセラーとなり、「現代の世界に最も強い影響力を持つ本」といわれるようになった。のちに、『ニューヨーク・タイムズ』紙とニューヨーク公共図書館は、20世紀の最も重要な本100冊のうちの1冊に『沈黙の春』を選んだ。

カーソンは、環境活動の第一人者になっていった。『沈黙の春』の出版から1カ月後、ジェーン・ハワードという記者が雑誌『ライフ』で「穏やかな嵐の中心：『沈黙の春』の冷静な評価」と題した記事でカーソンを特集した。ハワードはカーソンを「手ごわい相手」と呼び、新たに出現した強力なムーブメントのリーダーに仕立て上げた。カーソンの考えは違っていた。彼女は米国の禁酒運動のリーダーとして有名だった女性の名前を持ち出し、「私はキャリー・ネイションのような運動を始めるつもりはない」と言った。「私が本を書いたのは、私たちが知っているような自然を知るチャンスを次世代から奪う、重大な危機が迫っていると考えたからだ。もし私たちが自然を守らなければ、取り返しのつかない打撃を受けることになる」。また、ハワードは、カーソンをフェミニストの先駆けに祭り上げようともしていた。再び、カーソンは反論した。「女性が何をしようが、男性が何をしようが、そんなことに興味はない」と彼女は言った。「私が関心を持っているのは、人間が何をしたかだ」。

本の出版から2カ月後、『60ミニッツ』の前身の人気テレビ番組『CBSレポート』の司会のエリック・セバレイドがレイチェル・カーソンにインタビューした。1962年11月の2日間にわたってセバレイドとカーソンは対談した。このときのカーソンは、1年5カ月後に彼女の命を奪うことになる、転移性乳がんに侵されていた。やせ衰え、放射線治療のために髪が抜けていることを隠すために黒髪の重いかつらをかぶったカーソンは、理路整然と話を進めた。しかし、彼女の病は誰の目にも明らかだった。インタビューが終わり、番組の放送が数カ月先になると聞いたセバレイドはプロデューサーのジェイ・マクマレンに向かって言った。「ジェイ、その頃には主役は亡くなっているよ」。

レイチェル・カーソンが転移性乳がんで死去する1年前の1963年4月3日、CBSレポートは「レイチェル・カーソンの沈黙の春」を放送した。番組は、ロバート・H・ホワイト=スティーブンスという権威ある科学者とカーソンを対立させる図式で構成されていた。番組を見ていたほとんどの米国人は、カーソンが彼女の「毒の本」を手にして、甲高い声で世間をあっと言わせるような主張をして過激にふるまい、一方の白衣をまとったホワイト=スティーブンスが落ち着いた声で論理的な主張を冷静に展開するだろうと予想していた。何といっても、時代は1960年代の初めだった。まだ女性科学者などほとんどいなかった頃だ。番組は大方の予想を裏切る形で進行した。「ミス・カーソンの教えに忠実に従うなら」と誇張表現をふんだんに織り交ぜながら、ホワイト=スティーブンスは話した。「我々は暗黒時代に逆戻りし、虫や病気や害獣が再び地上に引き継がれていくことになるでしょうな」。

一方のカーソンは、辛抱強く、冷静だった。「私たちは、殺虫剤の長所を聞かされてきました」と彼女は語った。「私たちは殺虫剤の安全性についてたくさん聞かされてきました。ですが、その有害性や問題点、効率の悪さについてはほとんど聞いたことがありません。そして、いまだに市民はこれらの化学薬品を受け入れることを求められ、これらの使用を黙認するよう求められ、全貌はわからないままです。ですから、私はそのバランスを取り戻そうとしたのです」。最後の一言を放ったのは、ホワイト=

スティーブンスではなく、カーソンだった。「私たちは、いまだに征服という観点から話をしています」と彼女は言った。「私たちは、自分たちが広大なとてつもない宇宙のごく一部に過ぎないと考えられるほど成熟した段階にまだ来ていません。私たちは人類が過去に経験したことのない形で、私たちの成熟度と、自然相手ではなく、私たち自身に対する私たちの統制力が試されているのではないかと私は思います」。1500万人の米国人がCBSレポートを見ていた。レイチェル・カーソンは社会現象になった。数週間後、カーソンは情報番組『トゥデイ』に登場し、さらに数百万人の米国人に殺虫剤の危険性について警告する機会を得た。

CBSレポートの放送後に、ヒューバート・ハンフリー上院議員（民主党・ミネソタ州選出）は、殺虫剤を含む環境有害因子に関する議会審査の実施を政府運営委員会に要請した。1963年5月15日、レイチェル・カーソンは重要証人として委員会に招致された。論点となったのは、殺虫剤使用について政府による監督をより包括的にするかどうかではなく、どこの機関がそれをするかという点だった。殺虫剤の使用は、食品医薬品局、農務省、内務省、保健教育福祉省が主導権を奪い合いながら進めてきた。カーソンがマイクの前に座ると、委員会の議長を務めていたエイブラハム・リビコフ上院議員（民主党・コネチカット州選出）は身を乗り出した。「あなたがすべてを始めたレディですな！」カーソンが証言を終えると、アーネスト・グリューニング上院議員（民主党・アラスカ州選出）が『沈黙の春』は「歴史の流れを変える」だろうと予言した。リビコフ委員会の2日後に、カーソンは商務省に現れ、殺虫剤の使用を監視する「殺虫剤委員会」の設置を要望した。10年後、カーソンの「殺虫剤委員会」は環境保護庁となった。

レイチェル・カーソンは有名になり、顔が知られ、引っ張りだこになった。朝は漫画『ピーナッツ』

に登場し、午後にはホワイトハウスに電話をかけるというのも当たり前の日常だった。（漫画『ピーナッツ』では、少女のルーシーがピアノを弾く少年シュローダーに話しかける。「レイチェル・カーソンは、月ができた頃には、まだ地球上に海はなかったって言っているのよ」とルーシーは言う。「レイチェル・カーソン！　レイチェル・カーソン！　レイチェル・カーソン！」とシュローダーは悲鳴を上げる。「君はいつもレイチェル・カーソンの話ばっかりだ！」「私たち女の子にはヒロインが必要なのよ」とルーシーが言い返す。）

『沈黙の春』の出版から死を迎えるまでの1年半の間に、レイチェル・カーソンは、アイザック・ウォルトン・リーグ・オブ・アメリカ（訳注　野外レクリエーションのための環境保護団体）から保全賞を、全米オーデュボン協会（訳注　野鳥保護から始まった自然・環境保護団体）からオーデュボン・メダルを、米地理学協会からカラム地理学メダルを、動物福祉研究所からシュバイツァー・メダルを、女性全米図書協会からは良心ある女性賞を、全米野生生物連盟からは年間保護活動家賞を受賞した。のちに、女性はわずか4人しか選ばれたことがない米国芸術文学アカデミーの会員にも彼女は選ばれ、文学界に金字塔を打ち立てたことが示された。

レイチェル・カーソンの影響は、1964年に彼女が死去した後も長く続いた。17年後の1981年、カーソンは大統領自由勲章を受賞した。その20年後に、地球温暖化をテーマにした映画『不都合な真実』で旋風を巻き起こしたアル・ゴアは、「環境運動の生みの親」に敬意を表した。「『沈黙の春』は、荒野に響く叫び声となった」とゴアは言った。「ここに込められた思い、徹底的な調査、鮮やかに描き出された主張は歴史の流れを変えた。この本がなければ、環境運動が誕生するまでにもっと長い時間がかかったか、生まれることすらなかったかもしれない」。

今となっては、40才以下の人々の多くはレイチェル・カーソンという名前を聞いたことがないかもしれない。しかし、1960年代の初めには、彼女の名前を知らない人はいないほどだったのだ。

絶対的な女神

ハリエット・ビーチャー・ストウの『アンクル・トムの小屋』は奴隷制廃止の法制化を、アプトン・シンクレアの『ジャングル』は食品医薬品法の成立を、レイチェル・カーソンの『沈黙の春』は環境法の整備を実現させた。

レイチェル・カーソンの死去から6年がたった1970年1月1日、リチャード・ニクソン米大統領は国家環境政策法に署名し、「環境のための10年間が始まろうとしている」と宣言した。さらに国会は、環境諮問(しもん)委員会の設置、環境保護庁と労働安全衛生局の設立、大気浄化法、水質浄化法、殺虫剤・殺菌剤・殺鼠剤(さっそざい)法、安全飲料水法、環境農薬管理法、有害物質規制法、絶滅危惧種保護法の制定と立て続けに動いた。

1970年4月22日、数百万人の米国人と、数千万人の世界中の人々が最初の国連アースデイ（地球の日）を祝った。自然保護活動は環境保護活動に変わっていった。シエラクラブ（1892年設立）、全米オーデュボン協会（1905年設立）、世界自然保護基金（1947年設立）、ネイチャー・コンサーバンシー（1951年設立）などの自然保護団体は、自然の資源を守り、国立公園の整備を進めることを目的としていた。クリーン・ウォーター・アクションや天然資源保護協議会などの新たに登場した環境団体は性格が異なり、活動により熱心で、対立を恐れず、寛容さにやや欠けていた。彼らは汚染に反対し、空気と水をきれいにすることを目指した。そこでは善人と悪者がいた。化学産業などの悪者は、もはやただではすまなかった。レイチェル・カーソンの本をきっかけに誕生したこれらの新興団体は、以前からあった団体を恐れさせた。最初のアースデイに自然保護団体の姿は一切なかった。

一通りの騒ぎが落ち着いた頃には、レイチェル・カーソンは英雄視され、歴史を変えた彼女の本が出版されてからわずか50年の間に本格化した運動の絶対的な女神に祭り上げられていた。一人の信奉者は次のように書いている。「レイチェル・カーソンと言えば『沈黙の春』の著者であることを私たちは思い浮かべるが、彼女は現代の環境活動の生みの母であり、世界を揺り動かしたストーリーを届けたメッセンジャーでもある。実際のレイチェル・カーソンは、そんなレイチェル・カーソンを知らない。（中略）私たちが世界を理解できるように照らし出す光をいつまでも与えてくれる偉大なる私たちのカーソンに出会う前に、本物のカーソンは亡くなってしまった」。

レイチェル・カーソンの『沈黙の春』は、見境のない殺虫剤の使用に長すぎるほどの長きにわたって光を当てたが、問題がなかったわけではない。『沈黙の春』を気に入らない人々もいた。

作家の間からも批判の声が上がった。『タイム』誌は、カーソンの誇張しがちな傾向を非難した。「科学者や医師たち、それに専門知識を持った人々も、『沈黙の春』には衝撃をうけるはずだ。ただし、別の理由で。彼らは、ミス・カーソンのぞっとするような事例の説明のうまさを評価するだろうが、この事例は公平性に欠け、一方的で、ヒステリックなまでに強調されていると考えるだろう。あちこちに散見される恐ろしい一般化の多くは、どう考えても信用できない」。

さらに、予想にたがわず化学業界からも批判がきた。当時、クロルデン、ヘプタクロル、エンドリンなどの殺虫剤を製造していた世界最大手メーカーのベルシコルは、『沈黙の春』を出版したホートン・ミフリン社を名誉棄損で訴えると脅してきた。しかし、数カ月後にミシシッピ川の下流域で500万匹の腹を上にした魚が浮かび、ベルシコルは訴訟どころではなくなった。原因は、ベルシコルの処理工場から大量のエンドリン汚染物が排出されたことだった。

このような批判や脅しは、予想の範囲内だったが、一カ所だけ、予想外のところから反対の声が出た。ルーサー・テリー米公衆衛生局長官だ。テリーは、DDTが毒物と同一視され、人々を死に追いやる大きないくつかの要因に対抗できる強力な武器を失うことを恐れていた。彼が心配するのには理由があった。

DDT

DDTには、長く豊かな歴史がある。

1874年、ドイツのストラスブルグ大学の大学院生だったオトマール・ツァイドラーは博士論文を書くために新物質の作製に取り組んでいた。彼は、抱水クロラールに硫酸(りゅうさん)を加えて、クロロベンゼンと反応させた。そうして得られた化合物がDDT（ジクロロジフェニルトリクロロエタン）だ。ツァイドラーはDDTの性質については調べなかった。彼にとっては、性質などどうでもよかった。彼はただ、新物質を作りたかっただけであり、それに成功したおかげで彼は学校を卒業できた。その結果、DDTは65年間も棚の上で眠っていた。

1939年、スイス・バーゼルのJ・R・ガイギー社の社員だったパウル・ミュラーは、衣類を傷めることなく、衣類につくガを退治する方法を研究していた。そんなとき、ミュラーは偶然ツァイドラーのDDT製法を見つけた。発見したものに彼は驚いた。DDTはガを殺すだけでなく、ハエや蚊、ノミ、ダニなど世界で非常に恐れられていたいくつもの病気を媒介する虫に対しても効果を発揮したのだ。さらに良いことに、ＤＤＴの殺虫効果は数ヵ月間持続するようだった。

やがて、第二次世界大戦が始まった。戦争は病気を蔓延させることが知られていたため、Ｊ・Ｒ・ガイギー社はドイツ枢軸軍と連合軍の両方にＤＤＴの製造法を提供した。ドイツ軍はこれを相手にしなかった。米軍や英軍は違った。米国で最初にＤＤＴの大量生産に乗り出したのは、シンシナティ化学工業だった。すぐに、他の米国企業14社と、イギリス企業数社も生産を始めた。生産はこの上ない最高のタイミングで行われたことになる。その理由は、発疹チフスにあった。

発疹チフスは、コロモジラミが媒介して感染が広がる。病原菌の発疹チフスリケッチア（Rickettsia prowazekii）は、発見者であるハワード・リケッツと、スタニスラブ・フォン・プロヴァーゼクという2人の研究者にちなんで命名された（2人はともにこの病気で命を落とした）。発疹チフスの病原菌を持ったシラミは、皮膚の上に糞をする。その後で激しいかゆみが生じ、菌が皮膚から血管に侵入し、悪寒、発熱、頭痛、発疹を引き起こし、昏睡や死に至る。第二次世界大戦中は、戦闘よりも発疹チフスによる死者の方が多かった。

１９４４年1月、ＤＤＴは大規模な発疹チフスの流行が発生していたイタリアのナポリで初めて使われた。連合軍はシラミ駆除所を設け、毎日7万２０００人のイタリア国民にＤＤＴを吹きつけた。全部で１３０万人以上がこの処理を受けた。３週間のうちに、流行は収まった。１９４４年末までに、1ヵ月のＤＤＴの生産量は１００万ポンド（約45万キログラム）を超えた。新たな武器を手にした防疫官たちは数百万人の兵士にＤＤＴの粉末をまぶし、兵舎にも噴霧し、海軍の上陸前には島全体に薬をまいた。１９４５年には、ＤＤＴの生産量は年間３６００万ポンド（約１６００万キログラム）に達した。ドイツ軍や日本軍はＤＤＴを使用しなかったため、ＤＤＴは連合軍の勝利を助けたのではないかという説もある。

ＤＤＴは、強制収容所を生き延びた人々のシラミ退治にも使われた。ベルゲン・ベルゼン強制収容所にまつわる一つのドラマチックな話がある。１９４５年に解放された時点で、この収容所では2万人以上の収容者が発疹チフスに感染していた。イギリス軍が収容所を開放して最初にやったのは、生存者にＤＤＴを吹きつけることだったが、ほとんどの収容者は効果に半信半疑だった。ある収容者はこう回想する。「病院に入院して2日目か3日目に、私たちは初めて殺虫剤ＤＤＴに出会った。イギリス軍の兵士たちが薬の入った噴霧器を持って病室に入ってきたとき、私たち全員がばかにしたような目で彼らを見た。こんなただの白い粉を使って、何百万匹ものシラミを全部殺すつもりなのか?!　しかし、私たちの目の前で、奇跡のようなことが起こり始めた。ゆっくりとだが、ひっきりなしに続いていた、膿（うみ）と潰瘍（かいよう）のできた皮膚にひどい痛みをもたらすかゆみが消え始めた。このときの安堵の気持ちが、自分たちが本当に解放されたという実感をようやく与えてくれた」。（ベルゲン・ベルゼン収容所の解放がもっと早ければ、そこに収容されていたアンネ・フランクも発疹チフスで命を落とさずにすんだかもしれない。）

１９４８年、公衆衛生におけるＤＤＴの効果を実証したとして、パウル・ミュラーはノーベル医学生理学賞を受賞した。

マラリア

発疹チフスも命にかかわる怖い病気だが、これまでどんな病気よりも数多くの人々の命を奪い、これからも奪い続けようとしている感染症――マラリアとは比べものにならない。ハマダラカに刺され、マラリア原虫が肝臓や血液中に侵入することで感染するマラリアは、高熱、強い悪寒、出血、見当識障害を引き起こし、やがて死に至る。レイチェル・カーソンが『沈黙の春』を出版した１９６２年の時点で、マラリアを抑え込むための最大の武器はキニーネやクロロキンなどの治療薬でも、蚊よけ網（蚊帳の類い）や沼池の水抜きなどの環境対策でもなかった。マラリアと戦うための、最も効果が高く、最も安上がりな最高の武器は、何といってもＤＤＴだった。散布計画が実施されると、南アフリカのマラリアの患者数は１９４５年の１１７７７人から１９５１年には61人に激減し、１９４０年代半ばに１００万人以上の患者がいた台湾は１９６９年には患者がわずか９人になり、１９４６年に７万５０００人がマラリアに罹患していたイタリアのサルデーニャも１９５１年には患者が５人になった。

マラリアは、米国でも身近な病気だった。１９００年代の初めには、毎年１００万人以上の米国人がマラリアに感染していた。住環境の改善や、生活水準の向上、蚊の発生地での対策などによっても確かに病気の発生を減らすことはできたが、ＤＤＴの散布は、特に農村部で絶大な効果があった。ＭＣＷＡ（戦争地域マラリア対策）による計画の一環として、１９４５年１月から１９４７年９月までの間に米国南東部の３００万軒以上の住宅で散布が行われた。１９５２年、米国はようやくマラリアの根絶を宣言した。（ジョージア州アトランタを本拠とするＭＣＷＡ当局は、名称を疾病管理センターに変更した。）

１９５５年、世界保健総会は、世界保健機関（ＷＨＯ）にＤＤＴを使用した世界マラリア根絶計画に着手するよう指示した。根絶計画が実行に移された１９５９年の時点で、すでに３００万人以上がＤＤＴにより命を救われていた。１９６０年までに、マラリアは11カ国で根絶された。マラリアの罹患率が下がるにつれ、平均余命が延び、作物の生産量が増え、土地の価格も上昇して、人々は相対的に豊かになっていった。おそらくWHOの計画によって最も大きな恩恵を享受したのは、1960年に散布が開始されたネパールだろう。当時のネパールでは、200万人以上がマラリアに罹患し、主な患者は子供たちだった。1968年には、患者数は2500人まで減った。マラリア対策が開始される前のネパールの平均寿命は28才だったが、1970年には42才になった。

蚊が媒介する病気はマラリアばかりではない。DDTにより、黄熱(おうねつ)やデング熱の発生も大幅に減少した。さらにDDTは、ネズミに寄生して発疹熱を媒介したり、プレーリードッグやジリスに寄生してペストを媒介したりするノミにも効果があった。これらすべての病気が多くの国で事実上根絶できたことを踏まえて、米国科学アカデミーが1970年に行った試算によれば、DDTは5億人の命を救ったと推定された。DDTは、歴史上のどんな化学薬品よりもたくさんの命を救ったといっても過言ではないだろう。

DDTの使用を禁止

環境保護活動家たちは、そんなふうには考えなかった。レイチェル・カーソンの『沈黙の春』をきっかけに、彼らはDDTの全面禁止を目標に定めた。1969年にウィスコンシン州とアリゾナ州でDDTが禁止され、同様に禁止されたミシガン州では地元の新聞に正式な死亡記事が掲載された。「DDT氏が死去。95才。持続性農薬で、かつては人道的活動に従事していた。第二次世界大戦で最も活躍した英雄の一人であると考えられていたDDTだったが、作家レイチェル・カーソンにより殺人の嫌疑がかけられ、その名声は色あせていった。長きにわたる闘病ののち、ミシガン州で6月27日に死去。遺された家族は、ディルドリン、アルドリン、エンドリン、クロルデン、ヘプタクロル、リンデン、トキサフェン。献花は無用」。皮肉なことに、禁止されなかった化学物質はどれもＤＤＴよりもはるかに人体に有害なものばかりだった。

殺虫剤に対する国民の不安が高まっていることを感じ取ったリチャード・ニクソン大統領は、１９７０年末までに米国でＤＤＴを禁止することを約束したが、ＤＤＴに匹敵するほどの効果がある代用品はないというのが農務省の見解だった。１９７２年、新設された環境保護庁の初代長官ウィリアム・ラッケルスハウスが、米州保健機構、世界保健機関（ＷＨＯ）、および多数の米国内の公衆衛生関係者の強い反対を押し切って米国でのＤＤＴの使用を禁止した。他の国々も追随した。公衆衛生当局は、まもなく起ころうとしている最悪の事態を予見し、ＤＤＴの生産国に生産を続けるように要請した。しかし、もう遅かった。環境団体の圧力を受けて、１９７０年代半ばには国際ＤＤＴプログラムへの支援はなくなった。

『沈黙の春』に触発されたこれらの動きは、蚊をＤＤＴの脅威から救った。しかし、人々は蚊の脅威から子供たちを救うことはできなかった。

最も恥ずべき出来事

ＤＤＴを足がかりとして、米国は泥沼から抜け出した。ハマダラカはいなくなり、人々がマラリアにかかる心配はなくなった。それから、環境保護の名目で、米国は自分たちが脱出に使った足場をしまい込み、途上国には役に立たない生物戦略や、高くて買えない抗マラリア薬だけを残した。

環境保護庁が米国でＤＤＴを禁止した１９７２年以降、５０００万人がマラリアで命を落とした。そのほとんどは、５才未満の子供たちだった。

『沈黙の春』の影響は、枚挙にいとまがない。

インドでは、1952年から1962年の間に行われたDDT散布により、年間のマラリア発生件数は1億件から6万件に減少した。しかし、DDTが使用できなくなった1970年代後半には600万件に増加した。

スリランカでは、DDTを使用する前は280万人がマラリアに罹患していた。散布をやめた1964年には、マラリアにかかった患者はわずか17人だった。その後、DDTを使用できなくなった1968年から1970年の間に、スリランカではマラリアの大流行が発生し、150万人がマラリアに感染した。

1997年にDDTの使用が禁止された南アフリカでは、マラリア患者は8500人から4万2000人に、マラリアによる死者は22人から320人に増加した。

最終的に、99の国でマラリアは根絶され、ほとんどの国で根絶のためにDDTが使用された。「DDTの禁止は、20世紀の米国において最も恥ずべき出来事の一つだった」と作家のマイケル・クライトンは書いている。「私たちには多くの知識があったのに、そんなことはお構いなしに、世界中の人々が死ぬにまかせ、気にもとめなかった」。

環境保護活動家たちは、DDTの禁止は究極のジレンマだと主張する。DDTが禁止されれば、マラリアで死ぬ人が増える。しかし、DDTが禁止されなければ、白血病や各種のがんをはじめとする様々な病気にかかり、死ぬ人が出るだろう。この論法には、一つの誤りがある。『沈黙の春』でカーソンが警告したにもかかわらず、ヨーロッパ、カナダ、米国の研究により、DDTは肝臓病や早産、先天性異常、白血病、あるいは彼女の主張にあった他の病気の原因にはならないことが示された。DDTの使用期間中に増加した唯一のがんは肺がんだったが、これは喫煙が原因だった。何といっても、DDTはそれまでに発明されたなかでは最も安全な害虫対策だった。他の多くの殺虫剤に比べれば、はるかに安全性が高かった。

それでも、環境活動家たちは、人間が地球で唯一の生物ではなく、他の多くの生物種と共存しているのだと訴えた。彼らに対する責任は私たちにはないというのか？『沈黙の春』の極めつきの皮肉は、レイチェル・カーソンが人間の健康に対するDDTの影響を誇張しただけでなく、動物の健康に対する影響も誇張していたことだ。

証拠はなかった

当初、レイチェル・カーソンは本の題名を『自然に逆らう人間』にするつもりでいた。しかし、出版担当者のマリー・ロデルは、それでは詩的な響きが足りないと考えた。そこで、ロデルはカーソンにイギリスのロマン派の詩人ジョン・キーツの詩「つれなき美女」の一節を紹介した。「湖のスゲは枯れ果てた／そして鳥は歌わない」。こうして『沈黙の春』という題名が生まれた。カーソンの言わんとすることははっきりしていた。DDTは鳥たちを殺している。

だが、彼女の主張をはっきりと裏づける証拠はなかった。

毎年、冬になると、全米オーデュボン協会はクリスマス・バード・カウント（訳注　クリスマス期の鳥数調査）を実施している。DDTが登場する前の1941年から、DDTが少なくとも10年間使用された後の1960年にかけて、少なくとも26種類の鳥についてカウントが行われた。その結果、すべての種類で鳥の数は増えていた。『沈黙の春』で、カーソンはホシムクドリ、コマツグミ、マキバドリ、ショウジョウコウカンチョウなどが被害をこうむった特定の事例ばかりに注目している。しかし実際のところ、少なくともクリスマス・バード・カウントの結果を見る限りでは、どの鳥の数も約5倍に増えていた。

米国の強さと自由の象徴でもあるハクトウワシも、ＤＤＴの標的になった。カーソンはこう書いている。「コマツグミ以外にも、同じように絶滅の危機に瀕している米国の鳥がいるように思われる。それは、国の象徴にもなっているハクトウワシだ。その数はこの10年間で驚くほど減少した」。その証拠として、カーソンはフロリダの西海岸に暮らす引退した銀行家チャールズ・ブロリーによる、タンパとフォートマイヤーズの間でハクトウワシの巣の数が減少しているという観察所見を引用した。カーソンが言及しなかった事実もある。ハクトウワシが減少したのはＤＤＴが使用される前（１９４０年以前）であり、原因は生息環境の破壊と、スポーツとしての狩猟や家畜を守るためにハンターたちによって殺されたためだ。事実、ＤＤＴが最も多用されていた時期にあたる１９３９年から１９６１年の間は、ハクトウワシの数が増えていることがクリスマス・バード・カウントによって示されている。その理由は、１９４０年に制定されたハクトウワシ保護法で狩猟や捕獲、およびワシを殺すことが禁止されたからだ。ＤＤＴが禁止されるまでの10年間で、ハクトウワシのつがいは倍増した。

ＤＤＴが最も多用されていた時期に鳥の数が増えたことは、偶然の一致ではない。ＤＤＴには、マラリア、ニューカッスル病、脳炎、リケッチア症、気管支炎など虫が媒介する様々な病気から鳥たちを守れるという利点があり、さらに、作物の害虫が減るために、鳥のえさとなる種や果実がたっぷり実ったことも理由に挙げられる。

レイチェル・カーソンは全米オーデュボン協会の会員で、毎年行われるクリスマス・バード・カウントにも参加していた。だから、彼女が鳥の数の変化について知らなかったはずはない。にもかかわらず、カーソンはこのデータを取り上げないことを選んだ。『沈黙の春』のなかで、レイチェル・カーソンは、鳥の数が減少した理由として生息環境の破壊、採卵、狩猟などには一切言及していない。これでは殺虫剤は魔女狩りにあったも同然だ。「『沈黙の春』は、1960年代の読者たちだけでなく、現代の読者たちでさえ、その詩的な文体と描写に心を動かされるが、この本が散文に重きをおき、科学を軽く扱っていることを科学者たちは見逃さない」とドナルド・ロバーツらは著書『素晴らしき粉：DDTの政治史および科学史』で書いている。「化学や自然界の研究者や学生たちは、病害対策のための法律や政策やグローバル戦略の策定において『沈黙の春』がどのようにして科学の出番を奪うことになるか、想像もつかなかったに違いない」。

政治的判断

1970年代の初めに環境保護庁がDDTを禁止したときにはすでに、DDTが人間の病気を引き起こすかどうか、あるいは野生生物に影響を与えるかどうかについて、多くの情報が明らかになっていた。このような情報は、非営利団体の環境防衛基金（EDF）が強い働きかけで実現させた公聴会で明らかになった。国民や報道機関や政治家に、DDTがどれほど有害な物質であるかを知らしめることがEDFの目的だった。そのために、EDFは様々な環境活動家を呼んで、自分たちにとって都合の良い話をさせた。公衆衛生当局側もやられっぱなしではいなかった。彼らも化学、毒性学、農学、環境衛生学の専門家を招いた。

公聴会は8カ月間にわたって続き、125人の証言者が呼ばれ、365件の証拠が提出され、作成された記録書は9312ページに及んだ。公聴会の最後に、審査官のエドワード・スウィーニーが結論を下した。「DDTに、人間に対する（がんの原因となるような）変異原性や（先天性異常を引き起こすような）催奇形性はない。ここで話し合われたような登録条件下でのDDTの使用は、淡水魚、河口生物、野鳥、その他の野生生物に有害な影響を与えることはない。（EDFは）十分に立証責任を果たしたとはいえず、本件で定義される必要不可欠な使用においては、DDTを継続的に使用する必要性が認められる」。新設されたばかりの環境保護庁の長官、ウィリアム・ラッケルスハウスは、一度も公聴会に出席しなかった。公聴会が終了した後も、彼は報告書に一切目を通さなかった。そのまま、ラッケルスハウスは1972年6月2日に一方的なDDTの禁止に踏み切った。これは世論に配慮した、政治的判断だった。そして、これをきっかけに国際的なDDT反対運動に火がつき、結果として世界中でDDTが禁止された。

　化学業界はこのような動きも意に介さないようだった。DDTは農業に使われる数多くの殺虫剤の一つに過ぎない。そして、農業市場は公衆衛生市場に比べればはるかにもうけが大きい。今や、DDTの代わりとなる、価格がもっと高くて、さらに人体にとってはるかに有害な薬剤はいくらでもあった。いろいろな意味で、レイチェル・カーソンは重要な警鐘を鳴らした。人間はもっと自分たちが環境に与える影響を注視する必要があると言ったのは、彼女が初めてだった。（実際に、気候変動は人為的な活動が直接的に招いた結果だ。）DDTが環境に蓄積される可能性を最初に警告したのも彼女だった。（DDTの散布が中止された後でも、DDTとその副産物は生態系全般に残り続けた。）そして、生物学的なやり方で虫を駆除することはトータルで考えれば益になるのではないかという彼女の予想は正しかった。（『沈黙の春』の出版から何十年も経ってから、バチルス・チューリンゲンシス（Bacillus thuringiensis israelensis）という蚊の幼虫を殺す細菌がマラリア根絶計画で使用されるようになった。）残念ながら、レイチェル・カーソンは少々やり過ぎた。DDTは小児白血病などの病気を引き起こす、少し前まで元気だった子供が数時間後には死ぬこともあると主張したことで、彼女は人々をひどくおびえさせてしまった。レイチェル・カーソンは科学者だと自称していたが、結局のところ、そうではなかった。彼女は自分の偏った意見に合うように真実を捻じ曲げる論客だった。

エデンの園は存在しない

『沈黙の春』が成功を収めた理由は、情緒豊かに強い説得力で、読者の心に訴えかけたことだろう。しかし、この本が絶大な影響を及ぼしたのには、もう一つ理由がある。『沈黙の春』は聖書のような構成で、人間が創造主に逆らっているという私たちの思いに訴えかけてくる。

話は、エデンの園から始まる。「かつて、米国の奥深くに、ひとつの町があった。そこでは、あらゆる生物が周囲と調和しながら生きていた」。しかし、人間は善悪の知識の木からとって食べ、経済的発展という偽りの神をあがめ、天国を崩壊させた。その結果、「死の影が人と地に降りかかった」。こうして、人間はエデンの園を追われ、あらゆる病気に悩まされながら乾ききった土地であくせく働かなければならなくなった。

本当のところは、レイチェル・カーソンが描いたエデンの園は実際には存在しなかった。さらに言えば、自然界の均衡が完全に保たれ続けることはありえない。自然は常に流動的に変化し続け、カオスのような状態にある。母なる自然は、母なる存在ではないというのが、まぎれもない真実だ。自然は私たちを殺す力を持っているし、私たちが戦わなければ、自然に殺されることもある。「（カーソンは）昔の米国を舞台とした架空の村でのこの上なく幸福な生活をノスタルジックに描いた。そこは、すべてが自然と調和しながら均衡を保ち、どこまでも幸福で満ち足りている場所だ」と一人の科学者は書いている。「だが、彼女が描いたのは幻想だ。彼女が描写した理想の村は、おそらくは住民の寿命は35才前後、100人の子供が生まれても5才までに20人以上が亡くなり、産褥熱（さんじょくねつ）や結核で20代のうちに亡くなる母親も多く、夏の間に主要な農作物が十分にとれなければ凍てついた長く暗い冬の間に孤立した土地で飢えに悩まされ、住居に害虫がはびこり、汚物がそこかしこに散らばっているという現実によって、容赦なく打ち砕かれたはずだ。（中略）人間が自然の均衡の一部となって、生きていくことがやっとだった時代に時計の針が戻ることを期待するほど彼女が甘い考えを持っていたはずはない」。

環境科学者で『変貌する大地』の著者でもあるウィリアム・クロノンは、カーソンが主張する結論は筋が通らないと言う。「人類が地球上で自然に生きることを望むなら、残された唯一の道は、荒野のエデンでの狩猟採集生活に戻り、文明が私たちに与えてくれるほとんどすべてのものを捨てることだという結論にたどり着くのは難しくない。私たちが介入したことが原因で自然が死ぬのなら、自然を救うために残された唯一の道は、人類が滅びることとしかない」。生物学者のI・L・ボールドウィンも同じような主張をしている。「現代農業、現代の公衆衛生、さらに現代文明は、自然本来の均衡への回帰に対する絶え間のない戦いなくしては存在しえなかった」。カーソンは、まったくそんなふうには考えず、実在しない世界にこだわり続けた。「原始的な農業が行われていた環境では、虫に悩まされることは少なかった」と彼女は書いているが、初期の農耕社会が虫によって媒介される病気や虫が原因の飢饉にしょっちゅう苦しめられていたという事実は省かれている。

方向転換

２００６年、ＷＨＯは過ちに気がつき、ＤＤＴに対する立場を変えた。政治的圧力に屈した製品の全面的な禁止から方向転換したのだ。9月15日に、世界マラリア計画の責任者、古知新博士が新たな方針を発表した。「私はスタッフにも、世界中のマラリアの専門家にもこう尋ねた。『私たちはこの病気と戦うために、使える限りのあらゆる武器を使っているのか？』と。そうではないことがはっきりしつつある。マラリアに対抗できる、強力な武器の一つが配備されないままになっている。年間１００万人近くの（主にアフリカにいる）子供たちの命を救うための戦いにおいて、世界は屋内に殺虫剤、特にジクロロジフェニルトリクロロエタン、すなわちＤＤＴと呼ばれる非常に高い効果のある殺虫剤をまくことをためらっている」。自然保護団体のシエラクラブは古知を支持した。農薬行動ネットワークは賛同しなかった。

30年以上にわたり、マラリアの流行が繰り返される国々で、この命を救う化学物質は禁止されてきた。それに代わる薬剤はあり、その一部は使われていたが、ＤＤＴほど安価で、持続性に優れ、効果の高い殺虫剤は他になかった。結果として、本来なら死なずにすんだはずの数百万人が命を落とし、そのほとんどは子供たちだった。

カーソンの支持者は、このような批判があることを知っている。彼らは、カーソンがもう少し長く生きていれば、ＤＤＴの禁止を推進することはなかっただろうと主張する。実際に『沈黙の春』でカーソンは次のように書いている。「合成殺虫剤を絶対に使うべきでないと私は言っているわけではない」。しかし、ＤＤＴが白血病、肝臓病、先天性異常、早産、あらゆる慢性の病の原因になると主張したのは彼女だ。影響力のある作家がＤＤＴが白血病（１９６２年の時点では死刑宣告に等しかった）を引き起こすと主張するのはあってはならないことだったが、一方で事態がＤＤＴの全面禁止にとどまらないことまでは予測できなかったのだろう。

「問題は、文明が自滅することなく、あるいは文明と呼ばれる権利を失うことなく、生き物との絶え間ない戦いを続けられるのかどうかということだ」とレイチェル・カーソンは『沈黙の春』で書いている。『50年目の沈黙の春：レイチェル・カーソンの偽物の危機』の共著者であるロジャー・メイナース（訳注　法・経済学者）は彼女の主張にこう反論する。「この大仰な問いかけは、もう一つの問いを示唆している。万が一にも悪い結果を招く可能性があるという理由で、飢餓や病気を減らせる新技術を停滞させる――いるかどうかわからない草むらの中の鳥のために、目の前で生きている鳥を見殺しにするような――文明は、果たして文明と呼ばれる権利を持っているのかどうかという問いだ」。

用心することにも用心を

レイチェル・カーソンと、ＤＤＴの禁止から得られる教訓は、繰り返しになるが、**データがすべて**ということになる。しかし、ここでは2つの新たな教訓も示唆されている。

環境保護庁でＤＤＴの禁止が検討されたとき、彼らの手元には2種類のデータがあり、どちらを選ぶこともできた。一つは、化学、毒性学、農学、環境衛生学の専門家１００人以上によって作成され、数百のグラフや図が入った９０００ページにおよぶ報告書だ。この報告書では、ＤＤＴによって鳥や魚が死ぬことはなく、人間の慢性疾患の原因にもならないと結論づけられている。うんざりするほど退屈ではあるが、内容は正確だ。

もう一つの根拠は、1冊の本だった。レイチェル・カーソンの『沈黙の春』だ。文章は美しく、聖書のような語り口で胸を打つ物語が語られている。ただし、専門家による報告書とは違って、データにはあまり触れず、具体的なエピソードにページの多くを割いている。例えば、DDTが原因でハクトウワシが死んだことの証拠として、カーソンはバードウォッチングを趣味にしていたフロリダの元銀行家の目撃談を挙げている。最終的に、環境保護庁はデータではなく、恐怖と誤解に基づいてDDTの禁止を決定した。

カーソンの話には、もう一つの教訓がある。16世紀のスイスの医師で哲学者だったパラケルススは、「**量次第で薬は毒にもなる**」と言った。レイチェル・カーソンが『沈黙の春』を書いて1960年代の人々に訴えかけたとき、自然回帰思想を支持したのは若く情熱にあふれる、社会意識の強い活動家たちだった。人為的な活動が環境を破壊するという、カーソンの基本的な前提は正しかった。現代の私たちが、地球に人間が与える影響をはっきり意識するようになったのは、レイチェル・カーソンのおかげだ。しかし残念ながら、カーソンはゼロ・トレランス（ゼロ容認）という概念も誕生させた。濃度や量に関係なく有害物質は一切認めず、全面的に禁止すべきだという考え方だ。（農業で使用されるような）大量のDDTが有害な可能性があるなら、（蚊に刺されないようにするための）ごく少量の使用も避けるべきだということになる。ある意味では、レイチェル・カーソンは予防原則の最初の提唱者であったといえるかもしれない。しかし、最終章のがん検診プログラムの例で出てくるように、**用心することにも用心が必要だ。**

第7章

ノーベル賞受賞者の蹉跌

ノーベル賞を後ろ盾にした米国の化学者が、
宣伝文句の定番に「抗酸化」を仲間入りさせた。
彼のアドバイスに従った人々は、がんと心臓病のリスクを高めた。
さらに、ハワイで突然肝臓移植が必要になったり、
米国北東部で女性が男性化するという奇妙な症状が現れたりと、
現在にも悪影響を残している。

「痛手の先に立つのは驕り。つまづきに先立つのは高慢な霊」。

――旧約聖書・箴言16章18節

現代のビタミン製造業者が年間数十億ドルを売り上げる商売ができるのは、一人の男のおかげだ。その人物は、ノーベル賞を受賞した科学者で、自分の専門分野とはまったく畑違いの領域で、サプリメントでビタミンをたくさんとれば、健康に長生きできると世間に信じさせた。しかし実際のところは、がんと心臓病のリスクを高めるだけだった。

ライナス・ポーリング

ライナス・ポーリングは、天才だった。

1931年、ポーリングは米国化学会誌で「化学結合の本質」と題した論文を発表した。当時の化学界では、化学結合は2種類だとされていた。一つの原子が別の原子に電子を与えるイオン結合と、原子間で電子が共有される共有結合だ。ポーリングは、化学結合は必ずしもそのどちらかに分類されるわけではなく、中間的な結合も存在すると言った。これは、衝撃的なまったく新しい考え方だった。量子力学と化学が初めて一つになったのだ。ポーリングが提唱した化学結合モデルは、あまりに斬新で、あまりに時代の先を行っていたため、学会誌の編集者は査読を引き受けられそうな研究者を探すために苦労することになった。「私には難しすぎる」とアルベルト・アインシュタインは言った。

この一つの論文で、ライナス・ポーリングは米国で最も優れた化学者に贈られるラングミュア賞を受賞し、科学者同士で選出する、最高の栄誉である米国科学アカデミーの会員に選ばれ、科学・工学分野では世界最高峰のカリフォルニア工科大学の正教授に就任した。このときの彼は、弱冠30才だったが、これは始まりにすぎなかった。

1949年、ポーリングは『サイエンス』誌で「鎌状赤血球貧血症：分子病」という題名の論文を発表した。当時、激しい痛みを伴う鎌状赤血球症は、通常は丸くふっくらした円盤状の赤血球細胞が、細長い鎌のような形に変わるために起こることが知られていたが、なぜ赤血球がそのような形になるのかはわかっていなかった。ポーリングは、鎌状赤血球症の患者では、赤血球細胞に含まれ、肺から体中に酸素を運ぶヘモグロビン分子の電荷が通常とはやや異なることを示した。分子レベルで病気が解析されたのはこれが初めてであり、分子生物学という新たな分野が誕生するきっかけとなった。

1951年、ポーリングは米国科学アカデミー紀要で「たんぱく質の構造」と題した論文を発表した。このときもポーリングはアインシュタインの先を行き、たんぱく質は決まった構造に折りたたまれることを示した。論文が発表された当時、たんぱく質が鎖状に並ぶアミノ酸で構成されていることはわかっていたが、たんぱく質の三次元構造がどのような姿になっているのかは誰も知らなかった。しかし、ポーリングはその姿を明らかにすることができた。ポーリングが解明したたんぱく質構造の一つはαヘリックスと呼ばれるもので、ジェームズ・ワトソンとフランシス・クリックが生命の設計図であるDNA構造を思いつくヒントになった。

1954年、化学結合とたんぱく質の構造に関する研究が認められ、ライナス・ポーリングはノーベル化学賞を受賞した。

ポーリングは研究以外の活動にも精力的に取り組んでいた。1950年代から1960年代にかけて、ライナス・ポーリングは世界で最もよく知られた平和活動家の一人に数えられるまでになった。彼は原子爆弾の製造に反対し、政府の高官に原子核から放出される放射線が人間のDNAを傷つけることを認めさせた。彼の努力は、初めての核実験禁止条約という形で報われた。さらに、彼は2つ目のノーベル賞となる、ノーベル平和賞を受賞した。ライナス・ポーリングは、異なる分野で2つのノーベル賞を受賞した最初の（そして現時点では唯一の）人物となった。1961年、ポーリングは史上最も偉大な科学者の一人として『タイム』誌の表紙を飾った。

しかし、1960年代半ばに、ライナス・ポーリングの転落が始まった。

転落の始まり

ポーリングを知る人々にとっては、彼が厳密さに欠けることは周知の事実だった。最初に兆候が表れたのは、彼の科学研究だった。

1953年、ポーリングは米国科学アカデミー紀要誌で「推定される核酸の構造」と題した論文を発表した。ポーリングはDNAが三重らせん構造になっていると主張した。(それから1年も経たないうちに、ワトソンとクリックがかの有名な二重らせん構造モデルを提唱した。)これは、ポーリングが研究人生のなかで犯した最大の過ちだった。そして、周囲も彼の失敗に容赦しなかった。たんぱく質の構造を考えつくまでにポーリングは何十年もの時間をかけたが、DNAの構造はわずか数カ月で発表に踏み切った。ポーリングの妻、アバ・ヘレンは、のちにこんな感想を漏らした。「そんなに大事な問題だったのなら、どうしてもっとしっかり研究しなかったの?」ジェームズ・ワトソンはもっと辛辣(しんらつ)に、「大物研究者が大学生レベルの基礎化学を忘れていた」ことを知ったときの驚きを振り返っている。「学生がこんな間違いをしでかしたら、(ポーリングが教授を務めていた)カルテク(カリフォルニア工科大学の略称)の化学科で学ぶ資格はないと思われただろう」と彼は言う。

しかし、ライナス・ポーリングの底知れぬ転落が本格的に始まったのは、1966年3月のある日、彼が65才のときのことだった。ポーリングは、科学的功績により授与されたカール・ノイベルグ賞の授賞式に出席するためにニューヨーク市にいた。会話のなかでポーリングは、あと25年生きて、いくつかの科学研究の進展を見届けることが自分の唯一の望みだと話した。のちに、ポーリングはこう書いている。「私がカリフォルニアに戻ると、話をしていた場に居合わせた生化学者のアーウィン・ストーンから手紙が届いた。彼は3000ミリグラムのビタミンCを摂取するという自分が考案した健康法を実践すれば、25年どころか、もっと長生きできるだろうと書いてよこした」。

ポーリングはストーンの勧めに従って、所要量の10倍、20倍、300倍と服用するビタミンCの量を増やし、最終的には1日に1万8000ミリグラム(18グラム)を摂取していた。効果は表れた。ポーリングは、以前に比べて元気が出て、体調も気分もよくなったと言った。長年、悩まされていたひどい風邪にもかからなくなった。若返りの泉を見つけたと思い込んだライナス・ポーリングは、2度のノーベル賞受賞者という自分の地位を利用し、先頭に立ってビタミン大量摂取を勧めるメガビタミン療法を全米に広める活動に乗り出した。自分の限られた個人的な体験をもとに、ポーリングは精神疾患、肝炎、ポリオ、結核、髄膜炎、いぼ、脳卒中、潰瘍、腸チフス、赤痢、ハンセン病、骨折、高山病、放射線障害、ヘビにかまれた傷、ストレス、狂犬病、その他ありとあらゆる人間の病気に効くとして、メガビタミン療法と様々なサプリメント（栄養補助食品）を推奨した。療法にのめり込んでいたライナス・ポーリングは、間違いを指摘する研究結果がどんどん出てきたにもかかわらず、それらに目を向けようとしなかった。これこそが誰の目にも明らかな、彼の大きな過ちだった。

アーウィン・ストーン

ライナス・ポーリングと、アーウィン・ストーンの出会いは、米国のビタミン・サプリメントの大流行における歴史的な転換点だった。この2人はまったく正反対だったからこそ、より一層の効果が生まれたともいえる。ポーリングは、正統的な専門教育を受け、化学と物理学に精通していた。ポーリングは大らかにストーンを「生化学者」として扱ったが、彼はロサンゼルス・カイロプラクティック・カレッジで化学を2年ほど学んで名誉学位を与えられてはいたものの、博士号を取得したと称していたドンスバッハ大学とはカリフォルニア州の非公認の通信教育機関だった。ポーリングが固く閉ざされていた自然の秘密をいくつも明らかにすることができたのは、粘り強くきちんとした証拠――一流の科学雑誌で発表され、ノーベル賞受賞に値するような証拠――を追い求めたからだ。ストーンには科学者としての経歴はなく、医学誌や科学誌に論文を発表したこともなかった。ロサンゼルスであらゆる病気は背骨の歪みが原因だと教える教育課程を修了しただけだった。それでも、ポーリングはストーンの思いつきを、批判することなくそのまま受け入れた。

一日の所要量の５００倍

１９７０年、ライナス・ポーリングは初めての著書『ビタミンCとかぜ』を出版し、一日の所要量のおよそ５００倍にあたる３０００ミリグラムのビタミンCを毎日摂取するように呼びかけた。この本は、米国内でベストセラーになった。数年のうちに、５０００万人――米国人の４人に１人――以上がポーリングのアドバイスを実践するようになった。しかし、科学的な研究結果は、ポーリングの意見を裏づけてはいなかった。

ポーリングがビタミンCについての本を出版する約30年前の１９４２年、ミネソタ大学の研究グループが９８０人の風邪の患者を対象とした研究で、ビタミンCによって症状が軽減されることはないとする結果を『米国医師会雑誌』で発表していた。

ポーリングが本を出版し、人気を博したことから、メリーランド大学やトロント大学、オランダの研究者たちがボランティアの被験者に１日に２０００ミリグラム、３０００ミリグラム、３５００ミリグラムのビタミンCを摂取してもらい、風邪の予防や治療に役立つかどうかを調べる研究を行った。ここでも、ビタミンCの大量摂取による効果は認められなかった。

これらをはじめとする様々な研究結果を受けて、風邪の予防や治療を目的とするビタミンCの摂取を勧める医療機関や科学機関や公衆衛生機関はなくなった。残念ながら、動き始めた流れを止めることは難しかった。一度パンドラの箱が開いてしまえば、飛び出してきたものを中に戻すことはできない。一度米国の人々がビタミンCは奇跡の万能薬だと信じてしまえば、元に戻すことはできない。

そこでライナス・ポーリングはさらなる賭けに打って出た。ビタミンCはがんに効くと言い始めたのだ。

効果を確認できず

1971年、ポーリングはビタミンCを大量（一日の所要量を大幅に上回る量）に摂取すると、米国におけるがんの発生率を10パーセント減らせると書いた。6年後には、ポーリングはこの予測値を75パーセントに釣り上げた。みんなが自分の勧めに従ってビタミンCを摂取すれば、不死身に近い体になれる、これまで以上に長生きできるとポーリングは信じていた。彼は米国人の平均寿命が100年まで延び、いずれは150年まで延びると予測した。『ビタミンCとかぜ』と同じく、彼の本『がんとビタミンC』と『ポーリング博士の快適長寿学』はまたたくまにベストセラーになった。精力的な活動のおかげでライナス・ポーリングはメディアの寵児（ちょうじ）となり、がん患者たちも彼のアドバイスに耳を傾け始めた。ポーリングの影響力に圧倒された医師たちは、ポーリングが正しいのかどうかを見極めるため、事の推移を見守るしかなかった。

1979年、ミネソタ州ロチェスターの有名病院、メイヨー・クリニックのチャールズ・モーテルらのグループは150人のがん患者を対象とした研究を行った。患者の半数には毎日1万ミリグラム（一日当たりの栄養所要量のおよそ1500倍）のビタミンCが与えられ、残りの半数には与えられなかった。彼らは、『ニューイングランド医学ジャーナル』に「進行がん患者における高用量ビタミンC療法は効果を確認できず：比較対照試験」と題した論文を発表した。この題名がすべてを物語っている。ビタミンCに効果はなかった。ポーリングはひどく腹を立てた。モーテルのやり方には何か問題があったに違いない。やがて、ポーリングはモーテルの実験の問題点らしきものを見つけた。モーテルがビタミンCを投与した患者は、すでに化学療法を受けており、そのせいでビタミンCの驚くべき治癒効果が減じられたのではないかというわけだ。こうして、ポーリングは化学療法を受けていない患者に対してのみ、ビタミンCは効果を発揮すると信じるようになった。

ポーリングの主張に納得できないながらも、モーテルはビタミンCの実験を再びやるはめになった。今度は、化学療法を受けたことがない患者が対象になった。1985年、彼は『ニューイングランド医学ジャーナル』に2回目の研究結果を発表し、今回も違いは見られなかったことを示した。今度こそ、ポーリングは真剣に腹を立て、「意図的な不正と虚偽の情報の公開」をしたとしてモーテルを非難した。ポーリングはモーテルを相手に訴訟を起こすことも考えたが、弁護士の説得を受けて断念した。

ライナス・ポーリングは長い間、優秀で正しい人間として生きてきたため、自分が間違いを犯すなどとは想像もできなかった。本当に間違いを犯してからも、それを認めることができなかったのだ。伝記作家や他の研究者たちによれば、ポーリングの性格からして、彼の失敗は予想の範囲内だったようだ。「ライナス・ポーリングは、人のためになる活動は好きだが、人をあまり大切にしない典型的な人物だ」とポーリングの伝記を手がけたテッド・ゲーツェルとベン・ゲーツェルは書いている。「彼には、親しい友人はほとんどいなかった。政治的には、彼は自らが信ずる真実に向かって行動する活動家であり、他人の意見などは歯牙(しが)にもかけなかった」。ゲーツェルらと同じく、ポーリングの研究仲間で、やはりノーベル化学賞を受賞しているマックス・ペルーツは、ポーリングの画期的な研究成果を称えながらも、彼が抱えていた闇についてそれとなく触れている。「ポーリングの人生の最後の25年間で、（ビタミンCが）主な関心事になっていたことは悲劇だったように思う。彼の化学者としての素晴らしい名声は台無しになった。おそらく、このことは彼の最大の欠点とは無関係ではなかっただろう。それは、虚栄心だ。アインシュタインは誰かから反論を受けたとき、指摘された点についてじっくり考え、自分の間違いが見つかれば喜んだ。なぜなら、そのおかげで自分が過ちから抜け出せたとアインシュタインは考えたからだ。だが、ポーリングは自分が間違っているかもしれないなどとは絶対に認めなかった。ポーリングと（ロバート・）コリーのαヘリックスについての論文を読んだ後で、私が（彼らの計算の問題点を）見つけたとき、私は彼が喜んでくれるだろうと思った。しかし、彼は憤然として私を非難した。自分では思いつかなかったαヘリックスの検証を他の誰かが思いついたと考えるだけでも、彼には耐え難いことだったからだ」。

アーサー・ロビンソン

あえて反対意見を述べ、自分が間違っている可能性を指摘してきた相手に対してポーリングが否定的な態度をとったエピソードのなかでも、アーサー・ロビンソンにまつわる話ほど悲しく、彼の問題の本質を伝える逸話は他にないだろう。

1973年、ポーリングはカリフォルニア州メンローパークに分子矯正医学研究所を設立し、まもなくライナス・ポーリング研究所と改称した。彼の最大の後ろ盾となっていたのは、医薬品業界の最大手企業にして世界最大のビタミン・サプリメントメーカーのホフマン・ラ・ロシュ社だった。ポーリングは、他の研究者たちがメガビタミン療法に素晴らしい効果があることを示せないなら、自分でそれをやろうと決めたのだ。

ポーリングが研究所を設立したときに連れてきたのが、アーサー・ロビンソンだった。ポーリングは研究所の所長で、理事長で、取締役会の会長だった。カリフォルニア大学サンディエゴ校をずば抜けて優秀な成績で卒業した化学者のロビンソンは、副所長、理事長補佐、財務担当者になった。ロビンソンの仕事は、ビタミンCに関するポーリングの理論を裏づける結果を実験で出すことだった。しかし、思うような結果は出なかった。

1977年、アーサー・ロビンソンは皮膚がんにかかりやすい特殊な種類のマウスで実験を行った。彼は、一部のマウスに人間でいえば1日1万ミリグラムに相当する量のビタミンCを与え、他のマウスには余分なビタミンを与えなかった。結果は驚くべきものだった。ビタミンCを大量に与えられたマウスでは、がんのリスクが高まることがわかったのだ。

ポーリング夫妻が大量のビタミンCを服用していることを知っていたロビンソンは、心配になってポーリングに実験の結果を告げた。そのときのことを、ロビンソンはこう振り返る。「当時（1970年）、ポーリング夫妻は少なくとも1日あたり1万ミリグラムのビタミンCをとっており、今後10年間はそれを続けるつもりでいた。彼女は10年間も胃を大量の変異原性（発がん性）物質づけにすることになると私は指摘した」。（アバ・ポーリングはのちに胃がんを患った。）

ポーリングはこの結果を信じようとせず、マウスの殺処分と、ロビンソンの辞職を迫った。「彼は、自分は有名なのだから、研究所のあらゆるアイデアと研究を支配する絶対的な権限があると主張した」とロビンソンは回想する。「ライナスは私を、終身雇用契約の研究教授職を含めたあらゆる役職から不名誉な形で解任すると通告してきた。さらに、私が要求に従わなければ、様々な手立てを使って私の経歴をめちゃくちゃにするとも言った」。

ポーリングの命令に従って、理事会はロビンソンの給与を差し止め、停職処分を下して、彼の書類を封印した。ロビンソンも黙ってはおらず、ポーリングと研究所に２５００万ドルを請求する訴訟を起こした。裁判には5年かかり、研究所は１００万ドルの訴訟費用を負担することになった。結局は50万ドルで裁判は決着した。

アーサー・ロビンソンが発見した事実は、マウスに限ったことではなかった。まもなく、ビタミンCを大量摂取すると、人間でもがんのリスクが高まることが他の研究者たちにより示された。

１９９４年、米国の国立がん研究所はフィンランドの国立公衆衛生研究所と協力して、２万９０００人のフィンランド人の男性を対象とする調査を行った。全員が喫煙者で、肺がんのリスクがあった。被験者は、大量のビタミンEが与えられるグループ、βカロテン（ビタミンA前駆体）が与えられるグループ、その両方が与えられるグループ、どちらも与えられないグループに分けられた。結果は予想を裏切るものだった。ビタミンを大量に投与されたグループは、肺がんによる死亡率が下がるどころか、高くなっていた。

１９９６年、シアトルのフレッド・ハッチンソンがん研究センターで、アスベストに暴露された履歴があり、喫煙者と同様に肺がんのリスクが高いと考えられる1万８０００人を対象にした研究が行われた。被験者は、ビタミンAが大量に与えられるグループ、βカロテンが与えられるグループ、両方が与えられるグループ、どちらも与えられないグループに分けられた。しかし、安全性モニタリングにより、メガビタミン療法は肺がんの発生率を大幅に高めるだけでなく（ビタミンを投与されていないグループと比較して28パーセントの上昇）、心臓病の発生率も高くなる（17パーセントの上昇）ことが判明したため、研究は途中で打ち切られた。

2004年、コペンハーゲン大学の研究者たちが、計17万人が参加した14回のランダム化試験でビタミンA、C、Eおよびβカロテンの大量摂取により、腸がんの発生率が下がるかどうかを調べる研究の結果をまとめた。肺がんの場合と同様に、ビタミンを大量に投与された被験者は、余分なビタミンを投与されなかった被験者に比べて腸がんにかかる割合が高かった。

2005年、ジョンズ・ホプキンス大学医学部でメガビタミン療法を実践する計13万6000人以上を対象にした19回の調査結果がまとめられ、ビタミンを大量に摂取すると早死にするリスクが高まることが明らかになった。同年、『米国医師会雑誌』にがん予防のためにビタミンEを大量に摂取していた9000人以上を対象とした研究の結果が発表された。ここでも、ビタミンを摂取していた人はがんと心臓病にかかる割合が高いとされた。

2008年、ビタミンを大量摂取していた23万人以上を被験者とするあらゆる研究結果が洗い直され、がんと心臓病のリスクが高まることがわかった。

2011年には、クリーブランド・クリニック（米国オハイオ州）の研究者たちが、ビタミンE、セレン（ミネラルの一種）、その両方、どちらもなしというグループに分けた3万6000人の男性を対象にした研究を発表した。ビタミンEを大量に摂取したグループでは、前立腺がんのリスクが17パーセント高まった。

根本的な過ち

ライナス・ポーリングがメガビタミン療法を誤解したのは、彼が根本的な2つの過ちを犯していたからだ。第一に、彼はいいものは多過ぎても問題にならないと思い込んでいた。

ビタミンは生きるためには欠かせない栄養素だ。十分なビタミンがとれていなければ、(ビタミンC不足による)壊血病や(ビタミンD不足による)くる病などの様々な欠乏症を起こす。ビタミンが大切なのは、食べ物がエネルギーに変わることを助ける役割があるからだ。しかし、一つの落とし穴がある。食べ物をエネルギーに変えるときに、体では酸化と呼ばれる処理が行われる。酸化が起こるときに、フリーラジカルと呼ばれる体に非常に有害な作用を及ぼす物質(訳注 不対電子をもつ反応性が高い物質)も生成される。フリーラジカルは結合する電子を求めて、細胞膜やDNA、心臓に血液を供給する動脈などの血管を傷つける。結果として、フリーラジカルはがん、老化、心臓病を引き起こす。私たちが不老不死でいられない最大の理由の一つはフリーラジカルだといわれている。

フリーラジカルに対抗するために、体内では抗酸化物質が作られる。ビタミンA、C、E、βカロテンなどのビタミンや、セレンなどのミネラル、オメガ3脂肪酸などの物質は、どれも抗酸化作用を持つ。このような理由から、抗酸化物質を多く含む果物や野菜をたくさん食べる人は、がんや心臓病にかかりにくく、長生きする傾向にある。この点に関するポーリングの論理は明快だった。食物に含まれる抗酸化物質でがんや心臓病を予防できるなら、人工の抗酸化物質を大量に摂取しても同じ結果が得られるはずだと踏んだのだ。しかし、ライナス・ポーリングは一つの重要な事実を見落としていた。酸化は、新しいがん細胞を殺し、血管の詰まりを解消するためにも必要なのだ。大量のビタミンやサプリメントを摂取するように人々に勧めたことで、ポーリングは酸化と抗酸化のバランスを大きく抗酸化に傾けることになり、がんや心臓病のリスクを高める結果を招いてしまった。女優のメイ・ウエストはビタミンではなく、セックスについて「いいことが多過ぎるのは素敵なことよ」と語っていた(メイ・ウエストは別にして、いいことも過ぎれば問題になることは実際に起こりうる)。

第二に、ポーリングはビタミンなどの栄養素は、食物に含まれていても、人工的に精製や加工したものでも変わらないと考えていた。これもまた、間違いだった。ビタミンは植物性化学物質（フィトケミカル）、つまり植物に含まれる（「フィト」とはギリシャ語で植物を意味する）。食物中の13種類のビタミン（A、B_1、B_2、B_3、B_5、B_6、B_7、B_9、B_{12}、C、D、E、K）は、フラボノイド、フラボノール、フラバノン、イソフラボン、アントシアニン、アントシアニジン、プロアントシアニジン、タンニン、イソチオシアネート、カロテノイド、硫化アリル、ポリフェノール、フェノール酸のような長いややこしい名前の数千種類のフィトケミカルと一緒に含まれている。ビタミンと他のフィトケミカルの違いは、ビタミンについては壊血病（かいけつびょう）などの欠乏症が定義されているが、他のフィトケミカルにはそれがないという点だ。しかし、ビタミン以外のフィトケミカルもやはり重要であることは間違いない。自然の状態から切り離して、ビタミンだけを大量に摂取するように勧めていたポーリングは、不自然な行為を推奨していたことになる。例えば、キャサリン・プライスの本『ビタマニア』には、リンゴ半分にビタミンCはわずか5・7ミリグラムしか含まれていないが、1500ミリグラムのビタミンCに匹敵する抗酸化作用があると書かれている。それは、ビタミンCと一緒に含まれるフィトケミカルがビタミンの効果を高めるからだ。ベルベリンと呼ばれる強力な抗菌作用を持つ物質を含む、キンポウゲ科のヒドラスチスという植物がある。ヒドラスチスをそのまま食べても、含まれるベルベリンは毒性を発揮しない。しかし、他にも様々なフィトケミカルを含むヒドラスチスからベルベリンだけを抽出して食べれば、植物として食べた場合と量が同じでも、ベルベリンは体に害を及ぼす。ヒドラスチスに含まれる他のフィトケミカルがベルベリンの毒性を抑えているからだ。他にも、トマトに含まれるリコピン（赤い色素物質）は、強力な抗酸化物質として知られ、ケチャップからトマトソースまで、あらゆる商品の宣伝に使われる。ラットを使った前立腺がんの研究により、（トマトのあらゆるフィトケミカルを含む）トマトパウダーは、抽出されたリコピンを大量に摂取した場合に比べて、腫瘍を大幅に小さくすることが示された。ライナス・ポーリングはすべてが自然だと言っていたが、とんでもない間違いだったわけだ。

怪しげなうまい話

ポーリングの支援により、ビタミン・サプリメント産業という砂上の楼閣のような危うい業界も誕生した。GNC社（訳注　全米に展開するビタミン・サプリメントのチェーン店）のセンターに行けば、ビタミンが体にいいという根拠を示してもらえるが、ここは怪しげなうまい話が次々に飛び出してくる場所だ。メガビタミン療法とサプリメントはどれも、心臓の健康維持、前立腺肥大防止、コレステロール低下、記憶力向上、短期間でのダイエット効果、ストレス軽減、育毛・増毛、美肌効果などをうたっている。すべては1本のビンでかなう。ビタミン・サプリメント産業には規制が設けられていないという事実に注目する人はほとんどいないようだ。その結果、企業は安全性や効能を裏づける証拠を必要としない。もっと悪いことに、ラベルに記載されている原材料には、ビンの中身が正しく書かれていないことがある。そして、私たちは毎週のようにこれらのサプリメントの少なくとも1つに有害性が見つかり、棚から姿を消しているという事実を黙殺したがっているように思える。これまでにも、店で普通に買えるアミノ酸L-トリプトファンのサプリメントが原因で病気が発生し、5000人の被害者と28人の死者を出したL-トリプトファン事件、ダイエット食品（オキシエリート・プロ）を食べた50人が重度の肝臓病を発症し、1人が死亡、3人に肝臓移植が必要になったオキシエリート・プロ事件、コネチカット州の企業（ピュリティ・ファースト）が販売したビタミン剤に効果の強い2種類のアナボリックステロイドが含まれていることがわかり、北東部の女性数十人に男性化の症状がみられたピュリティ・ファースト事件などが起こっている。

エイズ

ライナス・ポーリングが残したもののなかには、いいものもあれば、悪いものもある。彼は初めて量子力学と化学を融合させ、分子生物学と進化生物学を結びつけ、赤狩りや核拡散に抵抗した数少ない人間の一人だった。しかし、その後の人生でライナス・ポーリングは年間320億ドルの売上を生み出すビタミン・サプリメント業界の生みの親となり、地方の市に出没する押し売りや、100年前のいんちき薬売りと変わらなくなってしまった。「ライナス・ポーリングは、たぐいまれな才能の持ち主だったが、その才能を終わらせる場所を間違えた」と歴史学者のアルギス・バリウナスは書いている。「彼が引き際を知ってさえいれば、どれだけ素晴らしい業績が彼のものになったのかを考えずにはいられない」。

苦しく、困難な研究に一生懸命に取り組み、頭脳を駆使して素晴らしい実績を残してきた人間が、自分が間違っていることを示し続ける研究結果を、自らの研究所で行われた研究についてさえも、しっかり見つめようとしなかったのは、一体どういうわけだろう？　残念ながら、そんな研究者はポーリングだけではない。賞を与えられ、国際的にも高い評価を受けていた才能あふれる科学者が、思い上がりによってつまずき、悲惨な結果を招いた例は他にもある。

エイズの流行に関わった2人の科学者の話を紹介しよう。1981年6月5日、米国疾病対策センター（CDC）は本来であればまれな病気が多発しているという報告書を発表した。特に持病のないロスアンゼルス在住の同性愛者の男性5人が、通常はがん患者や重度の免疫不全症患者にしか見られないような、珍しいタイプの真菌性肺炎（ニューモシスチス肺炎［訳注　以前はニューモシスチス・カリニ肺炎と称された］）を発症したというのだ。彼らは全員、以前の健康状態に問題はなかった。報告書には、一見無関係に思われる、ニューヨークとカリフォルニアの同性愛者男性の集団がカポジ肉腫と呼ばれる非常に悪性のがんを発症したことも書かれていた。

それから1カ月後、『ニューヨーク・タイムズ』紙はさらに41人のカポジ肉腫患者が出たことを報じた。今回も全員が同性愛者の男性だった。その年の終わりまでに、さらに270人の同性愛者の男性患者の発生が報告され、発症者のうち120人が死亡した。メディアはこの病気を「同性愛者のペスト」と呼んだ。

1982年9月24日、CDC当局はこの病気にエイズ（後天性免疫不全症候群）という名前をつけた。さらに、CDCは特別委員会を設置し、原因究明に乗り出した。やがて手がかりが集まり始めた。1982年12月10日、CDCは最初の小児患者の発生を報告した。この子供は輸血を受けていた。翌週、CDCはさらに22人の子供たちが通常では考えられないような感染症にかかっていることを報告した。

1983年1月7日、CDCは初めての女性たちのエイズ発生症例を報告した。女性患者たちは、エイズにかかっている男性と以前に性交渉を持っていた。翌月、米国立衛生研究所の研究員ロバート・ギャロが、レトロウイルスと呼ばれる珍しいウイルスがエイズの原因になっているのではないかと予測した。ギャロの予測は驚くべきものだった。この時点では、レトロウイルスは人間の病気を引き起こすことはない、無害なウイルスだと考えられていたからだ。CDCはギャロの意見に同意し、性交渉または血液に接触することで感染するウイルスが原因となっている可能性が高いと考えた。1983年5月20日、リュック・モンタニエがエイズの原因となるウイルスを発見した。彼は、このウイルスをリンパ節腫脹（しゅちょう）関連ウイルス、LAVと名づけた。

1984年4月23日、米国保健福祉省のマーガレット・ヘックラー長官が、米国立衛生研究所のロバート・ギャロらのグループがエイズの原因ウイルスを発見したと発表した。彼らは、このウイルスをヒトTリンパ球向性ウイルス、HTLV-IIIと呼んだ。ヘックラーは、2年以内にエイズを予防できるワクチンが実用化されるだろうという予想を示した。（これは30年以上前の話だ。）研究者たちはすぐにLAVとHTLV-IIIが同じウイルスであることに気がつき、ヒト免疫不全ウイルス、HIVという第三の名前が決められた。

1985年、FDAは血液および血液製剤に対してHIVのスクリーニング検査（訳注　HIV抗体検査）を行うための市販検査試薬を初めて承認した。1987年には、FDAが最初の抗HIV薬AZT（ジドブジン）を承認した。1989年までに、米国では10万人がエイズウイルスに感染していた。

これらの初期の報告には、HIVに関するたくさんの情報が含まれている。研究者たちは、HIVが体内で増殖し、人体の最も重要な免疫細胞であるヘルパーT細胞（Tリンパ球の一種）と呼ばれる免疫細胞を破壊することを突き止めた。ヘルパーT細胞は他の免疫細胞に指令を出し、抗体を作らせたり、ウイルスに感染した細胞を破壊させる。HIVは免疫系をまひさせるだけでなく、一度感染すると、一定の期間で変異を繰り返す。つまり、患者は実質的に何百種類もの異なるHIVウイルスに感染していることになり、抗体でウイルスを無力化したり、効果のあるワクチンを作ることはほとんど不可能なのだ。一方で良い知らせもあった。研究が進んでHIVの増殖メカニズムがわかってきたため、効果の高い抗ウイルス薬が開発されたのだ。これらの薬でエイズを治すことはできないが、少なくとも抗ウイルス薬のおかげでエイズは不治の病から慢性感染症の一つになった。

ここで登場したのが、ピーター・デュースバーグだ。

1987年3月、デュースバーグは医学雑誌『キャンサー・リサーチ』でエイズはHIVが原因ではないと主張する論文を発表した。彼はHIVは無害なウイルスであり、同性愛者たちによるヘロイン、コカイン、亜硝酸アミル（危険ドラッグ）などの違法薬物の長期的な使用がエイズの原因だとした。彼の説では、赤ちゃんやウイルスが混入した血液を輸血されたことで感染した血友病患者、違法薬物を使用していなかった同性愛者、エイズ患者から病気を移された女性などは考慮されていなかった。通常であれば、このように根拠に乏しく、畑違いの分野に乗り出してきた門外漢が書いた論文は科学界では相手にされない。しかし、ピーター・デュースバーグは門外漢ではなかった。ウイルス学は彼の専門分野だったのだ。ドイツで教育を受けたデュースバーグは、弱冠36才にしてカリフォルニア大学バークレー校細胞生物学・分子生物学科教授の終身在職権を得た。彼が目覚ましい出世を果たした理由は、1970年にがんを引き起こす特定のウイルス遺伝子を初めて特定したからだ。この素晴らしい業績により、1986年にピーター・デュースバーグは米国科学アカデミーの会員に選出された。同年、彼は国立衛生研究所の優秀研究者研究助成の対象に選ばれ、フォーガティ奨学常勤研究員になった。

1990年代には、エイズの原因がHIVであることを示す研究結果が続々と発表され、デュースバーグは自説を修正した。今度は、アフリカのエイズの原因は栄養不良、アフリカの富裕層については抗HIV薬が原因、血友病患者のエイズは輸血血液に現時点では判明していない何らかの問題があると主張し始めたのだ。デュースバーグの説ではどうにも説明がつかなかったのは、高純度で複製されたHI

Ｖに不注意で感染した３人の研究所職員の例だった。３人はいずれも同性愛者ではなく、薬物は使用しておらず、血友病患者ではなく、栄養状態にも問題はなく、アフリカの居住歴もなかった。それでも、一人は重症のエイズを発症した。デュースバーグは、他の２人がエイズを発症しなかったのだから、ＨＩＶがエイズの原因であるとは証明できないと主張した。（有名科学者のなかで、エイズの原因がＨＩＶであることを否定したり、その動きに加担したのは、デュースバーグだけではない。ＨＩＶがエイズの原因であることははっきりした証拠によって裏づけられているが、ノーベル賞を受賞したケニアの環境活動家ワンガリ・マータイは、ＨＩＶが生物兵器として開発されたと言っている。さらに、ポリメラーゼ連鎖反応（ＰＣＲ）の発見によりノーベル化学賞を受賞したキャリー・マリスも、ＨＩＶがエイズの原因であるという「科学的証拠はない」と述べている。）

やがて、科学者たちはピーター・デュースバーグの根拠のない主張に耳を貸さなくなった。それでも、デュースバーグが受け入れられる余地はまだ残っていた。２０００年、ネルソン・マンデラから南アフリカ大統領の座を引き継いだタボ・ムベキは、大統領エイズ諮問委員会を招集した。彼は、委員会の取りまとめをピーター・デュースバーグに依頼した。当時の南アフリカはどこの国よりもＨＩＶ感染者の割合が高く、成人の５人に１人が感染している状態だった。ムベキは、デュースバーグと同じく、エイズをめぐる科学的見解には問題があると考えていた。抗ＨＩＶ薬は体に害を及ぼすと信じ、科学者たちをナチスの強制収容所の医師たちになぞらえた。デュースバーグは、エイズを発症した南アフリカの人々に抗ＨＩＶ薬を与えさせないために必要な理論的根拠をムベキに提供した。その結果、南アフリカでは助けることができたはずのエイズ患者30万人以上が死亡した。

デュースバーグは自分の行為にまったく問題を感じていなかった。「私は望んだ学生全員を手元におき、必要とする研究スペースがどこでも与えられた。賞という賞を受け取り、米国（科学）アカデミーの会員に選出された。カリフォルニア・サイエンティスト・オブ・ザ・イヤー（カリフォルニア州の年間最優秀科学者）にも選ばれ、書いた論文はすべて雑誌に掲載された。やることなすことが成功した。（中略）だが、ＨＩＶがエイズの原因だという主張に私が異論を唱え始めると、すべてが変わってしまった」。しかし、ピーター・デュースバーグの問題点は、ＨＩＶがエイズの原因であるという説に異議を唱えたことではなく、ＨＩＶがエイズの原因であることを示す多数の科学的証拠から目を背け続けたことだ。時代は違えど、デュースバーグもライナス・ポーリングと同じく、自分が間違いを犯したことを認められなかったのだ。

ピーター・デュースバーグが否定したのは、ＨＩＶだけではない。彼は、ヒトパピローマウイルス（ＨＰＶ）が子宮頸（しきゅうけい）がんを引き起こすことも信じなかった。このウイルスとがんの関係は、ハラルド・ツア・ハウゼンが証明し、２００８年にノーベル賞が授与された。

リュック・モンタニエ

最近も、一人のノーベル賞受賞者が科学からそれた道を進んでいる。ＨＩＶがエイズの病原体であることを発見し、フランソワーズ・バレ＝シヌシとともにノーベル賞を受賞したフランスの研究者、リュック・モンタニエだ。ノーベル賞を受賞した2年後の２０１０年、モンタニエは――ライナス・ポーリングやピーター・デュースバーグと同じように――公の場で立て続けに周囲を困惑させるような発言をした。

最初に、モンタニエはＤＮＡ分子がある試験管から別の試験管に瞬間移動できると発言した（たぶん、テレビ番組『スター・トレック』の物質転送装置で人間を瞬間移動させていたようなイメージだろう)。

次に、モンタニエはホメオパシー(訳注　疾病に似た生理作用を起こす物質で疾病を治すという同種療法)が理にかなっていると主張した。ホメオパシーは、1個の分子すら含まれないほどの濃度まで物質を薄めると、薄められた物質の存在を水が記憶するという考え方に基づいており、現在では否定されている。「ホメオパシーがすべてにおいて正しいとは言い切れない」とモンタニエは言っている。「現時点で私が言えるのは、高希釈が正しいということだ。何かを高希釈した水は、ただの水ではない。それらの水は元の分子を再現した構造を持っている」。(地球上の水の量が限られていることを考えれば、その水がどこにあったかはいちいち覚えていてほしくない情報だろう。)

ついに、モンタニエは自閉症に効果があると称する治療法の長いリストに独自の治療法を加えた。自閉症患者の血液を採取し、元の血液分子が一つも残らないほどの濃度に薄めると、細菌のＤＮＡの存在を示す電磁波を検出できたとモンタニエは述べた。どうやら、自閉症は細菌感染症らしいというのだ。細菌が引き起こすのは、自閉症だけではない。アルツハイマー病、パーキンソン病、多発性硬化症、関節リウマチ、慢性疲労症候群も細菌感染症だというのだ。

２０１１年、78才になったリュック・モンタニエは、中国・上海の北方交通大学で新設された学科の長となるためにフランスを後にした。自説の正しさを証明するべく、モンタニエは２００人の自閉症児を対象に研究を進め、抗生物質を服用した子供たちに「目覚ましい」成果が現れた。「継続的な抗生物質治療と別の薬の投薬治療を長期に渡って行った結果、患者の60パーセントに大幅な改善がみられ、症状が完全に消えた症例もあった」とモンタニエは胸を張った。「治療を受けた子供たちは、普通の学校に通い、家族と日常生活を送れるようになった！」

モンタニエは彼が自閉症の治療法と信ずるやり方を発見した後で、その発見を自らが上級編集員を務める無名の学術雑誌に投稿し、3日後には掲載が決まった。次にモンタニエはシカゴに飛んだ。全米中の怪しげな自閉症治療法を集めたオーティズム・ワンと呼ばれる集会で研究成果を発表するためだった。自閉症は高圧酸素療法や、漂白剤の浣腸や、化学的去勢で治せると主張する発表者たちに続いて壇上にのぼったモンタニエは、自閉症の子供たちに本当に必要なことは、長期的な抗生物質の投与だけだと述べた。この新説には医学界の主流派からの反発が予想されるとモンタニエは言った。型破りな発想の宿命なのだと。「1983年に、私たちが分離したウイルスがエイズの病原体だと信じていた人はわずか十数人かそこらだった」とモンタニエは言った。「今の私は、自閉症の子供たちを救うことに関心を持っている」。

悪影響は計り知れない

ライナス・ポーリング、ピーター・デュースバーグ、そしてリュック・モンタニエは、素晴らしい頭脳を持つ科学者でありながら、明らかに道を誤った。科学的研究によって完全に否定された理論に夢中になった彼らの身に、一体何が起こったのだろう?

一つの可能性として考えられるのは、彼らは全員が長きにわたって正当な結果を出し続け、強い反対意見に直面することがなかったため、自分が間違っている可能性を想像することすらできなかったのかもしれない。天才と狂気は紙一重だという可能性も考えられる。あるいは、彼らはただ、もう一度世間を驚かせ、再びスポットライトを浴びたかっただけなのかもしれない。理由はどうあれ、この3人が及ぼした悪影響は計り知れない。ポーリングは人々にがんや心臓疾患のリスクを高めるだけでしかない大量のビタミンとサプリメントの摂取を勧め、デュースバーグは間接的にだが南アフリカで数十万人をエイズで死亡させ、モンタニエは治療効果が見込めず、有害性を持つ可能性すらある薬を提供して、子供たちを何とかしたいという親たちの切なる願いを利用した。

カーテンの後ろにいる小男に注意しろ

ライナス・ポーリングの話の教訓は、映画『オズの魔法使い』に込められている。**カーテンの後ろにいる小男に注意しろ**というのがその教訓だ。

ドロシーたちが最初に出会ったオズの魔法使いは、うわさ通りの強大な力を持つ偉大な魔法使いだった。声はとどろきわたり、威圧的にふるまい、頭は緑色で大きく、奇妙な形をしていた。しかし、魔法使いの本当の姿は見かけとは違っていた。ドロシーの犬のトトがカーテンを引っ張ると、そこにいた魔法使いは甲高い鼻にかかった声で耳障りなしゃべり方をする、しわくちゃの老人だった。正体がばれそうになったことを察した魔法使いはこう言う。「カーテンの後ろにいる男は気にしなくていい」。だが、トトが見せた真実は見逃しようがなかった。ドロシーは愕然（がくぜん）とした。「あなたは、とてもひどい人だわ」と彼女は言う。「いや、そんなことはない」と魔法使いは返す。「私はとてもいい人間だ。ただ、とてもひどい魔法使いというだけのことだ」。オズの魔法使いは優れた魔法使いではなかったが、優れた心理学者であったために、最後にはみんなの願いを叶えることに成功する。科学にも同じことが言える。世間の評価に目をくらまされてはならない。どんな学説も、科学者の評価とは関係なく、たくさんの証拠を積み重ねた上に成立しなければならない。そこに例外は認められない。

たんぱく質が決まったやり方で折り畳まれるという説や、鎌状赤血球細胞のヘモグロビンは電荷が異なるという説を唱えたとき、ライナス・ポーリングはそれを証明するための大量の生化学的データを持っていた。しかし、ビタミンとサプリメントで長生きできると言い出したときのポーリングの根拠は、科学に関する何の経歴もなく、生涯で科学論文を1報すら発表したことがなく、主張を裏づける証拠を一切持たないアーウィン・ストーンの言葉だけだった。

ポーリングは「オズの魔法使い」効果を頼りに、ビタミンとサプリメントを奇跡の薬として宣伝した。彼はカーテンの後ろにいる男（データ不足という弱点）に世間が気づかず、2つのノーベル賞を獲った自分がとどろかせる声だけを聞いてもらいたいと願っていた。同じように、米国で最も信頼のおけるサイエンス・ライターとして知られていたレイチェル・カーソンは、生き生きとした物語で人々を魅了した。ライナス・ポーリングと同じく、オキシコドンを中毒性のない鎮痛薬だと言ったラッセル・ポルトノイや、ロボトミー手術で精神病を治療できるとしたウォルター・フリーマンの主張が世間に信用されたのは、彼らがいずれも医学や科学の世界で尊敬されていた人物だったからだ。彼らの意見をみんなが信じたのは、学術的な成功という証があったというのが理由で、彼らの説が正しいことを示す再現性のあるデータを彼らが持っていたからではなかった。最後に、ピーター・デュースバーグのHIVはエイズの原因ではないという説や、リュック・モンタニエの自閉症の原因は細菌であるという説は、どちらも極めて優れた実績を持ち、高い評価を受けているウイルス学者であるという理由から、公の場で発表する機会が与えられた。どれほど素晴らしい実績があろうと、有名であろうと、すべての科学者は、人を惹きつけてやまない魅力や、華やかな受賞歴や、詩的な文体だけでなく、自分の説を裏づける確かな証拠を持っていなければならないというのが見逃してはならないポイントだ。

第8章

過去に学ぶ教訓

後から過去を振り返ることは総じてたやすいが、いくつかの教訓は科学の暗い過去が出発点となっている。電子タバコ、保存料、合成樹脂、自閉症治療、がん検診プログラム、遺伝子組み換え技術といった現代の様々な発明にこれらの教訓を当てはめていったときに、どうなるか考えてみよう。

1. データがすべて。

真実は、何人もの科学者たちが異なる環境でいくつもの違った方法を使って実験を繰り返し、同じような結果が得られたときに現れる。こうして現れた真実を無視してかかれば、悲惨な結果を招くことがある。

表面的には、この教訓に従うことはそれほど難しいようには思えない。ただデータを見るだけで済みそうなものだ。しかし、データには問題点がある。あまりにも量が多すぎることだ。世界中の医学や科学の専門誌では、毎日およそ4000報の論文が発表されている。そして、皆さんにも予想がつくだろうが、これらの研究の質は正規分布に従ったベル型の曲線を描く。素晴らしい研究もあれば、ひどい研究もあるが、ほとんどは多少の差こそあれ平凡な内容だ。それでは、良いデータと悪いデータを見分けるには、どうすればいいのだろうか？　一つの方法は、雑誌の質に注目することだ。しかし、これでも万全とはいえない。査読を取り入れている優れた学術誌にも、コーヒーの飲み過ぎはすい臓がんの原因になる、麻しん（はしか）・おたふくかぜ・風しんの混合ワクチン（MMRワクチン）が自閉症のリスクを高める、2個の小さな原子核が結合してエネルギーを放出する核融合はコップ1杯の室温の水の中で起こすことができる（常温核融合）、などと主張する論文が掲載されたことがある。これらの結果はいずれも、のちに別の研究者によって誤っていることが示された。（「この世界の問題は、人々の知識が少なすぎることではない」とマーク・トゥェインは書いている。「あまりに多くの誤った知識が真実だと思われていることだ」。）

一流科学雑誌で発表された研究結果すら完全に信用できないのなら、何を信じればよいのだろうか？　科学は２本の柱で支えられており、やや信頼できない柱としっかり信頼できる柱がある。最初の柱は査読だ。論文が掲載される前に、その分野の専門家が論文を読んで評価する。残念ながら、この仕組みには欠点があり、専門家の力不足で、ときには問題のあるデータが見過ごされることも起こりうる。そこで頼りになるのが２本目の柱である再現性だ。（ＭＭＲワクチンが自閉症のリスクを高めるといった）画期的な大発見を発表する論文が掲載されると、その後の研究で発表された結果が正しいかどうかを検証することになる。例えば、ＭＭＲワクチンが自閉症のリスクを高めるという論文が発表されると、すぐさまヨーロッパ、カナダ、米国で何百人もの研究者たちが結果を再現するための研究に取りかかった。結局、論文が主張する通りの結果を再現できた者はいなかった。数十万人の子供たちを巻き込み、数千万ドルの費用をかけて明らかになったのは、ＭＭＲワクチンを受けた子供が自閉症になるリスクは、受けていない子供と変わらないという事実だった。これは優れた科学の勝利だ。

２．すべてのものには代償があり、ただ一つの問題はその代償の大きさだけだ。

抗生物質や衛生管理プログラムのような命を救う、世界でも高い評価を受ける医療や科学の飛躍的な進歩にさえも、代償は例外なくつきまとう。

最初の抗生物質は、広義に解釈すると１９３０年代半ばに開発された合成抗菌薬のサルファ剤だった。次に登場したペニシリンは、第二次世界大戦中に大量生産された。抗生物質は私たちの命を救ってきた。これらの薬がなければ、人間はいつまでも、肺炎や、髄膜炎や、様々な命にかかわる細菌感染症で日常的に命を落とすことになっただろう。１００年前に比べて平均寿命が30年以上のびたのは、抗生物質の登場も一因だ。しかし、抗生物質が効かない耐性菌が登場するという問題を別にしても、抗生物質の使用はまったく予想もしていなかった結果を招いている。

この10年ほどの間に、マイクロバイオーム（微生物叢）と呼ばれるものの研究が進められてきた。マイクロバイオームとは、人間の皮膚や腸、鼻、のどの表面にまとまって住みつく主に細菌の集団のことだ。最近になって、これらの細菌には驚くべき役割があることが発見された。私たちの体の一部を覆う細菌の数と種類は、私たちが糖尿病や喘息、アレルギー、肥満を発症するかどうかに影響するのだ。さらに驚いたことに、乳幼児に抗生物質を投与して細菌の状態を変えると、これらの病気のリスクが高まることもわかった。この教訓は明らかだ。必要なときには抗生物質を使うべきだが、使い過ぎは逆にリスクを高める。

予期しない代償を伴った飛躍的な科学の進歩は、抗生物質だけではない。サルモネラ感染症、赤痢、大腸菌感染症、A型肝炎のような食べ物や水が原因で発生する病気を減らす衛生管理プログラムにも、見えざるリスクがある。先進国では命にかかわる細菌やウィルスの感染症の発生件数は減少しているが、喘息やアレルギーなどの病気は増えている。この現象は、産業化だけでは説明がつかない。衛生管理に伴う予期しない問題の原因は、『ニューイングランド医学ジャーナル』の「汚れているものを食べること」と題された記事を読めばわかる。途上国の子供たちは、生まれた瞬間から次々と菌にさらされ続け、彼らの腸には先進国にはめったにいない寄生虫や毒素を生成する細菌が住みついていることが多い。これらの感染症にかかると栄養不良に陥ったり、最悪の場合は死に至ることもあるが、途上国の子供たちがアレルギーや喘息を発症する可能性を低くすると考えられている。研究者たちは、これを「衛生仮説」と呼んでいる。

要するに、代償はどうしても避けられない。ここで難しいのは、特定の技術がその代償に値するかどうかを見極めることだ。そして、数十年、数百年前から使われてきたというだけの理由で、特定の技術の見直しを一切行わないというのも避けるべきだ。あらゆる技術は、絶えず評価を繰り返さなくてはならない。それを示す最も良い例は、全身麻酔だろう。麻酔薬は１５０年以上前から使われてきたが、数年間にわたって注意力や記憶力を低下させる恐れがあることが明らかになったのは最近だ。「この麻酔薬なら安全といえる薬はない」とペンシルベニア大学麻酔学教授のロデリック・Ｇ・エッケンホフは言う。

3．時代の空気に流されるな。

現代では、３つの最新技術が世の風潮のなかでやり玉に挙がっている。実際には煙が出ないにもかかわらず、十代の喫煙のイメージが歓迎されない電子タバコ、自然の秩序に人間が手を加えるという傲慢さがうかがえる遺伝子組み換え技術、プラスチック製の哺乳びんから溶け出す恐れがある合成樹脂のビスフェノールＡだ。これらの３つの技術は、有害性を主張する科学研究の被害者だ。そして、これらはいずれもメディアに苦しめられている。報道機関はたとえ批判的な姿勢であったとしても、証拠から私たちの目を背けさせるべきではない。

２００６年に初めて米国に導入された電子タバコは、ニコチンを含んだ蒸気を発生させるバッテリー式の装置だ。たばこの葉は使われていない。蒸気のもととなるリキッド（タバコ液）には、プロピレングリコールとグリセリンも含まれ、さらに様々なお菓子やデザート（ベルギーワッフルやチョコレートなど）のフレーバーがついている。これまで発明されたもののなかでも特に甚大な悪影響をもたらしてきたたばこの一種である電子タバコは、ほぼすべての科学者、医師、それに公衆衛生を担当する政府の役人から例外なく非難されてきた。その理由を知るのは、難しくない。

第一に、ニコチンは依存性が強く、特にお腹の中の胎児に対する有害性が指摘されている。さらに、頭痛やむかつき、嘔吐、めまい、イライラ、頻脈を招くこともある。ブランドによってはニコチンを含まない電子タバコもあるが、ほとんどの製品にはニコチンが使われている。

次に、電子タバコはアルトリア、レイノルズ、インペリアルなどの大手たばこ会社が製造している。これらの会社の上層部は禁煙のための手段として電子タバコは有効だと主張するが、国民の信頼を得るには至っていない。２０１２年、電子タバコメーカーは、１８００万ドル以上を投じて雑誌やテレビに広告を出した。１９７１年にたばこの宣伝は禁止されたが、電子タバコは自由に宣伝できる。その結果、電子タバコは米国で年間35億ドル（約３７００億円）を売り上げる産業に成長し、２０２０年代の半ばには売上が普通のたばこを超えるという予測も出ている。

最後に、若者受けを意識してラクダのジョーがキャメル社の広告に起用されたように、いくつかの電子タバコの広告は特に若い人々に訴えるように作られている。２０１４年のゴールデングローブ賞の授賞式で女優のジュリア・ルイス＝ドレイファスが電子タバコを吸っているところが映し出されると、ヘンリー・ワックスマン下院議員（カリフォルニア州選出・民主党）とフランク・パローン・ジュニア下院議員（ニュージャージー州選出・民主党）はテレビ局ＮＢＣの社長に電話をかけ、彼女が「これらの製品について子供たちに間違ったメッセージを送った」と伝えた。ワックスマンやパローンらの抗議の声は聞きいれられず、電子タバコは若者たちの間で大人気になった。２０１３年には、喫煙経験のない未成年者およそ25万人が電子タバコを試した。２０１４年には、米国で電子タバコを使用した経験がある中高生は、前年から大幅に増えて１６０万人にのぼると推定された。実際のところ、米国の高校生の10パーセント以上が電子タバコを試したことがあるという。子供たちの間で広がりつつある電子タバコの波が、いずれ大量の成人喫煙者を生み出し、結果として肺がんによる死者が増えるのは、時間の問題のように思える。毎年、喫煙による死者数は48万人、直接医療費の負担と生産性低下による損失は３０００億ドル（約32兆円）にのぼるが、電子タバコが普及すればこれらの数字はさらに膨らむだろう。

このようないくつもの理由から、米国がん協会、米国肺協会、米疾病対策センター（ＣＤＣ）、世界保健機関（ＷＨＯ）、米国小児科学会は、いずれも電子タバコに強く反対している。私が最初にこのテーマに取り組むことになったときも、最終的には彼らの意見に同調することになるだろうと心の底では考えていた。しかし、問題がひとつあった。データだ。

過去５年間の電子タバコの急成長に伴い、たばこ喫煙者の数は若年層を含めて歴史的な低水準まで下がった。例えば、ＣＤＣは２０１３年から２０１４年にかけて電子タバコの利用者が３倍になったと報告しているにもかかわらず、喫煙率は大幅に下がっていた。２００５年には、成人の２０・９パーセントがたばこを吸っていたが、２０１４年の喫煙率は１６・８パーセントと２割も下がった。２０１４年の米国のたばこ消費量は４０００万本を下回り、50年ぶりの低水準となった。電子タバコがたばこの代わりになっているという意見を裏づける根拠はこれだけではない。未成年への電子タバコの販売が禁止されている州では、若年層の喫煙率が上昇したことがわかっているのだ。また、電子タバコが普通のたばこより安全であることを否定する証拠はなく、電子タバコではがんの原因となるタールや、心臓病を引き起こす一酸化炭素などの不完全燃焼物が発生しない。「人はニコチンを求めてタバコを吸うが、タールによって命を落とす」と禁煙治療の第一人者だったマイケル・ラッセルは言っていた。

たぶん、これらはすべて偶然の一致だろう。おそらくは、電子タバコの利用の増加とは関係のない、喫煙者が減っている理由が他にあるはずだ。だが、反対意見が正しいように思われる状況がある以上、電子タバコが喫煙のきっかけになると決めつけるのは早すぎる。時が経てば、やがて真実が明らかになる。要するに、電子タバコをこきおろす風潮に惑わされることなく、データだけを見るべきなのだ。2015年8月、イギリスの保健省は電子タバコを禁煙のための効果的な手段として推奨した。9カ月後の2016年4月、イギリスで1518年に設立された王立医師会も、保健省の判断に対する支持を表明した。イギリスの医師たちを動かしたのは、電子タバコを利用した喫煙者はニコチンパッチを使った喫煙者よりもはるかに禁煙に成功する可能性が高いことを示したイギリスのとある研究結果だった。

電子タバコと同じく、遺伝子組み換え作物も時代の空気に押されている。

遺伝子組み換え作物を含む遺伝子組み換え生物（GMO）は、「最新のバイオテクノロジー」を利用して実現された、それまでにない組み合わせの遺伝子」を持っている生物として定義される。ここでは、「最新のバイオテクノロジー」という言葉がポイントになる。有史以来、人間は環境を遺伝子レベルで改変し続けてきたという事実があるからだ。人間は紀元前1万2000年頃から交配や品種改良によって、動植物を自分たちが育てやすいように改良することを始めた。これらはすべて、特定の遺伝的形質を選り抜くことが目的であり、現代の遺伝子組み換え技術の先駆けといえる。それにもかかわらず、科学者が研究室でDNAを組み換えるという方法で自然に手を加えるのは、環境保護活動家たちにとってこの上なく思い上がった、恐ろしい行為なのだ。

現在、遺伝子組み換え技術が最も大規模に利用されている分野は食糧生産だ。遺伝子組み換え技術を用いると、害虫に強い作物や、高温や低温をはじめとする様々な環境条件にも耐えられる作物、特定の病気にかからない作物などを作り出せる。遺伝子組み換え作物には、栄養成分組成が改善されたり、長期の保存が可能だったり、除草剤に対する耐性を持っているものもある。米国で生産された作物のうち、大豆の94パーセント、綿の96パーセント、トウモロコシの93パーセントが遺伝子組み換えであり、途上国で栽培されている作物の54パーセントは遺伝子組み換え作物だ。その結果、特に途上国の農家にとっては劇的な変化がもたらされた。遺伝子組み換え技術のおかげで農薬の使用量は37パーセント減少し、生産量は22パーセント増え、農家が手にする収入は68パーセント増えた。遺伝子組み換え作物の種の値段は普通の種よりも高いが、農薬の使用量が減り、収穫量が増えるおかげで価格差は十分にまかなえる。

遺伝子組み換え食品は普通の食品よりも危険なのではないかと恐れる人は多いが、綿密な科学的研究により、心配する理由は何もないことが示されている。米科学振興協会と米国科学アカデミーはいずれも、遺伝子組み換え作物の使用を支持する声明を出している。遺伝子組み換え技術を積極的に支持していない欧州連合でさえ、科学を無視することはできない。２０１０年、欧州委員会は次のような声明を発表した。「５００以上の研究グループが関与した、研究期間が25年以上におよぶ１３０件以上の研究プロジェクトにより導きだされた主な結論は、バイオテクノロジー、特に遺伝子組み換え作物は、従来の育種技術と比べてそれ自体の危険性が高いとはいえないということだ」。

科学がはっきりした結論を下したにもかかわらず、市民の不安は解消されていない。米国の世論調査会社ギャラップによる最新調査では、米国民の48パーセントが遺伝子組み換え作物は消費者に深刻なりスクをもたらすと考えているという結果が出た。回答者の多くは、遺伝子組み換え食品を避けられるように、そのような食品には遺伝子組み換えであることを警告するラベルをつけることを希望していると答えた。この世論調査は、私たちが科学を無視することをいとわないだけでなく、歴史にも目を向けようとしていないことを示している。品種改良により、人間が現在「自然に」栽培している作物は、元の植物とはかけ離れた別物になっている。現実的な見地に立てば、突然変異を利用して特定の作物の品種改良を重ねる農家と、突然変異を人為的に作り出すことを選んだ研究者の間にほとんど差はない。どちらも、突然変異としては同じだからだ。

遺伝子組み換えは、命にかかわる病気を治療する薬にも使われてきた。糖尿病患者が常用するインスリン、血友病治療に使われる血液凝固たんぱく質、低身長の子供に投与されるヒト成長ホルモンなどは、すべて遺伝子組み換え技術を利用して製造されている。遺伝子組み換え技術が登場するまでは、これらの製品はブタの脾臓（ひぞう）、献血、献体者の下垂体（かすいたい）から作られていた。

それでも、遺伝子組み換え技術に対する反対の声は根強い。最近では、魚の遺伝子を組み込むことにより、年間を通して収穫できるトマトが話題になった。フランケンシュタインのようなイメージが環境保護活動家たちを刺激し、遺伝子組み換え食品をラベルで判別できるようにしようとする動きは高まっている。ポッドキャスト（訳注　インターネットメディアの一種）『The Skeptics' Guide to the Universe（懐疑論者の世界入門）』を運営しているイエール大学医学部のスティーブン・ノベラ助教授は、わかりやすくこうまとめている。「ここでの本当の問題は、遺伝子組み換えトマトに魚の遺伝子が入っているかどうかじゃない。誰がそんなことを気にするというんだ？」と彼は書いている。「魚の遺伝子を口にすることが危険だというわけでもあるまい。みんな、本物の魚を食べているじゃないか。それに、人間の遺伝子のおよそ70パーセントは魚と同じという説もある。人間は自ら魚の遺伝子を持ち、これまで食べたあらゆる植物も魚の遺伝子を持っている。遺伝子なんか気にするな！」

遺伝子組み換え技術をめぐる議論は、２０１５年に支離滅裂なところまで到達した。この年、ニューヨーク州議会のトーマス・Ｊ・アビナンティ議員がすべての遺伝子組み換えワクチンを禁止するという議会法案１７０６号を提出した。当たり前のことだが、ほとんどのワクチンは遺伝子が組み換えられている。遺伝子組み換えを行わず、「自然のまま」の細菌やウイルスを注射すれば、病気にかかってしまう恐れがあるからだ。例えば、遺伝子組み換えポリオウイルスにより、米国をはじめとする世界中の多くの国でポリオが根絶された。ワクチンには遺伝子組み換えが必要なのだ。

おそらく、ビスフェノールＡほど時代の空気のあおりを受けてきた化学物質は他にないのではないだろうか。

１９３５年、化学企業デュポンは「化学を通してより良い生活を」というスローガンを打ち出した。１９８２年、デュポンは「化学を通して」という表現を外し、のちにはスローガンをそっくり変更して「科学の奇跡」とした。米国の一般大衆は、「化学」という言葉を歓迎しなかった。人々は、化学名がついたものに拒否反応を示すようだ。そして、ビスフェノールＡはその条件をしっかりと満たしていた。

ビスフェノールＡは１８９１年に初めて合成されたが、米国で市販されるようになったのは１９５７年頃で、プラスチックや樹脂に使われるようになった。ビスフェノールＡはこの用途で、ゴーグルやフェイスシールド、自転車のヘルメット、水筒、哺乳びん、ＣＤやＤＶＤといったディスク類、水道管の内面塗装、スープやソーダの缶の内側のコーティングなどに使われた。皮肉なことに、ビスフェノールＡはプラスチックの透明性と強度を高めることを目的として発明されたわけではない。ビスフェノール

Aは合成エストロゲンとして発明された。エストロゲンは、主に妊娠・出産に向けて女性の体を整える作用がある。だが、ビスフェノールAは、他の合成エストロゲンと比べて効果が4万分の1程度とエストロゲンとしての作用が弱く、使われなくなっていたところを、合成樹脂原料として日の目を見たというわけだった。しかしほどなくして、この弱いホルモン作用を持つ物質は水に溶けないにもかかわらず、プラスチックや樹脂塗膜金属の容器からしみ出すことが明らかになった。赤ちゃんを含めた米国の人々が、知らず知らずのうちに女性ホルモンを摂取させられたかもしれないことがわかると、不安が広がった。

ビスフェノールAの有害性に対する懸念が高まり、マウスやラットでビスフェノールAの影響に関する研究が行われた結果、乳がん、前立腺がん、思春期早発症、卵巣嚢腫、肥満、注意欠陥障害との関連が明らかになった。さらに、人間を対象とした研究が開始され、成人の93パーセントの尿からビスフェノールAが検出された。『タイム』誌のある記者はこのように書いている。「もし体内にビスフェノールAが含まれていない人がいるなら、その人は現代的な生活を送っていない」。

これらの情報を踏まえ、プラスチック容器のメーカーであるナルゲンは、すべての製品をビスフェノールA不使用に切り替えた。FDAもプラスチック製哺乳びんへのビスフェノールAの使用を禁止した。こうしてビスフェノールAは、ある記者の言葉によれば「世界で最も嫌われ者の化学物質」になった。しかし、DDTの話と同じく、ビスフェノールAの物語もほどなくして新たな展開を迎えた。

まず、研究者たちは動物モデル研究の結果をうまく再現できなかった。人間が暴露される可能性が高いと思われる量のビスフェノールAの影響を評価する研究で、特にその傾向が顕著だった。ハーバードリスク分析センターは2004年の報告書で、「少量のビスフェノールAの影響を肯定する確実な証拠はない」としている。この研究の共著者の一人、グレン・サイプスはこう話す。「このような少量で生体への影響が見られたことは間違いないだろうが、これらの研究結果を再現できないのはどうしてだろうか？　なぜわずかな量でも実際に影響が生じるという結果を再現するために、これほどの努力が必要なのだろう？（ビスフェノールAの問題は）白黒をつけないままにしてはどうか？」

２０１１年、人間を対象にした複数の研究をまとめたレビューにより、少量のビスフェノールAが有害であることを示す証拠はないことが明らかにされた。マウスやラットを使った研究でビスフェノールAが問題を引き起こしたのは、これらの動物たちにビスフェノールAが注射で投与されていたからだ。通常ならビスフェノールAは肝臓に入ると5分以内に不活性化されるが、注射によって体内に入ると肝臓を経由せずに、ビスフェノールAが直接体内をめぐることになる。ビスフェノールAを口から体内に取り込んだ場合、一般的な人間の摂取量の40倍、４００倍、あるいは４０００倍の量を与えられても、マウスやラットの健康に問題は生じなかった。

２０１４年7月、FDAは「ビスフェノールAは現在、食品に含まれうるレベルでは安全」だと宣言した。同様に、２００８年、２００９年、２０１０年、２０１１年、２０１５年にビスフェノールAに関する勧告を発表した欧州食品安全機関も、ビスフェノールAは安全だと言い続けている。どちらの機関も、ビスフェノールAの耐容1日摂取量（TDI）を設けているが、平均的な成人がこの摂取量を上回るには、普通の食生活で摂取されるビスフェノールAのおよそ1万倍に相当する量を摂取する必要がある。例えば缶スープなら、毎日５００缶以上のスープを飲まなければその量には達しない。それでもなお、ラベルに誇らしげに「ビスフェノールA不使用」と書かれた水筒がちまたにはあふれている。

ビスフェノールAの研究を私たちが疑ってかかるべきだというもう一つの理由は、マウスは人間ではないということだ。実験動物を使った研究結果には、注意が必要だ。例えば、１９７０年代初頭に、サッカリンがげっ歯類（訳注　マウスやラットの類）に膀胱（ぼうこう）がんを引き起こすことがわかった。その結果、サッカリンを含むすべての食品に危険性を示す警告が表示されるようになった。２０００年頃になると、げっ歯類で起こることが、そのまま人間にも起こるわけではないことがわかり始めた。人間とは違って、げっ歯類の尿は酸性度が高く、大量のリン酸カルシウムとたんぱく質が含まれる。そのため、げっ歯類にサッカリンを与えると尿中に微小結晶が形成されて膀胱の内側を傷つけ、膀胱がんを引き起こしていたのだ。このようなことは人間の体内では起こらない。２０００年12月21日、ＦＤＡはサッカリンを含む食品から警告ラベルを外した。

それに動物を使った研究で人間の体で起こることを予測できるというのなら、チョコレートを食べることだってやめるべきだ。犬にチョコレートを与えると不整脈を起こすことがあり、最悪の場合は死に至る。研究の結果、犬はチョコレートに含まれるテオブロミンと呼ばれる物質の耐容量が極めて低いことがわかった。一方、人間はかなりの量のチョコレートを食べても具合が悪くなったりはしない。（そのことは私の体でも実証済みだ。）

動物を使った研究では、もう一つ別の理由による事実誤認も起こりうる。動物実験では有効性が示されたにもかかわらず、実際には期待外れの結果に終わることがあるのだ。例えば、あるＨＩＶを予防するワクチンはマウスやサルを使った実験で有望であることが示された。だが、人間での研究は、期待を大きく裏切った。「マウスはうそをつき、サルは誇張する」とペンシルベニア大学のワクチン研究者デビッド・ウェイナーは言う。

化学名がついたものを怖がる人間の性は、すぐには治らないだろう。数年前に、コメディアンのペン

&テラーがある実験をやった。彼らは一人の友人をカリフォルニアの催し物会場に送り込み、一酸化二水素（ジヒドロゲンモノオキシド）の禁止を訴える嘆願書への署名を呼びかけさせた。数百人の人々が、このいかにも体に悪そうな物質を禁止する嘆願書に署名した。一酸化二水素とは、2個の水素（H）原子と1個の酸素（O）原子が結合したもので、この化合物H_2Oは水と呼ばれる。化学名を使うことで、ペン&テラーが差し向けた友人は水を地上からなくそうとする運動に数百人を加わらせることができた。

4．手っ取り早い解決策には気をつけろ。

成人の精神分裂病患者で精神病院があふれんばかりという状況は、現在では解消されている。ロボトミー手術も完全に過去の遺物となった。精神分裂病は統合失調症と名を変え、外来で治療する病気になった。子供の精神疾患のなかで間違いなく最も多い自閉症についても、状況は同じだ。その結果、治療法探しのプレッシャーにさらされるのは、公共施設に勤務する精神科医から、家庭で生活する親に変わった。残念なことに、過去の例にもれず、自閉症児の親は絶望感にさいなまれ、苦しみを和らげてくれるものを探し求めるようになる。ロボトミー手術のような恐ろしげで欠陥だらけの古くさい治療法は完全に廃れたと思うかもしれないが、そんなことはない。

自閉症治療をうたうものの一つに高圧酸素療法がある。自閉症の子供たちは高圧酸素カプセルに入れられ、鼓膜に痛みを感じるほどの強い圧力をかけられ、なかには死亡例も1例あった。重金属と結合するというふれこみの薬を点滴する療法では、心停止により1人の子供が亡くなった。幹細胞移植のためにメキシコなどの外国に連れていかれるケースもある。なかでも特にひどい目にあったと思われるのは、元サイエントロジー（訳注　米国の新興宗教）の信者で、健康伝道師となったジム・ハンブル師が考案した治療法を受けた患者たちだ。彼は健康と癒しのジェネシスⅡ教会という教団を組織した。公開されている動画のなかで、ハンブルは自分がアンドロメダ銀河から来た神で、年齢は10億歳だと主張している。

ハンブルは、自閉症も、エイズやマラリアやがんやアルツハイマー病と同じく、人間の腸に住みついた寄生虫が原因だと信じていた。寄生虫を殺すために彼が発明したのが、ミラクルミネラルソリュージョンという名前の奇跡の薬だ。ミラクルミネラルソリューション、通称MMSには亜塩素酸ナトリウムとクエン酸が含まれている。これらを混ぜると、強力な漂白剤である二酸化塩素が発生する。このMMSを子供たちに飲ませたり、浣腸剤として使用する治療法は、自閉症コミュニティで非常に人気がある。自閉症の原因は寄生虫ではないという事実を脇に置いても、MMSには問題がある。少量でも吐き気や嘔吐、下痢、腸管出血、呼吸不全、溶血（血液中の赤血球が破壊される現象）を起こす恐れがあり、さらに、皮肉なことに発達の遅れを招くこともある。2015年10月には、米国でMMSを取り扱っていた業者がこの製品を販売したことを罪に問われて懲役刑を科された。MMSは、少なくとも1人の死亡と関連があると考えられている。

子供にMMSを与える親は、自分たちの体験談をインターネット上で公開することも多い。そこには、痛みで泣き叫ぶ子供たちの話が書かれている。さらに、彼らは子供たちの便に混じって排出される腸の内壁や粘膜の写真をアップする。これが寄生虫だと信じているのだ。親たちは、子供の髪が抜け落ちていく様子について、また子供たちが以前に持っていた感情をゆっくりと失い、無感動になっていく様子について語る。工業用の漂白剤によって慢性中毒症状を起こした子供たちはおとなしくなり、大人にとってははるかに扱いやすい子供になる。要するに、ロボトミー手術の場合と同じく、子供らにとっては自分が抱えていた病気が別の病気に変わったにすぎない。それでも、親たちは効果があったと言って、他の親たちにせっせとMMSを勧める。

ロボトミー手術とMMSは、正反対の立場にある。ロボトミー手術は米国医師会、米国精神医学会、『ニューイングランド医学ジャーナル』の推奨を受けていた。一方、MMSが専門家団体や医療機関から推奨されたことは一切なく、それどころかFDAから使用に関する警告が出されている。アイスピッククロボトミー手術を考案したのは、有名大学の医学部で教授を務めていた権威ある神経学者だったが、MMSを発明したのは、地球から250万光年の彼方の銀河から来たと称する男だ。率直に言って、子供たちにロボトミー手術を受けさせる親よりも、我が子の口や尻に強力な工業用漂白剤を流し込む親の方がはるかに理解しがたい。

実際にはありそうもないと思われるかもしれないが、こんな状況を想像してほしい。悪徳医師の集団が、スイスで自閉症の治療と称してロボトミー手術を行うクリニックを開院したとする。クリニックを運営する医師たちはこの手術をロボトミー手術ではなく（今さらこの名前は使えない）、例えば「人生のやり直し」手術とでもいった別の名前で呼んでいる。体裁の整ったクリニックのホームページには、自閉症の原因となっている脳の神経線維（せんい）を切断する手術は所要時間わずか数分、入院も不要という説明が並び、この手術を受けて子供の言葉が大幅に増え、可能性が広がったという親の体験談もいくつか紹介されている。別の銀河からやってきた10億歳の神を自称する男が考え出した、児童虐待と変わらない治療法に人々が群がるなら、ヨーロッパのどこかのクリニックの医師たちが手っ取り早い外科手術で少なくとも同じくらいの成功を収めることは十分にあり得る。この話はフィクションだが、現実にならないという保証はどこにもない。治らない病気を治そうとするためにあらゆる手をつくすうちに、私たちは病気に苦しむ人をさらに苦しめ続けることになる。

5．量次第で薬は毒にもなる。

レイチェル・カーソンが『沈黙の春』で書いた、人間の活動によって環境が破壊されるという彼女の予測は正しかった。現代の私たちが、地球に人間が与える影響をはっきり意識するようになったのは、レイチェル・カーソンのおかげだ。しかし残念ながら、カーソンはゼロ・トレランス（ゼロリスクの原則）という概念も誕生させた。濃度や量に関係なく有害物質は一切認めず、全面的に禁止すべきだという考え方だ。（農業で使用されるような）大量のＤＤＴが有害な可能性があるなら、（蚊に刺されないようにするための）ごく少量の使用も避けるべきだということになる。その結果、数百万人の子供たちが本来なら防げたはずのマラリアで命を落とした。

ゼロ・トレランスが害を引き起こした最近の例では、チメロサールが挙げられる。チメロサールは化学構造にエチル水銀を含む防腐剤で、ワクチンに使われている。ワクチンは赤ちゃんにも注射されるため、特に心配すべき防腐剤だと言える。

防腐剤が最初にワクチンの大容量バイアルびんに加えられるようになったのは、１９３０年代のことだ。ゴム栓に繰り返し針を刺すうちに、びんに細菌が混入する可能性があるため、防腐剤が使われるようになった。１９００年代の初めには、バイアルびんを開封してから何人もがワクチンを接種された後でワクチンを受けた子供たちにはびんに入り込んだ細菌まで接種されることになり、重度の感染症を引き起こして、命を落とすこともあった。チメロサールを防腐剤としてワクチンに添加すると、この問題はなくなった。だが、1990年代後半に新たな問題が持ち上がった。どのような代償があったというのだろうか？

1999年に、ワクチンにより赤ちゃんや幼児の体内に多量の水銀が取り込まれることを不安視する声が一部の医師たちから上がったのだ。1990年代に起こったワクチンに含まれるチメロサールをめぐる騒動は、1970年代のDDTの場合ととてもよく似ていた。すぐに用心のためにチメロサールの乳幼児用ワクチンでの使用が取りやめられ、赤字で警告が記載されるようになった。1年ほどの間に、ワクチンメーカーはチメロサール不使用ワクチンの生産体制を整えたが、B型肝炎ワクチンなど一部のワクチンにはまだチメロサールが使われていた。およそ10パーセントの病院がチメロサールを含むB型肝炎ワクチンを投与しないという決断に踏み切り、結果としてミシガン州で3カ月の赤ちゃんが劇症型のB型肝炎を起こして死亡し、フィラデルフィアではB型肝炎ウイルスに感染した母親から生まれた6人の赤ちゃんがワクチンを受けられず、慢性肝炎（肝硬変）や肝臓がんを発症する不安を抱えながら人生を送ることになった。これらの病院では、チメロサールを含むB型肝炎ワクチンによる（理論上でしか示されていない）害は、B型肝炎にかかるという（実際に目の前にある）リスクよりも重大であると誤解されていたのだ。乳幼児向けのワクチンにチメロサールが使われなくなってからわずか数年のうちに、7つの研究によりチメロサール入りワクチンに害がないことが示されている。確認された唯一の有害事象は、現実にあるリスクよりも理論上のリスクが重視されたことが原因だった。

どうしてこんなことが起こったのか、説明するのはむずかしくない。水銀という言葉に良いイメージを持つ人はいないだろう。（重金属愛好会といった団体があるという話はあまり聞かない。）大量の水銀が体に悪いことははっきりしている。実際に、日本の水俣湾ではメチル水銀を含む廃水が流されたせいで、またイラクではメチル水銀を含む防カビ剤でくん蒸されたタネ小麦を誤って食用にしたことで、何百人もの乳児や胎児が犠牲になった。しかし、水銀は地球の地殻にも含まれる成分であり、完全に避けることはむずかしい。（母乳や赤ちゃん用ミルクも含めて）地球上の水に由来する飲み物には、どれも少量ながら水銀が含まれる。これらのごくわずかな量の水銀なら健康に害はない。大量に摂取することで、体に害が及ぼされるのだ。少量の水銀でも有害なのであれば、人類は別の惑星に移住するしかない。注目すべきは、水銀の量だけに限ればワクチンに含まれる水銀の量は、母乳や乳児用ミルクに含まれる量よりもはるかに少ないことだ。さらに、私たちが日常的にさらされている重金属は水銀だけではない。私たちの血液を調べれば、カドミウム、ベリリウム、タリウム、さらにヒ素までが微量ながらも検出されるはずだ。しかし、これらの量は健康被害が出る量にははるかに及ばない。

　残念ながら、私たちはトキシコロジー（毒物学）の最も重要な教訓である「量次第で薬は毒にもなる」という教えを生かせていないようだ。例えば、（いじめなどで起こるように）短時間で水を何リットルも飲まされれば、体がナトリウムを保持できる能力を超える恐れがある。そうなれば、血中のナトリウム濃度が低下し、痙攣（けいれん）を起こす可能性もある。だからといって、水が脳にとって有害であるという結論にはならない。いっぺんに何リットルもの水を飲んではいけないというだけの話だ。同じく、カップ1杯のオーガニックコーヒーにはアセトアルデヒド、ベンズアルデヒド、ベンゼン、ベンゾピレン、ベンゾフラン、コーヒー酸、カテコール、1、2、5、6-ジベンゾアントラセン、エチルベンゼン、ホルムアルデヒド、フラン、フルフラール、ヒドロキノン、d-リモネン、4-メチルカテコール、スチレン、トルエンなどの化学物質が含まれる。そして、これらの物質の多くは、発がん性または変異原性を持つことがわかっている。しかし、オーガニックコーヒーががんの原因になることを示した研究結果はまだない。その理由は、１杯のコーヒーに含まれる程度であれば、これらの化学物質が安全だと考えられる上限値を大幅に下回っているからだ。レイチェル・カーソンのゼロ・トレランスの教訓は、実際の世界には当てはまらない。

6．用心することにも用心が必要。

レイチェル・カーソンは、私たちに用心することを教えた。万が一にも人間にとって有害な可能性があることを考えてのＤＤＴの禁止に、果たして意味はあったのだろうか。すでに学んだように、ＤＤＴの使用禁止は害が益をはるかに上回った。

しかし、ビスフェノールＡについては、おもちゃからプラスチックをやわらかくする可塑剤を取り除いたところでどんな害があるのかと言いたくなるだろう。ＦＤＡが哺乳びんへのビスフェノールＡの使用を禁止すると、ナルゲンは全製品でビスフェノールＡ不使用を決めた。その時点では、ビスフェノールＡの安全性がはっきりしなかったからだ。ならば、予防原則に従って、用心のためにビスフェノールＡを使わないことに意味はあるのか？　答えはイエスで、妥当な対応だといえる。それでも、私たちは慎重にならねばならない。予防原則の名のもとに、益少なくして不都合なことが多い行動をとらないように気をつけていく必要がある。子供のおもちゃから可塑剤を除いても（たいしたことは起こらないだろうと考えられていた通り）たいしたことは起こらなかったが、性急な判断でワクチンのチメロサールの使用を中止したり（そして親たちや医師たちをおびえさせたり）、公衆衛生プログラムにおけるＤＤＴの使用を禁止する（しかも代わりになりそうな殺虫剤はもっと高価で手に入りにくい）ことは、予想されていた通りの形で子供たちを不必要に苦しめることになった。予防原則は、用心をすることによって万が一にも害が発生しないことを前提としている。

そんな前提の予防原則を最大限に取り入れた例が現代医学にはある。がん検診プログラムだ。過去50年間にわたる医学と科学の研究により、一部のがんは予防できることがわかってきた。口焼け止めを塗れば、皮膚がんを予防できる。B型肝炎のワクチンを受ければ、最も一般的な肝がんの原因であるウイルスを予防できる。ヒトパピローマウイルスワクチンは、子宮頸(しきゅうけい)がんの唯一知られている原因を予防できる。禁煙すれば、肺がんの最大の原因を予防できる。これらの4つの戦略の結果は、はっきりしている。

しかし、がんの定義は今でも変わり続けている。しかも、良い方向にではない。20年前の医学の教科書では、がんは「自然に経過すれば死に至る病気」と定義されている。いまやその定義は通用しない。今では、命にかかわることのないがんが見つかっている。がんで死ぬのではなく、別の原因で死ぬまで共存しながら生きていけるようながんもあるのだ。そのような命にかかわらないがんをみつける過程は、益よりも害の方が大きいのではないかと思われる。

ダートマス大学医学部のギルバート・ウェルチは、私たちが直面するジレンマを的確に表すたとえを持ち出している。納屋と動物のたとえだ。鳥、カメ、ウサギの3匹の動物が納屋にいて、逃げ出す機会をうかがっている。納屋の扉を開けると、3匹は三者三様の速度で逃げ出そうとする。扉を閉める間もなく飛び去ってしまう鳥は、どれほど手を尽くしても患者の命を奪っていくがんに例えられる。そのようながんに早期発見は役に立たず、いずれはその病で命を失うことになる。とにかく進行が早く、悪性度が高い。動きが遅く、どうやっても実際に逃げ出すことはできないカメは、進行がゆっくりで悪性度が低く、命にかかわることのないがんに例えられる。ほぼ間違いなく、患者はがんで死ぬよりも先に、他の理由で人生を終えることになる。これは、死ぬようながんではなく、死ぬまで共存しながら生きていけるようながんだ。扉をすばやく閉めれば捕まえることができるウサギは、発見する意味があるがんに例えられる。このようながんの発見が遅れれば、命にかかわる。しかし、早期に発見できれば、検診があなたの命を救うことになる。

がん検診はウサギを見つけ出す場合に限って意味がある。見つかるのがカメや鳥ばかりでは、命を救う効果は期待できない。子宮頸がんを見つけるためのパップテスト（細胞診）や大腸がんを見つけるための大腸内視鏡検査のような一部の検診は、命を救うことにつながる。どちらの検査でも、見つかる病気の多くはウサギだからだ。一方、甲状腺がん、前立腺がん、乳がんについては、早期に検診を受ける重要性がはっきりしていない。ジョンズ・ホプキンス大学医学部の外科医で多数の著作があるアトゥール・ガワンデの発言は、この状況を見事に言い得ている。「私たちは今、医療業界という金のかかる巨大産業をカメの発見と対応にせっせと取り組ませている」。

甲状腺がんの話から始めよう。

１９９９年、韓国政府は甲状腺がんの早期発見を目指す大々的ながん検診プログラムを全国で展開した。検診は、（人間の耳には聞こえないほどの高い音に該当する）高周波の音波を体内に送り込む超音波検査を用いて行われた。体に入った音波は、跳ね返ってくるが、音波の吸収や反射は組織によって異なる。大規模な検診プログラムが実施された結果、韓国では新たに4万人以上の甲状腺がん患者が見つかった。この数字は、検診プログラムが始まる前の15倍以上にのぼる。甲状腺がんは、韓国で最も多いがんになった。ある研究者は、この現象を「甲状腺がんの津波」と呼んだ。

こうして韓国で見つかった甲状腺がん患者は、甲状腺をすべて摘出する甲状腺全摘術と呼ばれる手術をほぼ全員が受けた。しかしながら、この手術には代償もあった。少なくとも、この手術を受けた患者は、死ぬまで甲状腺ホルモン補充治療を受けなければならなかった。さらに、適切なホルモン投与量を見極めることが難しい場合もあった。ホルモンの補充量が多すぎたり、少なすぎたりすると、患者は様々な症状に苦しめられることになった（過剰な場合は、多汗や動悸、体重減少、不足した場合は傾眠、うつ、体重増加などの副作用が見られた）。さらに悪いことに、声帯の神経が甲状腺のすぐそばを通っているため、声帯麻痺を起こした患者もいた。他にも、カルシウム濃度の調整を担う副甲状腺と呼ばれる分泌腺も近くにあるため、カルシウム代謝の異常を起こした患者もいた。また、手術の後で命にかかわる大出血を起こしたケースもあった。最初のうち、韓国の保健衛生当局は患者に症状が出る前にこれらすべてのがんを見つけられたことに歓喜した。次に、彼らは甲状腺がんの死亡率に目を向けた。数字は変わっていなかった。甲状腺がんによる死亡率は、大規模検診プログラムの前後でまったく同じだった。はっきりしていたのは、今では数万人の韓国人が甲状腺手術による副作用に苦しんでいるという結果だけだった。

甲状腺がんの過剰診断と過剰治療は、何も韓国だけの話ではない。フランス、イタリア、クロアチア、イスラエル、中国、オーストラリア、カナダ、チェコ共和国でも、甲状腺がんの患者発生率は倍増している。米国では患者発生率が3倍に達した。これらの国では例外なく、韓国と同様に、甲状腺がんによる死亡率に変化はない。

解剖調査により、甲状腺がんを検診で見つけようとすることには問題があることがわかった。別の死因による死亡者を解剖した結果、およそ3分の1に甲状腺がんが見つかったのだ。一部の研究者らは、これらの調査で甲状腺をもっと薄い薄片にしてたくさんのサンプルを調べていれば、死亡時に甲状腺がんを患っている死者の割合は１００パーセントに迫ったのではないかと主張した。だからといって、甲状腺がんで死ぬ可能性がないという話にはならない。甲状腺がんで命を落とす患者はいる。米国ではおよそ20万人に１人が甲状腺がんで死亡している。甲状腺がんの問題点は、ほぼすべてがカメで、ごくわずかに鳥が混ざっているところにある。大規模な検診を展開するに値するだけの数のウサギはいない。

来年、米国ではおよそ６万人が甲状腺がんの診断を受けるはずだ。女性が男性よりも多く、比率は３対１程度になるだろう。ほぼ全員が甲状腺の切除手術を受けることになるだろうが、診断を受けて得をする患者は、いたとしてもごく少数だ。これらの小さな甲状腺がんのほとんどが命にかかわることはないなら、がんと呼ぶまでもないのかもしれない。

前立腺がんもまた、検診で見つかりやすいがんだ。

１９７０年、アリゾナ大学の病理学教授リチャード・アブリンが前立腺特異抗原（ＰＳＡ）を発見した。ＰＳＡは前立腺の細胞が産生する酵素で、頸管粘液（けいかんねんえき）を精子が通り抜けて子宮に入れるようにする働きがある。ＰＳＡの重要性を最初に認識していたのは犯罪学者だった。ＰＳＡは、レイプ事件で犯人がパイプカットをしていたり、精子を作れない体だったりした場合にも、精液が存在したことを立証する証拠となっていたのだ。次に、医師たちが前立腺がんの再発を調べる検査にＰＳＡを使える可能性に気がついた。さらに、医師たちはもう一歩踏み込んで——今となっては悔やまれるが——ＰＳＡ検査で前立腺がんにかかっている可能性を予測することを始めた。血中のＰＳＡ濃度が高ければ、泌尿器科医は前立腺生体組織検査（生検）を勧めた。生検で前立腺がんが見つかれば、患者は前立腺の全摘出手術か放射線治療を受けることになった。米国では前立腺患者の90パーセント以上がどちらかの治療を受けた。

ＰＳＡ検査のおかげで、前立腺がんは皮膚がんに次いで米国で診断されることが多いがんになった。それでは、前立腺がんによる死亡率はどうなったか？　変化はなかった。前立腺がんで死ぬリスクは、10年前から変わっていないのだ。実際のところ、前立腺がん以外の死因により死亡して解剖が行われた60歳以上の男性の約50パーセントに前立腺がんが見つかっている。85歳以上ではこの数字は75パーセントに跳ね上がる。つまり、甲状腺がんの場合と同じく、前立腺がんは命を落とすより、病気と共存しながら生きていける人の方が多いがんだ。甲状腺がんと同じく、前立腺がんもほとんどはカメと鳥なのだ。

２０１２年、米国予防医療専門委員会は、ＰＳＡ検査による前立腺がん検診を推奨しないと発表した。しかし、すでに多くの弊害が発生していた。ＰＳＡ検査で高い数値が出れば、たいていは生検が行われる。生検は痛みや出血を伴い、排尿困難を起こしたり、場合によっては血流感染によって入院が必要になることもある。さらに、前立腺がんと診断されて傷ついている患者を待ち受けるのは、心身ともに負担の大きい治療だ。前立腺の摘出手術と放射線治療により、失禁や勃起不全が起こることは珍しくない。さらに悪いことに、前立腺摘出手術を受けた１０００人の患者のうち５人は手術のせいで命を落とす。これでは元も子もない。専門委員会がＰＳＡ検査による前立腺がん検診に反対する声明を出してから３年後の２０１５年には、検査を受けて、前立腺がんと診断された患者数は減少した。多くの医師が専門家委員会のメッセージを受け止めたのだ。

専門員会が推奨を変更した２年前、ＰＳＡの発見者であるリチャード・アブリンは『ニューヨーク・タイムズ紙』に寄稿し、見解を述べた。まず彼はＰＳＡ検査の年間費用が30億ドルにのぼることに言及し、次のように述べた。「私がこれまで長年にわたってはっきりさせようと努めてきたように、ＰＳＡ

検査は前立腺がんを見つけることはできないし、さらに重要なことに前立腺がんには命にかかわるものとそうでないものの2つのタイプがあるが、ＰＳＡ検査ではこれらを区別することもできない。40年前の私の発見が、金儲け主義のせいで公衆衛生にこのような大きな不幸をもたらすとは夢にも思わなかった」。

マンモグラフィー（乳房Ｘ線撮影法）による乳がん検診も、評価が変わりつつある。１９７０年代半ばに初めて米国に導入されたマンモグラフィーにより、救われた命があることは確かだが、問題は、どれほどの命が救われたのか、そしてどのような代償が伴ったのかという点だ。

２０１２年、アーチー・ブレイヤーとギルバート・ウェルチは『ニューイングランド医学ジャーナル』に「30年間のマンモグラフィー検査による乳がん検診の乳がん発生率に対する影響」と題した論文を発表した。彼らは、マンモグラフィーによる乳がん検診が導入されたことで、米国における乳がんの発生率が倍増したことに着目した。女性人口10万人あたりの乳がんの診断を受けた患者数は、１１２人から２３４人に増えた。つまり、毎年新たに乳がんと診断される患者が（10万人あたり）１２２人増えたことになる。同時に、（死に至ることが多い）末期乳がんの患者数は（10万人あたり）１０２人から94人に減った。つまり、検診の恩恵を受けたのは１２２人の患者のうちたった8人しかいないということのようだ。この8人以外は、さしたる恩恵もなく、乳房の摘出手術や放射線治療、化学療法を受けたことになる。論文の著者らは、マンモグラフィーによる乳がん検診が行われるようになってから乳がんの死亡率は下がったものの、死者が減少した主な原因は検査法ではなく治療法の進歩によるものだと結論づけた。さらに、彼らは30年間にわたるマンモグラフィーの歴史のなかで、命にかかわることのないがんの診断を受けた女性は約１３０万人にのぼると推定し、「ひいき目に見ても、マンモグラフィーによる乳がん検診は乳がんによる死亡率にごくわずかな影響しか与えなかった」と述べた。

多数の国を対象に実施された別の研究でも、マンモグラフィーが命を救うという常識に疑問が投げかけられている。研究者たちは、国によってマンモグラフィーによる乳がん検診の受診率が異なることに気づいた。一部の国では女性の40パーセント程度しか検診を受けていない一方で、受診率が80パーセント前後と高い国もある。マンモグラフィーに効果があるなら、検診の受診率が高い国ほど乳がんによる死亡率は低くなるはずだ。だが、乳がんによる死亡率は、受診率が高い国でも低い国でも変わらなかった。唯一の違いは、乳がん検診の受診率が高い国では、効果のほどがはっきりしない、乳房摘出手術や放射線治療、化学療法を受ける女性が多いという点だ。他にも同様の研究結果が続出した結果、マンモグラフィーに対する推奨は変更され、40才から74才のすべての女性が2年に1回のマンモグラフィーを受けることが勧められるようになった。現在の米国予防医療専門委員会（訳注　民間団体）の推奨では、マンモグラフィーの受診開始年齢が40才から50才に引き上げられた。がんという病名がつきながら、実態はがんではないがんはあまりにも多い。結果として、苦しまずに済んだはずの女性たちが苦しむことになった。

2015年2月、ジャーナリストのクリスティ・アシュワンデンは、『米国医師会雑誌』に「なぜ私はマンモグラフィーを受けないのか」と題した論説記事を投稿した。アシュワンデンは、検査後に考えられる5つの可能性を挙げた。その1、「最も多いケースとして、検査で疑わしいものが何も見つからない」。その2、「精密検査を受けるようにという連絡があり、生検か何かをやることになるかもしれないが、結局はがんでないことが判明する」。その結果「眠れぬ夜を過ごすことになり、後々まで不安を引きずる場合もある」。その3、「マンモグラフィーにより、発見されなくても特に問題にならなかったがんが見つかる。マンモグラフィーでこのようながんが見つかった場合――現段階ではこれらの無害ながんと危険ながんをはっきり区別することはできない――私は治療を受け、この命にかかわることのなかったはずのがんが『治った』ことになるだろう」。その4、「マンモグラフィーにより、極めて悪性で手の施しようがないがん――ほとんどの死亡の原因となっているようなやつ――が見つかる。この場合、早期に診断を受けることはできても、どのみち最終的に私はがんで死ぬことになるだろうし、がん治療を受けながら過ごす期間が長くなる」。その5、「マンモグラフィーで、放置すれば危険だが治療の効果が期待できるがんが見つかり、私の命は救われる」。最近の研究データを引用し、アシュワンデンはマンモグラフィーによって自分の命が救われる可能性は約0・16パーセントと推定した。彼女は次のように結論を述べている。「マンモグラフィーでは、乳がんで死なずに済む可能性もあるが、化学療法や放射線治療のような生活に大きな支障が出る、しかも体に害を及ぼす恐れすらある治療を受けて、無害ながんを『治す』ことになる可能性の方が高い。そんな検診を私は受けたくない」。

悪性のがんと害のないがんをはっきり区別できる遺伝子マーカーやバイオマーカーが見つかるまで、実態はがんでないがんの過剰診断と過剰治療に、私たちは今後も苦しめられることになる。そして、本当は私たちの命を救っているわけではない検診に、命を救われたと言い続けられるのだ。現在、毎年およそ7万人の女性が命にかかわらない乳がんにより、がんの診断を受けている。私たちは用心に用心を重ねすぎて、必要以上の恐怖や、不安を与えられ、体を傷めつける手術を招いている。

7．カーテンの後ろにいる小男に注意しろ。

今日、オズの魔法使い効果を利用して医学的・科学的なアドバイスをしてこようとする人々はちまたにあふれている。健康法のカリスマは、自分の人間的な魅力で根拠の弱さをごまかそうとする。そして、彼らは問い詰められることを嫌がる。カーテンの後ろに隠れていた小男の正体がばれると、彼らはたいてい、こんなことは不当だと叫ぶ。自分たちの説が間違っているわけではなく、悪の勢力が自分たちをやっつけようとしているのだと主張し始めるのだ。

例えば、1998年にイギリスのアンドリュー・ウェイクフィールドという医師が、麻しん・おたふくかぜ・風しんの混合ワクチン（MMRワクチン）が自閉症の原因になると言い出した。イギリスや米国ではMMRワクチンの接種を控える親が続出し、結果として数百人の子供に入院が必要になり、少なくとも4人が麻疹により死亡した。公衆衛生関連団体や学術界も反応し、12件以上の研究が行われて、はっきりとした結果が出た。結果には一貫性と再現性があった。MMRワクチンが自閉症の原因になることはない。アンドリュー・ウェイクフィールドは間違っていたのだ。

もしウェイクフィールドが本物の科学者であったなら——すなわち自分の説が間違っている可能性を認めようとする姿勢を持ち合わせていたなら——山のような証拠を突きつけられて、引き下がったはずだ。しかし、彼はそうしなかった。ウェイクフィールドの説は科学者にあるまじき、科学的な根拠を欠いたいいかげんな説だった。それでも、ウェイクフィールドはゆずらず、あらゆるえせ科学者が誤りを証明されたときに出る行動を選んだ。他の研究者たちが自分の結果を再現できなかったのは、彼らが医薬品業界の圧力を受けているからだと言い始めたのだ。世界中の何千人もの研究者たち、公衆衛生当局の担当者たち、学者たち、それに小児科医たちが製薬会社の意のままに操られているというこじつけを、ウェイクフィールドは私たちに信じ込ませようとし、このような不当な圧力がなければ、彼の理論の正しさが否定されるはずはないと暗にほのめかした。

ライナス・ポーリングもウェイクフィールドと何ら違いはない。ビタミンCでがんが治療できるという自らの説の誤りを『ニューイングランド医学ジャーナル』で発表された2本の素晴らしい論文で指摘されたポーリングは、雑誌を訴えると脅しをかけた。自分が間違っていたわけではなく（何といっても、自分はノーベル賞を2度も受賞したライナス・ポーリングなのだから）、医学界のなかに彼を引きずりおろそうとする陰謀があったことが問題の本質だとポーリングは主張した。医学界は、長年金もうけに利用してきた高価な化学療法を、ビタミンCのような安い製品で代用させたくはないというわけだ。

アンドリュー・ウェイクフィールドとライナス・ポーリングの説が正しかったなら、その後の研究でその正しさが証明されたはずだ。きちんとした手順を踏んで行われた研究により、自説が否定されたときに彼らが選んだ道は、誤りを指摘した相手を攻撃することだった。陰謀があったと主張する彼らのやり方は、優秀な弁護士のやり口だ。（法律家の基本原則は、法律が自分にとって有利な場合は法律を盾とし、事実が自分にとって有利な場合は事実を述べ立てる。どちらも自分にとって有利でないと判断した場合は、証人を攻撃する。）もし研究者が陰謀論を口にしたら、その相手が唱える説に根拠はないと思った方がいい。「真実を権力に話せばこうなる」という彼らの言い訳はそれらしく聞こえるかもしれないが、だからといって正しいとは限らない。数学者で疑似科学の誤りを論破するノーマン・レビットは、こんな有名な言葉を残している。「ガリレオが権威に逆らったからといって、権威に逆らうものが必ずしもガリレオではない」。彼らがどれほど一生懸命に自分たちがガリレオだと信じ込ませようとしたとしても。

エピローグ

「歴史とは、我々が永遠に訂正し続ける過ちだ。」
――アンソニー・マラ、『愛とテクノの皇帝(ツァーリ)』

パンドラが好奇心に負けて禁じられた箱を開けたとき、飢え、疫病、病気、貧困、犯罪、悪徳が世界に逃げ出した。残ったものはたった一つ、希望だけだった。パンドラが再び箱を開けたとき、たくさんのなすべき仕事を背負って、希望も世界に飛び出して行った。

現在では、呼び名こそ変わったものの、その正体は変わらない。パンドラの箱から逃げ出した悪しきものたちは、有害動植物、害虫、バクテリア、ウイルス、菌類、寄生虫、毒素、がん、心臓病、痛みなど、具体的な名前をつけられて、苦しみを与えたり、命を縮めたりしようとする。だから、私たちは抵抗する。科学や医療の進歩によってより良い世界を実現させるというのが、私たちの希望だ。だが、これらの悪しきものと戦うことを選べば、私たちはある種の戦争に加わらざるをえない。そして、どんな戦争にも犠牲はつきものだ。あらゆる進歩には代償が伴う。その代償が高いものになり過ぎないかどうかを調べるのは、私たちに課せられた仕事だ。ワクチンや抗生物質、衛生管理プログラムのように、ごくわずかな代償で済む場合もある。だが、トランス脂肪やロボトミー手術、メガビタミン療法のように、ある場合には代償は非常に大きくなる。これらのケースについては、どれも計算は簡単だ。しかし、オピエート（アヘンアルカロイドの薬剤）や化学肥料のように、短期間のうちに得られた利益やメリットを長期的な損失が大幅に上回り、影響の大きさを簡単にははじき出せない場合も多い。

科学の力でより良い生活を実現できるという希望を私たちは持ち続けているが、科学のあらゆる進歩はしっかりと注意深く見守っていく必要がある。そして、過去の失敗から学んだ教訓を生かし、ただ手をこまねいているばかりでいてはいけないということが結論になるだろう。

謝辞

本書の執筆にあたって辛抱強く手を差し伸べ、完成まで導いてくれたナショナル ジオグラフィックのスーザン・テイラー・ヒッチコック、原稿をじっくりと読んでくれたルイス・ベル、ジェフリー・ベルゲルソン、デビッド・ゴルスキ、シャーロット・モーゼル、ブライアン・フィッシャー、ウィル・オフィット、ボニー・オフィット、サリー・サテル、ローラ・ヴェラに感謝する。

Welch, H. G., and P. C. Albertson. "Prostate Cancer Diagnosis and Treatment After the Introduction of Prostate-Specific Antigen Screening: 1986–2005," *Journal of the National Cancer Institute* 101 (2009): 1325–1329.

Welch, H. G., D. H. Gorski, and P. C. Albertson. "Trends in Metastatic Breast and Prostate Cancer—Lessons in Cancer Dynamics," *New England Journal of Medicine* 373 (2015): 1685–1687.

遺伝子組み換え生物

Ewen, S. W., and A. Pusztai. "Effect of Diets Containing Genetically Modified Potatoes Expressing *Galanthu nivalis* Lectin on Rat Small Intestine," *Lancet* 354 (1999): 1353–1354.

Flam, F. "Defying Science and Common Sense, New York Bill Would Ban GMOs in Vaccines," *Forbes,* February 26, 2015.

Klumper W., and M. Qaim. "A Meta-Analysis of the Impacts of Genetically Modified Crops," *PLOS One* 9 (2014): 1–7.

Novella, S. "No Health Risks from GMOs," *Skeptical Inquirer,* July/August, 2014.

Lee, J-H, and S. W. Shin. "Overdiagnosis and Screening of Thyroid Cancer in Korea," *Lancet* 384 (2014): 1848.

McCullough, M. "When Mammograms Are More Harm Than Help," *Philadelphia Inquirer,* July 12, 2015.

Moyer, V. A., on behalf of the U.S. Preventive Services Task Force. "Screening for Prostate Cancer: U.S. Preventive Services Task Force Recommendation Statement," *Annals of Internal Medicine* 157 (2012): 120–134.

Narod, S. A., J. Iqbal, V. Giannakeas, et al. "Breast Cancer Mortality After a Diagnosis of Ductal Carcinoma *In Situ,*" *Journal of the American Medical Association Oncology,* August 20, 2015.

Penson, D. "The Pendulum of Prostate Cancer Screening," *Journal of the American Medical Association* 314 (2015): 2031–2033.

Rapaport, L. "Less Frequent Cancer Screenings Possible for Many People, Doctor Says," Reuters, May 18, 2015.

Sammon, J. D., F. Abdollah, T. K. Choueiri, et al. "Prostate-Specific Antigen Screening After 2012 US Preventive Services Task Force Recommendation," *Journal of the American Medical Association* 314 (2015): 2077–2079.

Shute, N. "Overdiagnosis Could Be Behind Jump in Thyroid Cancer Cases," National Public Radio, February 21, 2014.

Shute, N. "More Mammograms May Not Always Mean Fewer Cancer Deaths," National Public Radio, July 7, 2015.

Tanner, L. "Less Prostate Cancer and Screening After New Guidance," Associated Press, November 17, 2015.

Volmer, R. T. "Revisiting Overdiagnosis and Fatality in Thyroid Cancer," *American Journal of Clinical Pathology* 141 (2014): 128–132.

Welch, H. G., and W. C. Black. "Overdiagnosis in Cancer," *Journal of the National Cancer Institute* 102 (2009): 605–613.

Elmore, J. G., and R. Etzioni. "Effect of Screening Mammography on Cancer Incidence and Mortality," *Journal of the American Medical Association Internal Medicine* 175 (2015): 1490–1491.

Esserman, L., Y. Shieh, and I. Thompson. "Rethinking Screening for Breast Cancer and Prostate Cancer," *Journal of the American Medical Association* 302 (2009): 1685 1692.

Etzioni, R., D. F. Penson, J. M. Legler, et al. "Overdiagnosis Due to Prostate-Specific Antigen Screening: Lessons from U.S. Prostate Cancer Incidence Trends," *Journal of the National Cancer Institute* 94 (2002): 981–990.

Garas, G., A. Qureishi, F. Palazzo, et al. "Should We Be Operating on All Thyroid Cancers?" Paper presented at the Fifth Congress of the International Federation of Head and Neck Oncological Societies, July 26–30, 2014, New York, Abstract P0085.

Gawande, A. "Overkill: An Avalanche of Unnecessary Medical Care Is Harming Patients Physically and Financially. What Can We Do About It?" *The New Yorker,* May 11, 2015.

Grady, Denise. "Early Prostate Cancer Cases Fall Along with Screening," *New York Times,* November 17, 2015.

Hafner, Katie. "A Breast Cancer Surgeon Who Keeps Challenging the Status Quo," *New York Times,* September 28, 2015.

Harding, C., F. Pompei, D. Burmistrov, et al. "Breast Cancer Screening, Incidence, and Mortality Across US Counties," *Journal of the American Medical Association Internal Medicine* 175 (2015): 1483–1489.

Kaplan, K. "Screening Mammograms Don't Prevent Breast Cancer Deaths," *Los Angeles Times,* July 6, 2015.

Kolata, G. "Study Points to Overdiagnosis of Thyroid Cancer," *New York Times,* November 5, 2014.

Kolata, G. "It's Not Cancer: Doctors Reclassify a Thyroid Tumor," *New York Times,* April 14, 2016.

Hall, H. "Phthalates and BPA: Of Mice and Men," Science-Based Medicine, December 13, 2011.

Hengstler, J. G., H. Foth, T. Gebel, et al. "Critical Evaluation of Key Evidence on the Human Health Hazards of Exposure to Bisphenol A," *Critical Reviews in Toxicology* 41 (2011): 263–291.

Hinterthuer, A. "Just How Harmful Are Bisphenol A Plastics?" *Scientific American,* September 2008.

Kennedy, L. "Bisphenol A Is Harmless," The Skeptics Society Forum, March 11, 2013.

がん検診

Ablin, R. J. "The Great Prostate Mistake," *New York Times,* March 9, 2010.

Ahn, H. S., H. J. Kim, and H. G. Welch. "Korea's Thyroid Cancer 'Epidemic'—Screening and Overdiagnosis," *New England Journal of Medicine* 371 (2014): 1765–1767.

Ahn, H. S., and H. G. Welch. "South Korea's Thyroid Cancer 'Epidemic'—Turning the Tide," *New England Journal of Medicine* 373 (2015): 2389–2390.

Ashwanden, C. "Why I'm Opting Out of Mammography," *Journal of the American Medical Association Internal Medicine* 175 (2015): 164–165.

Bangma, C. H., S. Roemeling, and F. H. Schröder. "Overdiagnosis and Overtreatment of Early Detected Prostate Cancer," *World Journal of Urology* 25 (2007): 3–9.

Bernstein, Lenny. "After New Guidelines, U.S. Sees Sharp Decline in Prostate Cancer Screenings—And Diagnoses," *Washington Post,* November 17, 2015.

Bleyer, A., and H. G. Welch, "Effect of Three Decades of Screening Mammography on Breast-Cancer Incidence," *New England Journal of Medicine* 367 (2012): 1998–2005.

Sales Within the Next 10 Years," www.breatheic.com/blog/will-electronic-cigarette-pass-combustible-cigarette-sales-within-the-next-10-years-2/.

Jamal, A., I. T. Israel, E. O'Connor, et al. "Current Cigarette Smoking Among Adults—United States, 2005–2013," *Morbidity and Mortality Weekly Report* 63 (2014): 1108–1112.

Jamal, A. J., D. M. Homa, E. O'Connor, et al. "Current Cigarette Smoking Among Adults—United States, 2005–2014," *Morbidity and Mortality Weekly Report* 64 (2015): 1235–1240.

Klein, J. D. "Electronic Cigarettes Are Another Route to Nicotine Addiction for Youth," *Journal of the American Medical Association Pediatrics,* September 8, 2015, doi:10.1001/jamapediatrics.2015.1929.

McNeill, A. B., C. R. Hitchman, P. Hajek, and H. McRobbie. *E-Cigarettes: An Evidence Update, A Report Commissioned by Public Health England. Public Health England,* August 2015.

Nitzkin, J. "E-Cigarettes: A Life Saving Technology or a Way for Tobacco Companies to Re-Normalize Smoking in American Society," *The Food and Drug Law Institute* 4 (2014): 1–17.

Nitzkin, J. "Understanding the Crusade Against E-Cigarettes," rstreet.org, November 23, 2015.

Nocera, J. "Is Vaping Worse Than Smoking?" *New York Times,* January 27, 2015.

Satel, S. "What's Driving the War on E-Cigarettes?" *National Review,* June 1, 2015.

Satel, S. "The Year in E-Cigarettes: The Good, the Bad, the Reason for Optimism," *Forbes,* December 31, 2015.

ビスフェノールA

Groopman, J. "The Plastic Panic: How Worried Should We Be About Everyday Chemicals," *The New Yorker,* May 31, 2010.

Verstraeten, T., R. L. Davis, F. DeStefano, et al. "Safety of Thimerosal-Containing Vaccines: a Two-Phased Study of Computerized Health Maintenance Organization Databases," *Pediatrics* 112 (2003): 1039–1048.

電子タバコ

American Academy of Pediatrics. "Electronic Nicotine Delivery Systems," *Pediatrics* 136 (2015): 1018–1026.

Brown, J., E. Beard, D. Kotz, et al. "Real-World Effectiveness of E-Cigarettes When Used to Aid Smoking Cessation: A Cross-Sectional Population Study," *Addiction* 109 (2014): 1531–1540.

Clarke, T. "Youth E-Cigarette Data Prompts Call to Speed Regulation," Reuters, April 18, 2015.

Davidson, L. "Vaping Takes Off as E-Cigarettes Break Through $6BN," *Telegraph*, June 23, 2015.

Farsalinos, K. E., and R. Poisa. "Safety Evaluation and Risk Assessment of Electronic Cigarettes as Tobacco Cigarette Substitutes: A Systematic Review," *Therapeutic Advances in Drug Safety* 5 (2014): 67–86.

Friedman, A. S. "How Does Electronic Cigarette Access Affect Adolescent Smoking?" *Journal of Health Economics*, October 19, 2015, doi:10.1016/j.healeco.2015.10.003.

Green, S. H., R. Bayer, and A. L. Fairchild. "Evidence, Policy, and E-Cigarettes—Will England Reframe the Debate," *New England Journal of Medicine* 374 (2016): 1301–1303.

Haelle, T. "Teen Vaping Triples: E-Cigarettes, Hookahs Threaten Drop in Teen Tobacco Use," *Forbes*, April 17, 2015.

Haelle, T. "E-Cigarettes Benefit Public Health If Used to Replace Smoking, Say British Doctors," *Forbes*, April 28, 2016.

Herzog, B. "Will Electronic Cigarettes Pass Combustible Cigarette

Fombonne, E., R. Zakarian, A. Bennett, et al. "Pervasive Developmental Disorders in Montreal, Quebec, Canada: Prevalence and Links with Immunization," *Pediatrics* 118 (2006): 139–150.

Gundacker, C., B. Pietschnig, K. J. Wittmann, et al. "Lead and Mercury in Breast Milk," *Pediatrics* 110 (2002): 873–878.

Heron, J., J. Golding, and the ALSPAC Study Team. "Thimerosal Exposure in Infants and Developmental Disorders: a Prospective Cohort Study in the United Kingdom Does Not Show a Causal Association," *Pediatrics* 114 (2004): 577–583.

Hviid, A., M. Stellfeld, J. Wohlfahrt, et al. "Association Between Thimerosal-Containing Vaccine and Autism," *Journal of the American Medical Association* 290 (2003): 1763–1766.

Institute of Medicine (US) Immunization Safety Review Committee, D. Stratton, A. Gable, and M. C. McCormick (eds.). *Immunization Safety Review: Thimerosal-Containing Vaccines and Neurodevelopmental Disorders.* Washington, D.C.: National Academies Press, 2001.

Marsh, D. O., T. W. Clarkson, C. Cox, et al. "Fetal Methylmercury Poisoning: Relationship Be-tween Concentration in Single Strands of Maternal Hair and Child Effects," *Archives of Neurology* 44 (1987): 1017–1022.

Nelson, K. B., and M. L. Bauman. "Thimerosal and Autism?" *Pediatrics* 111 (2003): 664–679.

Parker, S. K., B. Schwartz, J. Todd, et al. "Thimerosal-Containing Vaccines and Autistic Spectrum Disorder: a Critical Review of Published Original Data," *Pediatrics* 114 (2004): 793–804.

Thompson, W. W., C. Price, B. Goodson, et al. "Early Thimerosal Exposure and Neuropsycholog-ical Outcomes at 7 to 10 Years," *New England Journal of Medicine* 357 (2007): 1281–1292.

Children with Autism: a Population Study," *British Medical Journal* 324 (2002): 393–396.

Wakefield, A. J., S. H. Murch, A. Anthony, et al. "Ileal-Lymphoid-Nodular Hyperplasia, Non-Specific Colitis, and Pervasive Developmental Disorder in Children," *Lancet* 351 (1998): 637–641 (retracted).

Weiss, S. "Eat Dirt—The Hygiene Hypothesis and Allergic Diseases," *New England Journal of Medicine* 347 (2002): 390–391.

Wilson K., E. Mills, C. Ross, et al. "Association of Autistic Spectrum Disorder and the Measles, Mumps, and Rubella Vaccine: a Systematic Review of Current Epidemiological Evidence," *Archives of Pediatric and Adolescent Medicine* 157 (2003): 628–634.

チメロサール

Andrews, N., E. Miller, A. Grant, et al. "Thimerosal Exposure in Infants and Developmental Disorders: a Retrospective Cohort Study in the United Kingdom Does Not Show a Causal Association," *Pediatrics* 114 (2004): 584–591.

Centers for Disease Control and Prevention. "Thimerosal in Vaccines: a Joint Statement of the American Academy of Pediatrics and the Public Health Service," *Morbidity and Mortality Weekly Report* 48 (1999): 563–565.

Centers for Disease Control and Prevention. "Recommendations Regarding the Use of Vaccines that Contain Thimerosal as a Preservative," *Morbidity and Mortality Weekly Report* 48 (1999): 996–998.

Clark, S. J., M. D. Cabana, T. Malik, et al. "Hepatitis B Vaccination Practices in Hospital Newborn Nurseries Before and After Changes in Vaccination Recommendations," *Archives of Pediatric Adolescent Medicine* 155 (2001): 915–920.

Farrington, C. P., E. Miller, and B. Taylor. "MMR and Autism: Further Evidence Against a Causal Association," *Vaccine* 19 (2001): 3632–3635.

Fombonne, E., and S. Chakrabarti. "No Evidence for a New Variant of Measles-Mumps-Rubella-Induced Autism," *Pediatrics* 108 (2001): E58.

Honda, H., Y. Shimizu, and M. Rutter, "No Effect of MMR Withdrawal on the Incidence of Autism: a Total Population Study," *Journal of Child Psychology and Psychiatry* 4 (2005): 572–579.

Kaye, J. A., M. Mar Melero-Montes, and H. Jick, "Mumps, Measles, and Rubella Vaccine and the Incidence of Autism Recorded by General Practitioners: a Time Trend Analysis," *British Medical Journal* 322 (2001): 460–463.

Madsen, K. M., and M. Vestergaard. "MMR Vaccination and Autism: What Is the Evidence for a Causal Association?" *Drug Safety* 27 (2004): 831–840.

Miller, E. "Measles-Mumps-Rubella Vaccine and the Development of Autism," *Seminars in Pediatric Infectious Diseases* 14 (2003): 199–206.

Public Health Laboratory Service. "Measles Outbreak in London," *Communicable Diseases Report Weekly* 12 (2002): 1.

Stratton, K., A. Gable, and P. M. M. Shetty. "Measles-Mumps-Rubella Vaccine and Autism," Institute of Medicine, Immunization Safety Review Committee. Washington, D.C.: National Academies Press, 2001.

Taylor, B., E. Miller, C. P. Farrington, et al. "Autism and Measles, Mumps, and Rubella Vaccine: No Epidemiological Evidence for a Causal Association," *Lancet* 353 (1999): 2026–2029.

Taylor, B., E. Miller, R. Lingam, et al. "Measles, Mumps, and Rubella Vaccination and Bowel Problems or Developmental Regression in

http://www.sciencebasedmedicine.org/luc-montagnier-and-the-nobel-disease.
Montagnier, L. "Autism: The Microbial Track," www.autismone.org/content/keynote-microbial-track.
Salzberg, S. "Nobel Laureate Joins Anti-Vaccination Crowd at Autism One," *Forbes,* May 27, 2012.
Ullman, D. "Luc Montagnier, Nobel Prize Winner, Takes Homeopathy Seriously," *Huffington Post,* January 30, 2011.

過去に学ぶ教訓

麻しん・おたふくかぜ・風しんの混合ワクチンと自閉症

Chen, R.T., and F. DeStefano. "Vaccine Adverse Events: Causal or Coincidental?" *Lancet* 351 (1998): 611–612.
Dales, L., S. J. Hammer, and N. J. Smith, "Time Trends in Autism and in MMR Immunization Coverage in California," *Journal of the American Medical Association* 285 (2001): 1183–1185.
Davis, R. L., P. Kramarz, K. Bohlke, et al. "Measles-Mumps-Rubella and Other Measles-Containing Vaccines Do Not Increase the Risk for Inflammatory Bowel Disease: a Case-Control Study from the Vaccine Safety Datalink Project," *Archives of Pediatric Adolescent Medicine* 155 (2001): 354–359.
DeStefano, F., and W. W. Thompson. "MMR Vaccine and Autism: an Update of the Scientific Evidence," *Expert Review of Vaccines* 3 (2004): 19–22.
DeStefano, F., T. K. Bhasin, W. W. Thompson, et al. "Age at First Measles-Mumps-Rubella Vaccination in Children with Autism and School-Matched Control Subjects: a Population-Based Study in Metropolitan Atlanta," *Pediatrics* 113 (2004): 259–266.

Nebraska: Paragon House Publishers, 1989.
Sherrow, Victoria. *Linus Pauling: Investigating the Magic Within.* Austin: Raintree Steck-Vaughn Publishers, 1997.
Valiunas, A. "The Man Who Thought of Everything," *The New Atlantis,* Spring 2015.

ピーター・デュースバーグ

Cohen, J. "The Duesberg Phenomenon," *Science* 266 (1994): 1642–1644.
Cohen, J. "Duesberg and Critics Agree: Hemophilia Is the Best Test," *Science* 266 (1994): 1645–1646.
Cohen, J. "Fulfilling Koch's Postulates," *Science* 266 (1994): 1647.
Cohen, J. "Could Drugs, Rather Than a Virus, Be the Cause of AIDS?" *Science* 266 (1994): 1648–1649.
Kalichman, Seth. *Denying AIDS: Conspiracy Theories, Pseudoscience, and Human Tragedy.* New York: Copernicus Books, 2009.
Nattrass, Nicoli. *The AIDS Conspiracy: Science Fights Back.* New York: Columbia University Press, 2012.

リュック・モンタニエ

Butler, D. "Trial Draws Fire," *Nature* 468 (2010): 743.
Enserink, M. "French Nobelist Escapes 'Intellectual Terror' to Pursue Radical Ideas in China," Science 330 (2010): 1732.
Gorski, D. "Luc Montagnier: The Nobel Disease Strikes Again," http://scienceblogs.com/insolence/2010/11/23/luc-montagnier-the-nobel-disease-strikes, November 23, 2010.
Gorski, D. "The Nobel Disease Meets DNA Teleportation and Homeopathy," http://scienceblogs.com/?s=the+nobel+prize+meets+dna+teleportation, January 14, 2011.
Gorski, D. "Luc Montagnier and the Nobel Disease," June 4, 2012,

ノーベル賞受賞者の蹉跌

ライナス・ポーリング

Goertzel, Ted, and Ben Goertzel. *Linus Pauling: A Life in Science and Politics.* New York: Basic Books, 1995.

Hager, Thomas. *Force of Nature: The Life of Linus Pauling.* New York: Simon & Schuster, 1995.

Hager, Thomas. *Linus Pauling and the Chemistry of Life.* Oxford: Oxford University Press, 1998.

Marinacci, Barbara (ed.). *Linus Pauling in His Own Words: Selections from His Writings, Speeches, and Interviews.* New York: Simon & Schuster, 1995.

Mead, Clifford, and Thomas Hager (eds.). *Linus Pauling: Scientist and Peacemaker.* Corvallis: Oregon State University Press, 2001.

Newton, David E. *Linus Pauling: Scientist and Advocate.* New York: Facts on File, 1994.

Offit, Paul. *Do You Believe in Magic? The Sense and Nonsense of Alternative Medicine.* New York: HarperCollins, 2013.

Pauling, Linus. *Vitamin C and the Common Cold.* San Francisco: W. H. Freeman and Company, 1970.

Pauling, Linus. *Vitamin C, the Common Cold, and the Flu.* San Francisco: W. H. Freeman and Company, 1976.

Pauling, Linus, and Ewan Cameron (eds.). *Cancer and Vitamin C: A Discussion of the Nature, Causes, Prevention, and Treatment of Cancer with Special Reference to the Value of Vitamin C.* Philadelphia: Camino Books, 1979 (updated 1993).

Pauling, Linus. *How to Live Longer and Feel Better.* Corvallis: Oregon State University Press, 1986.

Price, Catherine. *Vitamania: Our Obsessive Quest for Nutritional Perfection.* New York: Penguin Press, 2015.

Serafini, Anthony. *Linus Pauling: A Man and His Science.* Lincoln,

Lear, Linda. *Rachel Carson: Witness for Nature.* New York: Houghton Mifflin Harcourt, 1997.

Lear, Linda. *Lost Woods: The Discovered Writing of Rachel Carson.* Boston: Beacon Press, 1998.

Lytle, Mark Hamilton. *The Gentle Subversive: Rachel Carson, Silent Spring, and the Rise of the Environmental Movement.* New York: Oxford University Press, 2007.

Meiners, Roger, Pierre Desrochers, and Andrew Morriss (eds.). *Silent Spring at 50: The False Crisis of Rachel Carson.* Washington, D.C.: Cato Institute, 2012.

Musil, Robert K. *Rachel Carson and Her Sisters: Extraordinary Women Who Have Shaped America's Environment.* New Brunswick, New Jersey: Rutgers University Press, 2014.

Oreskes, Naomi, and Erik K. Conway. *Merchants of Doubt: How a Handful of Scientists Obscured the Truth on Issues from Tobacco Smoke to Global Warming.* New York: Bloomsbury Press, 2010.

Pearson, Gwen. "DDT, Junk Science, Malaria, and Insecticide Resistance," https://membracid.wordpress.com/2007/06/13/ddt-malaria-insecticide-resistance, June 13, 2007.

Pearson, Gwen. "Setting the Record Straight on Rachel Carson," https://membracid.wordpress.com/2007/06/25/setting-the-record-straight-on-rachel-carson, June 25, 2007.

Roberts, Donald, Richard Tren, Roger Bate, and Jennifer Zambone. *The Excellent Powder: DDT's Political and Scientific History.* Indianapolis: Dog Ear Publishing, 2010.

Souder, William. *On a Farther Shore: The Life and Legacy of Rachel Carson.* New York: Broadway Books, 2012.

Strickman, Daniel, Stephen P. Frances, and Mustapha Debboun. *Prevention of Bug Bites, Stings, and Disease.* New York: Oxford University Press, 2009.

Willingham, E. "Here's Why Authorities Searched the Offices of Controversial Autism Doctor Bradstreet," *Forbes,* July 9, 2015.

『沈黙の春』の功罪

Allen, Arthur. *The Fantastic Laboratory of Dr. Weigl: How Two Brave Scientists Battled Typhus and Sabotaged the Nazis.* New York: W. W. Norton, 2014.

Carson, Rachel. *The Sea Around Us.* New York: Oxford University Press, 1950.

Carson, Rachel. *The Edge of the Sea.* New York: Houghton Mifflin, 1955.

Carson, Rachel. *Silent Spring.* New York: Houghton Mifflin, 1962.

Carson, Rachel. *The Sense of Wonder.* New York: Harper & Row Publishers, 1965.

Darrell, Ed. "Setting the Record Straight on Rachel Carson, Malaria, and DDT," Millard Fillmore's Bathtub (blog), https://timpanogos.wordpress.com/2007/06/19/setting-the-record-straight-on-rachel-carson-malaria-and-ddt, June 19, 2007.

Driessen, Paul. *Eco-Imperialism: Green Power, Black Death.* Bellevue, Washington: Free Enterprise Press, 2003.

Dunlap, Thomas R. *DDT, Silent Spring, and the Rise of Environmentalism: Classic Texts.* Seattle: University of Washington Press, 2008.

Kinkela, David. *DDT & the American Century: Global Health, Environmental Politics, and the Pesticide that Changed the World.* Chapel Hill: The University of North Carolina Press, 2011.

Kudlinski, Kathleen V. *Rachel Carson: Pioneer of Ecology.* New York: Puffin Books, 1988.

Lawlor, Laurie. *Rachel Carson and Her Book That Changed the World.* New York: Holiday House, 2012

Larson, Kate Clifford. *Rosemary: The Hidden Kennedy Daughter.* New York: Houghton Mifflin Harcourt, 2015.

Lynn, G., and E. Davey. "'Miracle Autism Cure' Seller Exposed by BBC Investigation," *BBC News,* London, June 11, 2015.

Miller, Bruce L., and Jeffrey L. Cummings (eds.). *The Human Frontal Lobes: Functions and Disorders: Second Edition.* New York: The Guilford Press, 2007.

Miller, M. E. "The Mysterious Death of a Doctor Who Peddled Autism 'Cures' to Thousands," *Washington Post,* July 16, 2015.

Momsense (blog). "The Miracle Mineral Solution Sham and What You Can Do About It," www.itsmomsense.com/mms-sham.

Nasaw, David. *The Patriarch: The Remarkable Life and Turbulent Times of Joseph P. Kennedy.* New York: Penguin Press, 2012.

Newitz, A., "The Strange, Sad History of the Lobotomy," http://io9.com/5787430/the-strange-sad-history-of-the-lobotomy.

Partridge, Maurice. *Pre-Frontal Leucotomy.* Oxford: Blackwell Scientific Publications, 1950.

Pressman, Jack D. *Last Resort: Psychosurgery and the Limits of Medicine.* Cambridge: Cambridge University Press, 1998.

Raz, Mical. *The Lobotomy Letters: The Making of American Psychosurgery.* Rochester: The University of Rochester Press, 2013.

Shorter, Edward. *A History of Psychiatry: From the Era of the Asylum to the Age of Prozac.* New York: John Wiley & Sons, 1997.

Shutts, David. *Lobotomy: Resort to the Knife.* New York: Van Norstrand Reinhold, 1982.

Valenstein, Elliot S. *Great and Desperate Cures: The Rise and Decline of Psychosurgery and Other Radical Treatments for Mental Illness.* CreateSpace Independent Publishing Platform, 2010.

Whitaker, R. *Mad in America: Bad Science, Bad Medicine, and the Enduring Mistreatment of the Mentally Ill.* New York: Basic Books, 2002.

Posner, Gerald L., and John Ware. *Mengele: The Complete Story.* New York: Cooper Square Press, 1986.

Spiro, Jonathan Peter. *Defending the Master Race: Conservation, Eugenics, and the Legacy of Madison Grant.* Burlington: University of Vermont Press, 2009.

心を壊すロボトミー手術

Braslow, Joel. *Mental Ills and Bodily Cures: Psychiatric Treatment in the First Half of the Twentieth Century.* Berkeley: University of California Press, 1997.

Connett, David. "Autism: Potentially Lethal Bleach 'Cure' Feared to Have Spread to Britain," *The Independent,* November 23, 2015.

Dully, Howard, and Charles Fleming. *My Lobotomy.* New York: Three Rivers Press, 2007.

El-Hai, Jack. *The Lobotomist: A Maverick Medical Genius and His Tragic Quest to Rid the World of Mental Illness.* Hoboken: John Wiley & Sons, 2005.

Freeman, W., and J. W. Watts. "Prefrontal Lobotomy: The Surgical Relief of Mental Pain," *Bulletin of the New York Academy of Medicine* 18 (1942): 794–812.

Fuster, Joaquin M. *The Prefrontal Cortex: Fourth Edition.* San Diego: Academic Press, 2008.

Grimes, D. R. "Autism: How Unorthodox Treatments Can Exploit the Vulnerable," *The Guardian,* July 15, 2015.

Johnson, J. *American Lobotomy: A Rhetorical History.* Ann Arbor: University of Michigan Press, 2014.

Kent, Deborah. *Snake Pits, Talking Cures, & Magic Bullets: A History of Mental Illness.* Brookfield, Connecticut: Twenty-First Century Books, 2003.

マディソン・グラントと『偉大な人種の消滅』

Bryson, Bill. *One Summer: America, 1927.* New York: Doubleday, 2013.

Black, Edwin. *War Against the Weak: Eugenics and America's Campaign to Create a Master Race.* Washington, D.C.: Dialogue Press, 2003.

Chesterton, G. K. *Eugenics and Other Evils: An Argument Against the Scientifically Organized State.* Seattle: Inkling Books, 2000.

Cohen, Adam. *Imbeciles: The Supreme Court, American Eugenics, and the Sterilization of Carrie Buck.* New York: Penguin Press, 2016.

Grant, Madison. *The Passing of the Great Race, Or, the Racial Basis of European History.* New York: Charles Scribner's Sons, 1916.

Lagnado, Lucette Matalon, and Sheila Cohn Dekel. *Children of the Flames: Dr. Josef Mengele and the Untold Story of the Twins of Auschwitz.* New York: William Morrow and Company, 1991.

Lombardo, Paul A. *Three Generations, No Imbeciles: Eugenics, the Supreme Court, and* Buck v. Bell. Baltimore: Johns Hopkins University Press, 2008.

Lombardo, Paul A. *A Century of Eugenics in America: From the Indiana Experiment to the Human Genome Project.* Bloomington: Indiana University Press, 2011.

Naftali, Timothy. "Unlike Ike," *New York Times Book Review,* September 26, 2015.

Nourse, Victoria. "When Eugenics Became Law," *Nature* 530 (2016): 418.

Oshinsky, David. "No Justice for the Weak," *New York Times Book Review,* March 20, 2016.

Perl, Gisella. *I Was a Doctor in Auschwitz.* Tamarac, Florida: Yale Garber, 1987.

Hager, Thomas. *The Alchemy of Air: A Jewish Genius, a Doomed Tycoon, and the Scientific Discovery that Fed the World and Fueled the Rise of Hitler.* New York: Broadway Books, 2008.

Smil, Vaclav. *Enriching the Earth: Fritz Haber, Carl Bosch, and the Transformation of World Food Production.* Cambridge: MIT Press, 2001.

Stern, Fritz. *Dreams and Delusions: The Drama of German History.* New Haven: Yale University Press, 1999.

Stoltzenberg, Dietrich. *Fritz Haber: Chemist, Nobel Laureate, German, Jew.* Philadelphia: Chemical Heritage Press, 2004.

人権を蹂躙した優生学

共和党予備選挙

Clement, Scott. “Republicans Embrace Trump’s Ban on Muslims While Most Others Reject It,” *Washington Post,* December 14, 2015.

Cruz, Ted. “Cruz Immigration Plan,” www.tedcruz.org/cruz-immigration-plan.

Haberman, Maggie. “Donald Trump Deflects Withering Fire on Muslim Plan,” *New York Times,* December 8, 2015.

Hussain, Murtaza. “Majority of Americans Now Support Donald Trump’s Proposed Muslim Ban, Poll Shows,” *The Intercept,* March 30, 2016.

Osnos, Evan. “The Fearful and the Frustrated,” *The New Yorker,* August 31, 2015.

Savage, Charlie. “Plan to Bar Foreign Muslims by Donald Trump Might Survive a Lawsuit,” *New York Times,* December 8, 2015.

Ye Hee Lee, Michelle. “Donald Trump’s False Comments Connecting Mexican Immigrants and Crime,” *Washington Post,* July 8, 2015.

Stender, S., A. Astrup, and J. Dyerberg. "Ruminant and Industrially Produced Trans Fatty Acids: Health Aspects," *Food & Nutrition Research,* March 12, 2008, doi:10.3402/fnr.v52i0.1651.

Taubes, G. "The Soft Science of Dietary Fat," *Science* 291 (2001): 2536–2545.

Thomas, L. H., P. R. Jones, J. A. Winter, and H. Smith. "Hydrogenated Oils and Fats: The Presence of Chemically-Modified Fatty Acids in Human Adipose Tissue," *American Journal of Clinical Nutrition* 34 (1981): 877–886.

United States Food and Drug Administration. "Trans Fat Now Listed with Saturated Fat and Cholesterol," www.fda.gov/Food/Ingredients PackagingLabelling/Nutrition/ucm274590.htm.

van Tol, A., P. L. Zock, T. van Gent, et al. "Dietary *Trans* Fatty Acids Increase Serum Cholesterylester Transfer Protein Activity in Man," *Atherosclerosis* 115 (1995): 129–134.

Whoriskey, P. "The U.S. Government Is Poised to Withdraw Longstanding Warnings About Cholesterol," *Washington Post,* February 10, 2015.

Willett, W. C., M. J. Stampfer, J. E. Manson, et al. "Intake of Trans Fatty Acids and Risk of Coronary Heart Disease Among Women," *Lancet* 341 (1993): 581–585.

化学肥料から始まった悲劇

Charles, Daniel. *Between Genius and Genocide: The Tragedy of Fritz Haber, Father of Chemical Warfare.* London: Jonathan Cape, 2005.

Goran, Morris. *The Story of Fritz Haber.* Norman: University of Oklahoma Press, 1967.

Haber, L. F. *The Poisonous Cloud: Chemical Warfare in the First World War.* Oxford: Clarendon Press, 1986.

Oomen, C. M., M. C. Ocké, E. J. M. Feskens, et al. "Association Between Trans Fatty Acid Intake and 10-Year Risk of Coronary Heart Disease in the Zutphen Elderly Study: A Prospective, Population-Based Study," *Lancet* 357 (2001): 746–751.

Pietinen, P., A. Ascherio, P. Korhonen, et al. "Intake of Fatty Acids and Risk of Coronary Heart Disease in a Cohort of Finnish Men: the Alpha-Tocopherol, Beta-Carotene Cancer Prevention Study," *American Journal of Epidemiology* 145 (1997): 876–887.

Remig, V., B. Franklin, S. Margolis, et al. "Trans Fats in America: A Review of Their Use, Consumption, Health Implications, and Regulation," *Journal of the American Dietetic Association* 110 (2010): 585–592.

Ross, J. K. "The FDA Wants to Ban Berger Cookies, the World's Most Delicious Dessert," www.reason.com, November 23, 2013.

Rothstein, William G. *Public Health and the Risk Factor: A History of Uneven Medical Revolution.* Rochester, New York: University of Rochester Press, 2003.

Schleifer, D. "Fear of Frying: A Brief History of Trans Fats," https://nplusonemag.com/online-only/online-only/fear-frying/.

Schleifer, D. "The Perfect Solution: How Trans Fats Became the Healthy Replacement for Saturated Fats," *Technology and Culture* 53 (2012): 94–119.

Shaw, Judith. *Trans Fats: The Hidden Killer in Our Food.* New York: Pocket Books, 2004.

Stampfer, M. J., F. M. Sacks, S. Salvini, et al. "A Prospective Study of Cholesterol, Apolipoproteins, and the Risk of Myocardial Infarction," *New England Journal of Medicine* 325 (1991): 373–381.

Stender, S., and J. Dyerberg. "High Levels of Industrially Produced Trans Fats in Popular Fast Foods," *New England Journal of Medicine* 354 (2006): 1650–1652.

Harvard University School of Public Health, “Shining the Spotlight on Trans Fats,” http://hsph.harvard.edu/nutritionsource/transfats/#big_changes.

Hu, F. B., M. J. Stampfer, J. E. Manson, et al. “Dietary Fat Intake and the Risk of Coronary Heart Disease in Women,” *New England Journal of Medicine* 337 (1997): 1491–1499.

Katan, M. B., P. L. Zock, and R. P. Mensink. “Trans Fatty Acids and Their Effects on Lipoproteins in Humans,” *Annual Reviews of Nutrition* 15 (1995): 473–493.

Khazan, O. “When Trans Fats Were Healthy,” *The Atlantic,* November 8, 2013.

Kolata, G. “Mediterranean Diet Shown to Ward Off Heart Attack and Stroke,” *New York Times,* February 25, 2013.

Lemaitre, R. N., I. B. King, T. E. Raghunathan, et al. “Cell Membrane *Trans*-Fatty Acids and the Risk of Primary Cardiac Arrest,” *Circulation* 105 (2002): 697–701.

Mensink, R. P., P. L. Zock, A. D. M. Kester, and M. B. Katan. “Effects of Dietary Fatty Acids and Carbohydrates on the Ratio of Serum Total to HDL Cholesterol and on Serum Lipids and Apolipoproteins: A Meta-Analysis of 60 Controlled Studies,” *American Journal of Clinical Nutrition* 77 (2003): 1146–1155.

Mozaffarian, D., M. B. Katan, A. Ascherio, et al. “Trans Fatty Acids and Cardiovascular Disease,” *New England Journal of Medicine* 354 (2006): 1601–1613.

O’Connor, A. “Study Questions Fat and Heart Disease Link,” *New York Times,* March 17, 2014.

Oh, D., F. B. Hu, J. E. Manson, et al. “Dietary Fat Intake and Risk of Coronary Heart Disease in Women: 20 Years of Follow-Up of the Nurses Health Study,” *American Journal of Epidemiology* 161 (2005): 672–679.

Ascherio, A., C. H. Hennekens, J. E. Buring, et al. "Trans-Fatty Acids Intake and Risk of Myocardial Infarction," *Circulation* 89 (1994): 94–101.

Ascherio, A., E. B. Rimm, E. L. Giovannucci, et al. "Dietary Fat and Risk of Coronary Heart Disease in Men: Cohort and Follow Up Study in the United States," *British Medical Journal* 313 (1996): 84–90.

Baylin, A., E. K. Kabagambe, A. Ascherio, et al. "High 18:2 Trans-Fatty Acids in Adipose Tissue Are Associated with Increased Risk of Nonfatal Acute Myocardial Infarction in Costa Rican Adults," *Journal of Nutrition* 133 (2003): 1186–1191.

Clifton, P. M., J. B. Keogh, and M. Noakes. "Trans Fatty Acids in Adipose Tissue and the Food Supply Are Associated with Myocardial Infarction," *Journal of Nutrition* 134 (2004): 874–879.

Cowley, R., D. Gibson, and C. Sewell, "History of Eating in the United States: Margarine Vs. Butter," http://historyofeating.umwblogs.org/butter.

Dijkstra, A. J., R. J. Hamilton, and W. Hamm (eds.). *Trans Fatty Acids.* Oxford: Blackwell Publishing, 2008.

Downs, S. M., A. M. Thow, and S. R. Leeder. "The Effectiveness of Policies for Reducing Dietary Trans Fat: A Systematic Review of the Evidence," *Bulletin of the World Health Organization* 91 (2013): 262–269.

Ferdman, R. A. "The Generational Battle of Butter Vs. Margarine," *Washington Post,* June 17, 2014.

Gorelick, R. "FDA Trans-Fat Ban Threatens Berger Cookies," *Baltimore Sun,* November 22, 2013.

Hallock, B. "Rise and Fall of Trans Fat: A History of Partially Hydrogenated Oil," *Los Angeles Times,* November 7, 2013.

in Non-Malignant Pain: Report of 38 Cases," *Pain* 25 (1986): 171–186.

Quinones, Sam. *Dreamland: The True Tale of America's Opiate Epidemic.* New York: Bloomsbury Press, 2015.

Rosenblatt, R. A., and M. Caitlin. "Opioids for Chronic Pain: First Do No Harm," *Annals of Family Medicine* 10 (2012): 300–301.

Rudd, R. A., N. Aleshire, J. E. Zibell, and R. M. Gladden. "Increases in Drug and Opioid Overdose Deaths—United States, 2000–2014," *Morbidity and Mortality Weekly Report* 64 (2016): 1378–1382.

Tavernese, Sabrina. "C.D.C. Painkiller Guidelines Aim to Reduce Addiction Risk," *New York Times,* March 15, 2016.

van Zee, A. "The Promotion and Marketing of OxyContin: Commercial Triumph, Public Health Tragedy," *American Journal of Public Health* 99 (2009): 221–227.

Volkow, N. D., and A. T. McLellan. "Opioid Abuse in Chronic Pain—Misconceptions and Mitigation Strategies," *New England Journal of Medicine* 374 (2016): 1253–1263.

Wikipedia. "Felix Hoffmann," https://en.wikipedia.org/wiki/Felix_Hoffmann.

Zack, I. "Pain in the Asset," *Forbes,* February 5, 2001.

Zweifler, J. A. "Objective Evidence of Severe Disease: Opioid Use in Chronic Pain," *Annals of Family Medicine* 10 (2012): 366–368.

マーガリンの大誤算

Aro, A., A. F. M. Kardinaal, I. Salminen, et al. "Adipose Tissue, Isomeric Trans Fatty Acids, and Risk of Myocardial Infarction in Nine Countries: The EURAMIC Study," *Lancet* 345 (1995): 273–278.

Meier, B. "Official Faults Drug Company for Marketing of Its Painkiller," *New York Times,* December 12, 2001.

Meier, B. "Doctor to Face U.S. Charges in Drug Case," *New York Times,* December 23, 2001.

Meier, B. "OxyContin Prescribers Face Charges in Fatal Overdoses," *New York Times,* January 19, 2002.

Meier, B. "A Small-Town Clinic Looms Large as a Top Source of Disputed Painkillers," *New York Times,* February 10, 2002.

Meier, B. "OxyContin Deaths May Top Early Count," *New York Times,* April 15, 2002.

Meier, Barry. *Pain Killer: A "Wonder" Drug's Trail of Addiction and Death.* New York: Vook, 2013.

Meier, Barry. *A World Full of Hurt: Fixing Pain Medicine's Biggest Mistake.* New York: The New York Times Company, 2013.

Meldrum, Marcia L. *Opioids and Pain Relief: A Historical Perspective.* Seattle: IASP Press, 2003.

Mundell, E. J. "FDA OK's 'Abuse Deterrent' Label for New Oxycontin," *HealthDay News,* April 16, 2010.

Nicolaou, K. C., and T. Montagnon. *Molecules That Changed the World: A Brief History of the Art and Science of Synthesis and Its Impact on Society.* Weinheim, Germany: Wiley-VCH Verlag GmbH & Co., 2008.

Paulozzi, L., G. Baldwin, G. Franklin, et al. "CDC Grand Rounds: Prescription Drug Overdoses—a U.S. Epidemic," *Morbidity and Mortality Weekly Report* 61 (2012): 10–13.

Perrone, M. "U.S. Struggles to Limit Painkillers," *Philadelphia Inquirer,* December 20, 2015.

Poitras, G. "Oxycontin, Prescription Opioid Abuse and Economic Medicalization," *Medicolegal and Bioethics* 2 (2012): 31–43.

Portenoy, R. K., and K. M. Foley. "Chronic Use of Opioid Analgesics

Dormandy, Thomas. *Opium: Reality's Dark Dream.* New Haven: Yale University Press, 2012.

Fernandez, Humberto, and Therissa A. Libby. *Heroin: Its History, Pharmacology, and Treatment.*Center City, Minnesota: Hazelden, 2011.

Flascha, Carlo. "On Opium: Its History, Legacy and Cultural Benefits," *Prospect Journal,* May 25, 2011.

Frakt, Austin. "Dealing With Opioid Abuse Would Pay for Itself," *New York Times,* August 4, 2014.

Frankenburg, Frances R. *Brain-Robbers: How Alcohol, Cocaine, Nicotine, and Opiates Have Changed Human History.* Santa Barbara, California: Praeger, 2014.

Frazier, I. "The Antidote," *The New Yorker,* September 8, 2014.

Grattan, A., M. D. Sullivan, K. W. Saunders, et al. "Depression and Prescription Opioid Misuse Among Chronic Opioid Therapy Recipients with No History of Substance Abuse," *Annals of Family Medicine* 10 (2012): 304–311.

Harris, Nancy. *Opiates.* Farmington Hills, Michigan: Greenhaven Press, 2005.

Jayawant, S. S., and R. Balkrishnana. "The Controversy Surrounding OxyContin Abuse: Issues and Solutions," *Therapeutics and Clinical Risk Management* 1 (2005): 77–82.

Katz, D. A., and L. R. Hays. "Adolescent OxyContin Abuse," *Journal of the Academy of Adolescent Psychiatry* 43 (2004): 231–234.

Kolata, G., and S. Cohen. "Drug Overdoses Propel Rise in Mortality Rates in Young Whites," *New York Times,* January 16, 2016.

Meier, B. "Overdoses of Painkiller Are Linked to 282 Deaths," *New York Times,* October 28, 2001.

Meier, B. "At Painkiller Trouble Spot, Signs Seen as Alarming Didn't Alarm Drug's Maker," *New York Times,* December 10, 2001.

Belluck, P. "Methadone, Once the Way Out, Suddenly Grows as a Killer Drug," *New York Times,* February 9, 2003.

Booth, Martin. *Opium: A History.* London: Simon & Schuster, 1996.

Brownstein, M. J. "A Brief History of Opiates, Opioid Peptides, and Opioid Receptors," *Proceedings of the National Academy of Sciences* 90 (1993): 5391–5393.

Califf, R. M., J. Woodcock, and S. Ostroff, "A Proactive Response to Prescription Opioid Abuse," *New England Journal of Medicine* 374 (2016): 1480–1485.

Carise, D., K. L. Dugosh, A. T. McLellan, et al. "Prescription OxyContin Abuse Among Patients Entering Addiction Treatment," *American Journal of Psychiatry* 164 (2007): 1750–1756.

Catan, Thomas, and Evan Perez. "A Pain-Drug Champion Has Second Thoughts," *Wall Street Journal,* December 17, 2012.

Centers for Disease Control and Prevention. "Prescription Painkiller Overdoses in the US," www.cdc.gov/vitalsigns/painkilleroverdoses, 2012.

Centers for Disease Control and Prevention. "CDC Guideline for Prescribing Opioids for Chronic Pain—United States, 2016," *Morbidity and Mortality Weekly Report* 65 (2016): 1–49.

Cicero, T. J., M. S. Ellis, and H. L. Surratt. "Effect of Abuse-Deterrent Formulation of Oxycontin," *New England Journal of Medicine* 367 (2012): 187–189.

Clines, F. X., and B. Meier. "Cancer Painkillers Pose New Abuse Threat," *New York Times,* February 9, 2001.

Courtwright, David T. *Dark Paradise: A History of Opiate Addiction in America.* Cambridge: Harvard University Press, 2001.

Courtwright, D. T. "Preventing and Treating Narcotic Addiction—A Century of Federal Drug Control," *New England Journal of Medicine* 373 (2015): 2095–2097.

主要参考文献

全般

Grant, John. *Discarded Science: Ideas That Seemed Good at the Time.* Surrey, England: Facts, Figures & Fun, 2006.

Grant, John. *Corrupted Science: Fraud, Ideology, and Politics in Science.* Surrey, England: Facts, Figures & Fun, 2008.

Grant, John. *Bogus Science: Or, Some People Really Believe These Things.* Surrey, England: Facts, Figures & Fun, 2009.

Livio, M. *Brilliant Blunders: From Darwin to Einstein—Colossal Mistakes by Great Scientists That Changed Our Understanding of Life and the Universe.* New York: Simon & Schuster, 2013.

神の薬 アヘン

Adams, Taite. *Opiate Addiction: The Painkiller Addiction Epidemic, Heroin Addiction and the Way Out.* Petersburg, Florida: Rapid Response Press, 2013.

Anonymous. "Closing Arguments Made in Trial of Doctor in Oxy-Contin Deaths," *New York Times*, February 19, 2002.

Anonymous. "Doctor Given Long Prison Term for 4 Deaths Tied to OxyContin," *New York Times,* March 23, 2002.

Ballantyne, J. C., and J. Mao. "Opioid Therapy for Chronic Pain," *New England Journal of Medicine* 349 (2003): 1943–1953.

■や行

■ら行

■ま行

■な行

索引

■さ行

索引

［著者］

ポール・A・オフィット

ポール・A・オフィット医学博士は、フィラデルフィア小児病院ワクチン教育センター長、ペンシルヴァニア大学ペレルマン医学部のモーリス・R・ハイルマン・ワクチン学教授および小児科学教授。メリーランド大学医学部の小児科優秀医のためのJ・エドマンド・ブラッドレー賞、米国小児科学会の優れた貢献に対する会長認定、米国医科大学協会のデヴィッド・E・ロジャーズ賞、公益医学センターのオデッセイ賞、米国感染症財団のマクスウェル・フィンランド賞など受賞歴多数。

オフィット医師は、医学・科学の専門誌でロタウイルス特異的な免疫反応やワクチンの安全性に関する論文を160報以上発表し、米疾病対策センター（CDC）が世界的な使用を推奨するロタウイルスワクチンであるロタテックの開発者の一人でもある。この実績により、オフィットはビル＆メリンダ・ゲイツ財団のグローバルヘルスのためのリヴィング・プルーフ・プロジェクト立ち上げにあたって表彰され、全米科学アカデミー医学研究所の一員に選ばれた。2015年には米国芸術科学アカデミーの会員に選出されている。これまでに次のような6冊の医学関係の本を出している。『The Cutter Incident: How America's First Polio Vaccine Led to Today's Growing Vaccine Crisis』、米国メディカルライター協会の賞を受賞した『Vaccinated: One Man's Quest to Defeat the World's Deadliest Diseases』、『Autism's False Prophets: Bad Science, Risky Medicine, and the Search for a Cure』、カーカス・レビューとブックリストによる2011年ベスト・ノンフィクションの一冊に選ばれた『Deadly Choices: How the Anti-Vaccine Movement Threatens Us All』、懐疑主義的研究のための委員会による批判的思考に関するロバート・P・バリーズ賞を受賞し、ナショナル・パブリック・ラジオにより2013年の最高の本の一冊にも選ばれた『Do You Believe in Magic?: The Sense and Nonsense of Alternative Medicine』、2015年4月にニューヨークタイムズ・ブックレビューの編集者が選ぶ本として選ばれた『Bad Faith: When Religious Belief Undermines Modern Medicine』である。フィラデルフィア在住。

［日本語版監修者］

大沢基保

薬博、帝京大学名誉教授。（一財）食品薬品安全センターの研究顧問。東京大学大学院修了後、労働省の研究所にて職業病の研究を行う。その間に英国MRCトキシコロジー研究所、米国ミシガン大学医学部にて研究に従事。その後帝京大学薬学部に移り、主に重金属などの環境物質の生理／毒性作用について研究し、日本免疫毒性学会賞受賞。WHO ／ IPCSの免疫毒性に関する環境保健基準書の作成員を務める。近年の急速な科学技術の革新はその影響についての史的考察が必要と考え、本書を広く紹介すべく監修にあたる。

［訳者］

関谷冬華

翻訳者。広島大学大学院先端物質科学研究科量子物質科学専攻博士課程前期修了。研究支援ソフトウェア開発会社、翻訳会社に勤務後、独立。訳書に『世界をまどわせた地図』、『科学の誤解大全』、『ビジュアル パンデミック・マップ』など。

ナショナル ジオグラフィック パートナーズは、ウォルト・ディズニー・カンパニーとナショナル ジオグラフィック協会によるジョイントベンチャーです。収益の一部を、非営利団体であるナショナル ジオグラフィック協会に還元し、科学、探検、環境保護、教育における活動を支援しています。
このユニークなパートナーシップは、未知の世界への探求を物語として伝えることで、人々が行動し、視野を広げ、新しいアイデアやイノベーションを起こすきっかけを提供します。
日本では日経ナショナル ジオグラフィックに出資し、月刊誌『ナショナル ジオグラフィック日本版』のほか、書籍、ムック、ウェブサイト、SNSなど様々なメディアを通じて、「地球の今」を皆様にお届けしています。

nationalgeographic.jp

禍(わざわ)いの科学
正義が愚行に変わるとき

2020年11月24日　第1版1刷
2024年6月25日　　　　4刷

著者　ポール・A・オフィット
訳者　関谷冬華
日本語版監修　大沢基保
編集　尾崎憲和
装丁・デザイン　田中久子(アンサンブル)
装画　木原未沙紀
制作　朝日メディアインターナショナル
発行者　田中祐子
発行　株式会社日経ナショナル ジオグラフィック
〒105-8308　東京都港区虎ノ門4-3-12
発売　株式会社日経BPマーケティング
印刷・製本　日経印刷

ISBN978-4-86313-478-2　Printed in Japan

乱丁・落丁本のお取替えは、こちらまでご連絡ください。
https://nkbp.jp/ngbook

本書は米National Geographic Partnersの書籍「Pandora's lab : seven stories of science gone wrong」を翻訳したものです。内容については原著者の見解に基づいています。

Pandora's lab : seven stories of science gone wrong